EVEREST
1458

AYŞE KULİN

AYŞE KULİN / ESERLER

1. *Güneşe Dön Yüzünü* (Öykü)
2. *Bir Tatlı Huzur* (Biyografi)
3. *Foto Sabah Resimleri* (Öykü)
4. *Adı: Aylin* (Biyografik Roman)
5. *Geniş Zamanlar* (Öykü)
6. *Sevdalinka* (Roman)
7. *Füreya* (Biyografik Roman)
8. *Köprü* (Roman)
9. *İçimde Kızıl Bir Gül Gibi* (Deneme)
10. *Babama* (Şiir)
11. *Nefes Nefese* (Roman)
12. *Kardelenler* (Araştırma)
13. *Gece Sesleri* (Roman)
14. *Bir Gün* (Roman)
15. *Bir Varmış Bir Yokmuş* (Öykü)
16. *Veda* (Roman), *Veda* (Çizgi Roman)
17. *Sit Nene'nin Masalları* (Çocuk Kitabı)
18. *Umut* (Roman)
19. *Taş Duvar Açık Pencere* (Derleme)
20. *Türkan-Tek ve Tek Başına* (Anı-Roman)
21. *Hayat-Dürbünümde Kırk Sene* (Anı-Roman)
22. *Hüzün-Dürbünümde Kırk Sene* (Anı-Roman)
23. *Gizli Anların Yolcusu* (Roman)
24. *Saklı Şiirler* (Şiir)
25. *Sessiz Öyküler* (Öykü Derlemesi)
26. *Bora'nın Kitabı* (Roman)
27. *Dönüş* (Roman)
28. *Hayal* (Anı)
29. *Handan* (Roman)

ÖDÜLLER

1988-89 / Tiyatro ve TV Yazarları Derneği, En İyi Çevre Düzeni Dalında Televizyon Başarı Ödülü
1995 / Haldun Taner Öykü Ödülü Birincisi
1996 / Sait Faik Hikâye Armağanı Ödülü
1996 / 3. UAT En Başarılı Yazar Ödülü
1997 / Oriflame Roman dalında Yılın En Başarılı Kadın Yazarı Ödülü
1997 / Nokta Dergisi DORUKTAKİLER Edebiyat Ödülü

1997 / İ.Ü. İletişim Fakültesi, Roman Dalında Yılın En Başarılı Yazarı Ödülü
1998 / Oriflame Edebiyat Dalında Yılın En Başarılı Kadın Yazarı Ödülü
1998 / İ.Ü. İletişim Fakültesi Roman Dalında Yılın En Başarılı Yazarı Ödülü
1999 / Oriflame Edebiyat Dalında En Başarılı Kadın Yazarı Ödülü
1999 / İ.Ü. İletişim Fakültesi Roman Dalında Yılın En Başarılı Yazarı Ödülü
2000 / Rotaract Yılın Yazarı Ödülü
2001 / Ankara Fen Lisesi Özel Bilim Okulları Yılın Yazarı Ödülü
2002 / Tepe Özel İletişim Kurumları Yılın En İyi Edebiyatçısı Ödülü
2003 / AVON Yılın En Başarılı Kadın Yazarı Ödülü
2003 / Best FM Yılın En Başarılı Yazarı Ödülü
2004 / İstanbul Kültür Üniversitesi Yürekli Kadın Ödülü
2004 / Pertevniyal Lisesi Yılın En İyi Yazarı Ödülü
2007 / Bağcılar Atatürk İ.Ö. Ok. & Esenler-İsveç Kardeşlik İ.Ö. Ok. Yılın Edebiyat Yazarı Ödülü
2007 / Türkiye Yazarlar Birliği VEDA isimli romanı ile Yılın En Başarılı Yazarı
2008 / European Council of Jewish Communities Roman Ödülü
2009 / TED Bilim Kurulu Eğitim Hizmet Ödülü
2009 / Kocaeli, 2. Altın Çınar Dostluk ve Barış Ödülü
2009 / Kabataşlılar Derneği Yılın En İyi Yazarı Ödülü
2010 / Best FM 1998-2008, 10 Yılın En Başarılı Kitabı
2010 / Kabataşlılar Derneği Yılın En İyi Yazarı Ödülü
2011 / İTÜ EMÖS Yaşam Boyu Başarı Ödülü
2011 / Orkunoğlu Eğitim Kurumları, Yılın En Başarılı Yazarı Ödülü
2011 / ESKADER Kültür & Sanat Ödülleri, Hatırat Dalında HAYAT & HÜZÜN
2011 / FAREWELL (VEDA) ile Dublin IMPAC Edebiyat Ödülü Ön Adayı
2012 / Medya ve Yeni Medya En İyi Yazar Ödülü
2013 / Kültür ve Turizm Bakanlığı, Toplumsal Duyarlılığa Katkı Ödülü
2013 / Lions Başarı Ödülü
2014 / 22. İTÜ EMÖS ÖDÜLÜ; Yılın En Başarılı Kitabı - *Handan*

Sevdalinka'nın Bosna-Hersek telif geliri savaş mağduru çocuklara, *Kardelenler*'in telif geliri Kardelen Projesi'ne, *Sit Nene'nin Masalları*'nın telif geliri UNICEF Anaokulu Projesi'ne, *Türkan-Tek ve Tek Başına*'nın özel baskısının ve *Türkan* tiyatro oyununun telif gelirleri ise ÇYDD eğitim projelerine bağışlanmıştır.

AYŞE KULİN

TUTSAK GÜNEŞ

§

Yayın No **1458**
Türkçe Edebiyat **545**

Tutsak Güneş
Ayşe Kulin

Editör: Cem Alpan
Kapak tasarımı: Füsun Turcan Elmasoğlu
Sayfa tasarımı: Zülal Bakacak

© 2015, Ayşe Kulin
© 2015, bu kitabın tüm yayın hakları
Everest Yayınları'na aittir.

1. Basım: Ekim 2015 (150.000 Adet)

ISBN: 978 - 605 - 141 - 933 - 6
Sertifika No: 10905

Baskı ve Cilt: Melisa Matbaacılık
Matbaa Sertifika No: 12088
Çiftehavuzlar Yolu Acar Sanayi Sitesi No: 8
Bayrampaşa/İstanbul
Tel: (0212) 674 97 23 Faks: (0212) 674 97 29

EVEREST YAYINLARI
Ticarethane Sokak No: 15 Cağaloğlu/İSTANBUL
Tel: (0212) 513 34 20-21 Faks: (0212) 512 33 76
e-posta: info@everestyayinlari.com
www.everestyayinlari.com
www.twitter.com/everestkitap
www.facebook.com/everestyayinlari
www.instagram.com/everestyayinlari

Everest, Alfa Yayınları'nın tescilli markasıdır.

Ne içindeyim zamanın,
Ne de büsbütün dışında

A. H. Tanpınar

I. BÖLÜM

HINÇ DEVRİ

"Uykularından uyandıramadığımız ne çok insan var."

Antoine de Saint-Exupéry

BELLEĞİMDE HAYATIN BİR ZAMANLAR DAHA KEYİFLİ OLDUĞUNA DAİR BİR BİLGİ KIRINTISI VAR

"Başım ağrıyor," dedim.

"Normal. Çok uzun bir yolculuktan döndünüz. Yorgunsunuz."

"Hiçbir şey hatırlamıyorum."

"İyi. Hatırlamanız doğru olmazdı zaten."

"Neler anlattığımı bana söylemeyecek misiniz?" diye sordum.

"Gerektikçe ve gerektiği kadarını."

"Ne kadar geriye gittiğimi söyleyin bari."

"Çok yol kat ettiniz. Başka hayatlara, başka dönemlere... Bu yüzden bir süre ara vereceğiz. Bir sonraki seanstan önce iyice dinlenmeniz lazım."

"Nereye kadar gittim, sahi? Taş devrine mi, tunç devrine mi?"

Alay ettiğimi anladı mı acaba?

"Belki tunç devrine belki de geleceğe gittiniz," dedi, "henüz yaşanmamış zamanlara."

"Bu gidiş-gelişlerin bana iyi geleceğine gerçekten inanıyor musunuz?"

"Takıntılarınızın kaynağını keşfedebilirsem, kesinlikle evet."

"Zamanın sonsuzluğuna uzanan bu yolculuklara param yetişmeyebilir ama..."

"Parayı düşünmeyin, Merkez ödüyor, nasılsa," dedi lafımı keserek.

"Bir yere kadar öder."

"O noktaya gelmeden sorunu çözeceğiz. Bana yardımcı olursanız siz uykularınıza kavuşacaksınız, Merkez de sizin değerli mesainize..."

Biz! Yani o ve ben. Bir aydan beridir ki, bir takım olduk ikimiz. Sorunumu birlikte çözeceğiz, başucumdaki koltukta oturan ve genizden gelen tok sesiyle benimle sakin bir tonda konuşan bu genç kadınla. Buna mecburuz. Yoksa ben uykusuzluktan öleceğim, onun da, belki kazançlı işinden olmayacak ama, dosyasına yükselmesini yavaşlatacak olumsuz bir not düşülecek. Acelesi bu yüzden.

"Sedirler bu kadar sert olmak zorunda mı?" diye sordum, toparlanıp kalkarken.

"Standartlar," dedi, "her şey standartlar doğrultusunda tasarlanıyor."

"Gittiğimi varsaydığın tunç devrinde kalaydım keşke," dedim. "Eminim o tarihte standartlar yoktu."

"O kadar emin olmayın," dedi, "standartlar iyidir, hayatı kolaylaştırırlar."

Acaba?

Belleğimin bir yerinde, hayatın bir zamanlar belki çok daha zor ama çok daha keyifli olduğuna dair bir bilgi kırıntısı var gibi. Bana belli etmese de, bazı şeyleri sorguladığımın doktorum da farkında olmalı. Beni saatlerce uyutup yaşadıklarıma vakıf olduğuna göre, beni benden daha iyi tanıyor. Fakat henüz bana güvenmiyor.

Ona yalvarsam, yakarsam beni bana anlatır mı acaba? Ruhumun derinliklerinde neler sakladığımı bana söyler mi?..

"Uykusuzluğumun nedenini hemen teşhis etmenizi elbette beklemiyorum, ama en azından bir tahminde bulunamaz mısın?" dedim, gözlerimi gözlerine dikerek.

"Daha fazla veriye ihtiyacım var. Bu işler birkaç seansta hallolmaz. Derinlere işlemiş izlere ulaşıp onları çabucak silmek kolay değil."

"Böyle giderse delirir miyim?"

"Hayır," dedi, "asla böyle düşünmeyin. Benzer semptomlarla çok karşılaştım. Biz aramızda *Ofglen Sendromu* deriz buna. Ama dediğim gibi, yüzde yüz emin olmadan teşhis koymak istemiyorum. Yoksa size fayda yerine zarar verebilirim."

"Eğer bu teşhis doğru çıkarsa, iyileşme ihtimalim var mı?"

"Teşhis ne olursa olsun, sizi iyileştirmeden benden kurtulamazsınız."

Kurtulmak isteyen kim?

Hasta-doktor ilişkisi içinde olsa da, açılabildiğim yegâne kişi, Dr. Sorgen. Bu yüzden o rahatsız sedirin üzerindeki uyku seanslarına biraz endişeyle yattığımı itiraf etmeliyim. Tedavinin bitmesini hem istiyorum hem istemiyorum; biterse iyileşmiş olacağım. Gece yatağıma girdiğimde, en az beş-altı saatlik bölünmez uykulara dalacağım. Başımın ağrısı geçecek. Ve fakat yine yapayalnız kalacağım o hayatımdan çıkınca, düşüncelerimi, rüyalarımı, endişelerimi korkusuzca paylaşabileceğim kimsem kalmayacak etrafımda.

Uykusuzluğum, nedenini bilmediğim tuhaf bir korkunun çıkmaz sokağında yürüdüğümü fark ettiğim günlerde başladı, giderek kötüleşti. Bu yüzden yaklaşık bir yıldır aşırı dikkat gerektiren işimi hakkıyla yapamıyorum. Ancak yine de Merkez benden vazgeçemiyor, yerimi dolduracak biri henüz yetişmedi çünkü. O kişi bulunup yetiştirilene kadar, beni ihtimamla tedavi ettirmeye çalışıyorlar. Kafamın tamamı tarandı. Habis veya iyi huylu bir ura rastlanmadı. Kan testlerim temiz. Uyku sorunu dışında domuz gibi sağlıklıymışım, öyle demişti doktorum, ama içirdiği onca bitkisel ve kimyasal sakinleştirici fayda etmeyince başka doktorlara yönlendirildim ve başka reçeteler denedim. Son çare olarak, Dr. Sorgen'in duvarları huzur veren gök ve deniz manzaralarıyla bezenmiş odasındaki sedirde buldum kendimi. Önümüzde birkaç aylık bir süre var. Her ikimiz de meslek hayatımızın kesintiye uğramaması için, bir an önce beni uykularımdan eden o şeye ulaşmalıyız da, o şey, neyin nesi?

Ah, keşke yanıtı bilebilseydim.

Uykusuzluk çektiğim anlarda, bazen tuhaf sahneler beliriyor kafamda. Daha yoğun ve parlak bir aydınlık hatırlıyorum sanki, daha ışıklı bir sabah... Geceleri ise, masallardaki gibi, adeta gökte bana göz kırpan yıldızlar ve ara sıra yatağımın üstüne kocaman bir lamba asılmışçasına, uykularımda içime dolan sıcaklık hissi. Derken, bir panik duygusu sarıyor beni. Kaçmak istiyorum... İyi de kimden veya neden?

Sebebi her neyse, öğrenmenin yolu, anlaşılıyor ki birkaç ay önce tanıştığım bu genç kadına teslim olup, uykuya dalmaktan geçecek! Ben uykumda çok öncelere dönecek, neler yaşamışsam, hepsini anlatacağım. Anlattıklarım ona, o da bana bir ayna tutacak.

Ya sonrası?

Ah, insanoğlunun dizginleyemediği sorgulaması, arayışı, sürekli irdeleyen iç örgüsü! Olmaz olaydınız, keşke!

Kapıdan çıkarken, "Bir şey sendromu demiştiniz?" diye sordum, "Neydi o kelime?"

"Ne yapacaksınız öğrenip? Siz hekim değilsiniz ki!"

"Bilmek istiyorum."

"Herkes kendi alanında kalsın, Hoca'm. Merkez de öyle olmasını ister, zaten."

Ona, seni gidi Merkez kuklası, dedim içimden. Yüzüne ise gülümsedim, teşekkür ettim, çıktım kapıdan. Kapıyı hemen kapatmadı. Ben, merdivenleri inerken duydum usulca kapanan kapının sesini.

Bütün gün yağan kar durmuştu. Buzluydu yollar. Neyse ki ayağımızdaki manyetik botlar, belediyenin sokaklara döktüğü metal alaşım yüzünden kayıp düşmemizi önlüyordu... da, her zaman değil... Protesto gösterilerinde polis, alaşımlı bölgelere müdahale ediyor, protestocular kendilerini yerlerde sürüklenirken buluyorlardı. Bu nedenle, kar mevsimi nispeten olaysız geçerdi Merkez'de. Halk, negatif enerjisini, karın kalktığı ilkbahar aylarına saklardı. Yağmurlarda ıslanmak, buzların üstüne düşüp kol bacak kırmaktan evlaydı, sonuçta.

13

Buzlu zeminde dikkatle yürürken düşündüm de, acaba, Sorgen azıcık çekiniyor muydu benden? Sadece ondan yaşça büyük olduğum için değil, Merkez'in özlük sıralamasında da ondan daha yüksek bir kademede olduğum için?.. Belki de ben nasıl onun beni ele vermesinden korkuyorsam, o da benim onu sınıyor olmamdan korkuyordur. Hepimiz hep biraz korktuk Merkez'den. Bir süredir, sanırım birbirimizden de korkuyoruz artık. Çünkü insanlar rahat durmuyor, sürekli şikâyet ediyorlar, tatmin olmuyorlar, yetinemiyorlar... Neticede kendi başlarını yakarken, huzurlu yaşamak isteyenlerin de rahatını kaçırıyorlar, kurunun yanında yaş da yanar, misali... Kim memnundur halinden, kim değildir kolayca anlaşılmadığı için, herkes birbirine karşı tetikte. Eh, durum böyle olunca, yönetimle hiçbir derdim olmadığı halde, beynimin labirentlerinde gezinecek kadından haliyle çekiniyorum biraz. Bu korkuyu içime annem saldı, aslında. Hiç istemedi uyku terapilerine girmemi. Uyku seanslarına gideceğine, açık havada yürü, yatmadan ballı ıhlamur iç gibi çocukça önerilerle içimi baydı.

Ben, Sorgen'i göklere çıkaran Araştırma Kurumu'nun doktoru dinlemeyi tercih ettim. Bakalım kim haklı çıkacak? Annem mi yoksa kurumun doktoru mu? Annem deyince... çantamın içini, sonra da ceplerimi karıştırdım... Tuh! Sabah onun için aldığım vitaminleri Sorgen'in muayenehanesinde unutmuşum... Dikkatsizliğim de hep bu uykusuzluğumun yüzünden!

Yalvarıyorum sana Yüce Ram, beni eski sağlığıma kavuştur, bir an önce. Öğrencilerimin, üzerinde çalıştığım yeni icadımın ve elbette Merkez'in bana hâlâ ihtiyaçları var. Yüce Ram, sen ki beni en itibarlı mevkilere, en güzel... Kulağımın dibinde aniden çalan korna sesiyle sıçradım.

"Kaldırımdan yürüsene be kadın!" dedi kaba bir erkek sesi. "Kaza yaptıracaktın bana!" Adam arabanın penceresini indirmiş avazı çıktığı kadar bağırıyordu.

Sersem herif! Boynumdaki atkının, toplum içindeki yerimi belirleyen renklerini görmüyor mu? O da mı benim gibi uykusuzluk çekiyor yoksa? Erkeklere, kıdemimiz ne olursa olsun, hadlerini bildiremeyeceğimizi bir an için unutup, "Terbiyesiz adam," diye bağırdım arkasından. Neyse ki duymadı...

RAMANiS REJiMi

Gecenin bir yerinde uyandım. Kafamın içinde bir çınlama...
Ofglen Sendromu!

Hatırladım işte!

Ofglen, dememiş miydi bana, Sorgen? Beynimin doğal
bilgisayarı, bütün gece taramış olmalı biriktirdiği bilgileri,
bulunca da uyandırdı beni. O nedenle öncekiler gibi huzur-
suz bir uyanış olmadı bu. Mutlu, adeta maksatlı bir uyanıştı.
Doğrulup oturdum yatağımda, ışığı yaktım. Saat dörde on iki
dakika vardı ve henüz karanlıktı dışarısı. Doktorum uyudu-
ğum odada elektronik alet bulunmamasını tembihlediği için,
tabletimi salonda, akıllı bilekliğimi ve uyumak için çıkardığım
lenslerimi de banyoda bırakmıştım. Vücut ısımıza ayarlı sis-
tem bozulmuş olmalı, ev soğuktu, üşendim kalkıp içeri geç-
meye. Başucumdaki masanın özel camına, parmağımla, hazır
kelime aklımdayken, *Ofglen* yazdım.

17

İklim değişikliğinden sonra ağaç kesmek yasaklandığından, yapay kâğıt ise geri-dönüşümlü olmadığı için çok kısıtlı kullanıldığından, beş yıl kadar önce yazıları uzunca bir süre görünür kılan camlar icat edilmiş ve hayatı gerçekten kolaylaştırmıştı. Ofislerimizin, evlerimizin pencereleri, cam bölmeler ve masalar not defteri gibi olmuştu. Aslında, cam yüzeylere yazmanın hayata geçirilişinde benim payım büyüktü. Bu nedenle gururla gerindim yatağımda. Sabah bakardım artık neyin nesiymiş Ofglen Sendromu. Yoksa Offren miydi? Her neyse, alt tarafı her ikisini de araştırırdım.

Ama ya bu sözcük sansürlüyse?

Ne yapardım o zaman?

Merkez'in işine gelmeyen bilgilere erişmenin mümkün olmadığı, kimse için bir sır değildi. Annem mesela, daha da ileri gider, bir gün her türlü teknik erişimin tamamen yasaklanacağına, içtenlikle inanırdı. Kimlerin etkisi altında kalırdı bilmezdim ama Saray'da alınan her kararın ardında, bir hinlik arardı, annem.

Aslında bizler de bu şekilde kısıtlanmanın sıkıntısını çekiyor, fakat pek aldırmıyorduk. Öyle bir badirenden çıkmıştık ki... açlıktan, kıtlıktan, işsizlikten, kargaşadan, çok uzun süren bir iç savaştan... Kısacası tam bir anarşi ortamından geçtikten sonra, nihayet düzenli, güvenli bir hayata kavuşmanın rehaveti içindeydik.

Uzun sürmedi.

Başımıza iklim değişikliği denen bir başka felaket çıktı, bu kez.

Herkes delinen ozon tabakasından dolayı, hava giderek ısınacak diye endişe ederken, tam tersi oldu, bitmek bilmeyen bir kış mevsimini yaşamaya başladık. Güneş, sanki bir tül perdenin gerisine çekilmiş, dünyaya bir bulutun ardından bakıyordu. Her an gölgede yaşamak ruhsal dengemizi alt üst etti. İnsanlar bunalıma girmeye, intihar vakaları artmaya başladı. Özellikle de, çok soğuk geçen kış aylarında yaşlılardaki donarak ölme vakaları giderek artınca, hayatımızın yegâne gayesi soğuk hava şartlarıyla başa çıkmaya indirgendi!..

Önceleri geçici sandığımız iklim şartlarını uzun süre değişmeyeceğini anlamıştık. Gezegenimiz, ne kadar süreceğini bilmediğimiz bir güneş tutulması yaşamaktaydı. Ülkenin beyin takımı gece gündüz demeden hayatı kolaylaştıracak yolları arar oldu. Benim de aralarında bulunduğum bir ekip, camlarla kaplanmış çok geniş alanlarda, yapay aydınlatmayla güneş ışığı etkisi yaratmak için çalışıyordu hiç durmadan. Günlük hayatı kolaylaştırmak için buzlu yollarda asla kaymayacak araba lastikleri, buharlanma yapmayacak, dışı buzlanmayacak camlar, manyetik botlar, bizi terletmeden sıcak tutacak termal tekstiller (ki bu son ikisi benim harikalar yarattığım alana giriyor), soğuk hava şartlarında yetişecek gıdalar üzerine kafa yorduk.

Uluhanımız milli gelirin en büyük payını, bu meselenin çözümüne ayırdı. Dış ülkelerden fonlar buldu. Bu paralarla, parkları ve bahçeleri uzun kış aylarında camlarla kapatılabilen seralara dönüştürdü, ki böylece halk hafta sonları üşümeden, keyifli vakit geçirebilsin; çocuklar evlerinin dışında oynayabilsin. Bunca yaşamsal önemi olan bir dertle uğraşadururken, internet yasağıymış, ifade özgürlüğüymüş, kılık kıyafet yasalarıymış gibi ayrıntılara aldırmıyor, en temel ihtiyaçlarımızı karşılamaya çalışıyorduk.

Ne diyordum ben? Ha... şu Ofglen'le ilgili sansür meselesi... Boş ver, dedim kendi kendime, bu kelime yasaklıysa, yasaların o kadar sıkı uygulanmadığı kantonları denerim. Arabama atlayıp, mesleki araştırma bahanesiyle, Batı Kıyı Kantonu'na günü birlik gidip gelebilirim, mesela.

Kantonlar arası yolculuk, kimi vatandaşlara yasak değildi. Sınırlar, Merkez Polisi ile Devlet Enformasyon elemanlarına her zaman açıktı. Kültürel çalışmalar ve ticaret yapanlara ise, işleri Merkez'in ilkeleriyle çelişmediği takdirde, izin veriliyordu. Sonra harika bir gelişme oldu, bilim insanlarının bilimsel çalışmalar için sınırları geçmesi, üç yıl önce tamamen serbest bırakıldı. Bu sayede ben de kendime Batı Kıyı Kantonu'nda değerli bir arkadaş edinmiştim. Adı Arike'ydi.

Arike Tugan ile bir seminerde tanışmış, mesleki bilgi alış verişinin dışında da çok iyi anlaşmıştık. O kadar ki, birkaç kere bilimsel toplantı bahanesi yaratıp sırf Arike'yi görmek için Batı Kıyı'ya geçmiştim. Hiç sorun çıkmamıştı. Yasakların yavaş da olsa, gevşemeye, normalleşmeye başladığına işaret ediyordu bu. Zaten kıyı kantonlarında yaşam çok daha rahat, kurallar daha gevşek, dış dünya ile iletişim her zaman daha kolaydı. Batı Kıyı'da yasaklı internet sitelerine erişmek için, özel bir şifre kullanıldığını mesela, Arike söylemişti bana, elbette bunu Merkez'de kimseye anlatmayacağıma yemin ettirdikten sonra!

Böyle bir şeyi Merkez'de yapmaya cesaret etmek mümkün olamaz, çünkü cezası, ağırlaştırılmış hapistir, hâlâ. Bu konuda bir dedikodunun yayılması dahi, o sektörde çalışan yüzlerce kişinin tutuklanmasına neden olabilir. Bu tehlikeye rağmen, son birkaç yıldır kıyılardaki özgürlüğe öykünenlerin sayısı artmaya başladı. Merkez'de yaşayan bizler, mesken, sağlık, eğitim ihtiyaçlarımız kusursuz karşılanıyor olmasına rağmen huzursuzluk çıkaran bu vatandaşlar yüzünden tedirgin olmaya başladık. Onlar, koca ülkeyi idare eden Merkez'i adeta görmezden geliyorlar. Bu nedenle Merkez zaman zaman kontrolü artırmak zorunda kalıyor, çünkü diğer dokuz kanton, ticaret, sağlık, spor gibi alanlar dışında bütünüyle Merkez'e bağlı. Başka ülkelerin elçilikleri, Baş Rama'nın 'Kutsal Ev'i ve medarı iftiharımız Büyük Saray da Merkez'de, üstelik... O Saray ki, hayatımdaki yeri oldukça önemlidir!

BÜYÜK SARAY VE OĞLUM REGAN

Merkez'in alâmetifarikasıdır, Büyük Saray.

İki yıldan beri Yüce Ram'ın rahmetinde uyuyan Uluhanımız, sağlığında Merkez Meydanı'ndaki Büyük Saray'ın sağ kanadında ikamet ederdi. Başkanı olduğu Hükümet ise, binanın orta bölümünde çalışırdı. İkametgâh olarak inşa edilen bu devasa binanın sol kanadı, inşaat bittikten sonra, beş yüz iki odasıyla işlevsiz kalınca, yine Uluhan'ın emriyle üstün zekâlı çocukları yetiştirmeyi amaç edinen Saray Akademisi'ne dönüştürülmüştü. Bu fedakârlığı karşısında liderimize bir kere daha derin minnet duymuştuk.

Saray Akademisi'nde dinî, milli, siyasi, iktisadi, teknolojik, bilgilerle donatılmış, ayrıca çok dil bilen genç idareciler yetiştiriliyordu. Henüz anaokulu çağındayken, zekâ testinde yüksek not alan erkek çocukları, ilk eğitimi yüksek puanla bitirdilerse Saray'da bedava eğitim olanağı yakalıyor, mezuniyet sonrasında ise, devletin çeşitli bakanlıklarında hizmete yollanıyorlardı. Maaşları yüksek, önleri açıktı. Zamanla diğer kantonlar da çocuklarının bu sınava girebilmesini talep edince, Merkez talebi dikkate almış, ancak kendi çocuklarına birkaç puan avantaj tanımıştı. Taban puanını aşabilen belli sayıda 'dış-kan' (dış kanton'ları böyle adlandırırdık) çocuğun da Akademi'de okuma hakkı kazanması, ülkede memnuniyet yaratmıştı. Kantonlar birbirinden sınırlarla ayrılmış da olsa, neticede aynı ülkenin vatandaşlarıydık ve elbette 'dış-kan' çocukların da eşit eğitim hakları vardı.

Gösterilen iyi niyete karşın, bazı kötü niyetli kişiler boş durmamış, Uluhan'ın bu kararı, yurt genelinde tek tip insan yetiştirmek amacıyla almış olduğu fitnesini yaymaya çalışmışlardı. Ağzı olan konuşuyordu işte! Her hayırlı işe gölge düşürmek, insanoğlunun zaafıydı ve Saray Akademisi'nde verilmekte olan eğitimin hedeflerinden biri de zaaflarını törpülemeyi başarmış, vatanına sadık, üstün insanlar yetiştirmekti.

Her şeyimizi borçlu olduğumuz Uluhanımız'ın, tüm vatandaşlarının iyiliğini isteyen adil bir lider olduğundan şüphemiz yoktu. Dünyaya geliş anımızdan itibaren, emdiğimiz sütten yiyip içtiğimize, eğitimimizden hayırlı evlilikler yapmamıza, hatta çocuklarımızın sayısına kadar her şeyimizle canla başla meşgul olurdu. Varımızı yoğumuzu, işimizi gücümüzü, her şeyimizi ona borçluyduk. Büyük Saray'ımız ise övünç kaynağımızdı elbette!

Soğuklar başlamadan önceki yıllarda, halka açık olduğu özel günlerde işte bu ünlü Büyük Saray'ın çevresinde dolaşmışlığım, binaya çıkan mermer basamakların önünde fotoğraf çektirmişliğim, uçsuz bucaksız bahçesindeki bin bir renkli muhteşem çiçekleri hayranlıkla seyretmişliğim vardı.

Mevsim değişimden sonraki yıllarda ise, görevim nedeniyle, binanın orta bölümünde yer alan idari kısmına defalarca çağrılacaktım, ama akademiye dönüştürülen sol kanadına, ilk kez gencecik bir anneyken gittim. Biricik oğlum Regan'ı Saray Akademisi'nin sınavına sokmak için!

Yıllar geçti, ben o gün ki heyecanımı hiç unutmadım.

Regan Saray Akademisi sınavındayken, ben diğer annelerle birlikte bahçede beklemiştim. Rengârenk giysili yüzlerce genç anne (çoğumuz çok gençtik, çünkü evlenir evlenmez çocuk yapanların üç yıl boyunca bebek bakımı masrafını Merkez karşılıyordu) kır çiçekleri gibi, cam kubbenin altındaki çimenlere serpilmiştik. Aralarında, meslek sahibi tek anne ben olduğum için, tuhaf bir yalnızlık duygusuna kapıldığımı hatırlıyorum. Kadınların görevi kutsal analık ve eşlik vazifesini ifa etmekti. Beşinci çocuğunu doğuranlara som altından Uluhan Yıldızı ve yüklü miktarda para veriliyordu.

Benim yazgımsa, bambaşkaymış meğer!

Regan'ı doğurduktan sonra, yanlış teşhis sonucu rahmim alınıp doğurganlık yıldızı alma umudum kalmayınca, kafayı yıldızın yanı sıra verilen yüklü paraya takmış olan kocam, karısı doğuramayan erkeklere tanınan yasadan yararlanarak boşamıştı beni. Ben de, evlenirken yarım bıraktığım üniversiteme geri dönmüş, kariyer yapmıştım. Ne şanslıymışım ki, çocuğuma baktıracak annem vardı, yoksa beş yaşına gelinceye kadar çocukları kreşe yollamak yasaktı ve anatomik bozukluk nedeniyle doğuramayanların dışında, her genç kadının, çocukları ilköğretimi bitirene kadar evinde onlarla meşgul olması yasal mecburiyetti.

Önceleri, çalışan bir kadın olarak muhitimde küçümsendiğimi itiraf etmeliyim. Çalışan erkekler evlerinin direkleri sayılırlarken, çalışan kadınların çakıl taşı kadar kıymeti yoktu. Örneğin anneme de, iyi bir ressam olduğu halde, bu değersiz kadınlardan biri gözüyle bakılırdı. Babamın vakitsiz ölümünden sonra, evlenebileceği onca dul erkek varken, üstelik karşısına münasip kısmetleri de çıktığı halde, evlenmeyi ret ederek aile kurumunun kutsallığına gölge düşürdüğü için, dul aylığı ikinci yılın sonunda kesilmişti. Buna rağmen inadından vazgeçmedi ve talibi çıkmayan kadınlarla birlikte, Dullar Evi'ne yerleştirilmeyi dahi göze aldı.

Dullar Evi'ndeki kadınlar, erken bunayan üst düzey erkek vatandaşların ayak hizmetlerine verilirlerdi... Ki, bunun ne anlama geldiğini bilmeyen yoktu. Bunama illeti, ülkemizde, Sağlık Bakanlığı'nın başa çıkamadığı bir hastalıktı. Diğer ülkeler, çağın bu yaygın hastalığına, katır geniyle yapılan tedavi sayesinde seneler önce kesin çözüm bulmuşlardı, ama Ramanis Cumhuriyeti'nde, katır mekruh sayıldığı için bu tedavi kesinlikle yasaktı. Bu yüzden de ülkemiz bir ucundan diğerine bunak doluydu ve hükümet, bu kişilerin bakımı için stratejiler üretmek zorunda kalmıştı.

Kimin başının altından çıktıysa helal olsun! Bir taşla iki kuş vurulmuş, boşta gezen her yaşta bekâr kadın, böylece bir baltaya sap olurken, erken bunamış erkek nüfusa da bakıcı temin edilmişti. "Yaşlı bir adama hizmetçilik etmeyi, sevmediğim bir adama karılık etmeye tercih ederim," demişti, benim sivri akıllı annem, Dullar Evi'nin yolunu tutmak üzere hazırlık yaparken.

Dâhiyane fikir, işte o günlerde gelmişti, aklıma. Annem benimle birlikte yaşamayı kabul eder ve oğlumun bakımını üstlenirse, o tanımadığı ihtiyarların altını temizlemekten kurtulabilir, ben de yarım bıraktığım üniversiteme dönebilirdim. Bu umudun peşine düştük ve öğrendik ki, Aile Bakanlığı'ndan izin almamız gerekiyormuş. Annem, hem de tek başına, Aile Bakanlığı'na gitti ve her ne yaptıysa, başvurumuzu kabul ettirdi. Böylece oğlum, annem ve ben, Regan'ın eli ekmek tutup, ayrı eve çıkacak yaşa gelene kadar birlikte yaşadık.

Annem bu fikrimin tüm icatlarımdan daha dâhiyane olduğunu iddia eder. Çünkü ben, bu sayede üniversiteyi bitirmekle kalmayıp, fizik ve ayrıca malzeme bilimi dallarında iki ayrı üst lisans da yaptım. Önce *'Bilim İnsanı'* statüsünü elde ettim, sonra aramızda *Beyin Deposu* diye adlandırdığımız Araştırma Kurumu'na hoca olarak atandım. Karbon fiber çalışmalarımla ödül kazandıktan sonra, itibarım da maaşım gibi artmış, ailecek gül gibi geçinmeye başlamıştık. Gelgelelim kadın olduğum için aile reisi sayılamıyordum. O statüyü, on sekiz yaşına geldiğinde, oğluma seve seve helal ettim gitti!

Regan'ın adam olacağı zaten daha küçücük bir çocukken belliydi. Beş yaşına kadar annemin büyüttüğü oğlum, anaokuluna başladığı yıl, öğretmenleri tarafından üstün zekâlı çocuklar listesine aday gösterilmişti. Kendi bölgesinde yüzlerce çocuk arasından seçilen yedi çocuktan biriydi. Çok çocuklu ailelerde anneler çocuklarının tüm ihtiyaçlarını karşılamak için çırpınırken, bizim oğlan, yaratıcı yönü aşırı gelişmiş, ressam anneannesinin etkisiyle yaşıtlarına fark atmış, Saray Akademisi'nde okumaya hak kazananlar listesine adını torpilsiz yazdırmıştı. Gözlerimize inanamamıştık, çünkü Uluhanımız'ın geniş ailesi ve dost çevresi başta olmak üzere, idareci sınıfın çocuklarına öncelik tanındığını biliyorduk. Devleti idare edecek olanlar, Saray Akademisi'nde yetişirdi. Annem, torpilli çocuklar halkın üstün zekâlı çocuklarının hakkını yemeğe devam ederlerse, ilerde bir gün koca ülke, aptalların yönetiminde kalacak, derdi hep. Doğuştan isyankâr bir ruhu vardı kadının, ama itiraf etmeliyim ki, torununun bu çok özel okula girebilmesindeki emeği büyüktü.

Oğlumun Saray Akademisi'ne kabulüne önceleri çok sevinmiştim. Ancak ilk günleri heyecanı geçince, ruhuma bir hüzün çökmeye başladı. Yüreğimde, çocuğumun elimden kayacağına, artık asla bana ait olmayacağına dair bir endişe filizlenirken, bir yandan da bu başarıyı ve ayrıcalığı elde etmiş çocuğun önünü kesmemem gerektiğini düşünüyordum, sanki karar mercii benmişim gibi.

Regan, Saray Akademisi'nde eğitim görme yaşına geldiğinde, on bir yaşına basmamıştı henüz. Evinden ayrılmak istemedi. Annemle ben, babasına karşı, oğlumun tarafını tutmuştuk. Ama babasını ikna edemedik.

"Saray Akademisi'nde yetişmekle, mahalle mektebine gitmek aynı şey mi?" demişti eski kocam. "Çocuk henüz neyi teptiğinin farkında değil, annen bunamanın eşiğinde ama sen, güya bilim insanı olacaksın, böyle bir şansı nasıl geri tepersin!"

Babasının oğlumuz üzerindeki söz hakkı, çocuğa ben bakıyor da olsam, yasalar önünde benimkinden üstündü. Bu yüzden, Regan, on yaşında evinden ayrılmak zorunda kaldı.

Bir eylül günü, annemle ben, aramızda nerdeyse sürüklenen oğlumun ellerinden tutmuş, Büyük Saray'ın upuzun mermer koridorlarında içimiz ezilerek, savaşa gider gibi uygun adım yürümüştük. Binanın boyutları, ihtişamı ürkütmüştü bizi, tuhaf bir korku salmıştı yüreklerimize. Koridor boyunca, Uluhanımız'ın yaldızlı çerçeveler içinde boy boy resimleri asılıydı. Ülkemizde yaşayan her çocuk gayet iyi bilirdi, her yerde karşısına fotoğrafları, yağlıboya portreleri çıkan, heykelleri meydanları, parkları süsleyen bu şahsiyeti. Regan, benzeri resimleri, televizyon ekranları dahil her yerde defalarca görüp kanıksadığı için, başını kaldırıp bir kere olsun bakmamıştı duvarlara.

Hiç bitmeyecekmiş gibi uzanan mermer koridorda ayak seslerimizi dinleyerek yürürken, annem, "Neden kız çocuklarını bu okula almıyorlar, hiç düşündün mü?" diye sormuştu bana. "Çünkü bizim çok daha zeki ve becerikli olduğumuzu bildikleri için, başarılarımızdan ödleri patlıyor!"

Doğrusu her zaman annemin düşüncelerini paylaşmazdım ama o gün ona hak vermiştim.

Nihayet ulaşmıştık yatakhaneye. Yan yana sıralanmış, üzerlerine beyaz trastikler geçirilmiş yatakların ortasında, bir an ürperdiğimi hatırlıyorum. Trastik, on yıl önce, benim de aralarında bulunduğum beyin takımının icadı, kirlenmeyen, eskimeyen, yanmayan, terletmeyen ve üşütmeyen bir tekstil ürünüydü. O gün belki de ilk kez gülümsemiştim kendi kendime, kumaşı parmaklarımla kontrol ederken. Ama keyfim uzun sürmemişti. Birazdan çocuğumu evine hiç benzemeyen bu koskocaman, steril koğuşta yapayalnız bırakıp gidecektik. On yılı burada geçtikten sonra, benim doğurduğum çocuktan geriye bir şey kalacak mıydı, bilemiyordum.

Yatakhane girdiğimizde, gözlerini nihayet yerden kaldıran Regan, yatak başlarındaki isimlere bakarak ilerlemiş, adını kendi bulmuştu. Ben yastığının altına oğlumun oyuncakları arasında en sevdiği uzaylı robotunu kimseye göstermeden tıkıştırırken, kulağına, "Yatağına senin için bir sürpriz bıraktım, sakın kimseye belli etme emi," diye tembih etmiştim.

"Ne bıraktın?"

"Birlikte uyumayı sevdiğin bir şey."

"Anneannemi mi?"

"Onu yastığın altına saklamak kolay değil."

İkimiz de gülmüştük.

"Ne gülüşüyorsunuz?" diye sormuştu annem.

"Sır," demiştim, oğlumla daha da güldükten sonra.

"Küserim ama size."

"Asıl ben küstüm ikinize de," demişti Regan, yüzünde mahzun bir ifadeyle.

"Ancak büyüdüğün zaman anlayacaksın, bu ayrılığa senin iyiliğin için katlandığımızı," demiştim ben.

Annem bana katılmadığını belli etmek ister gibi, başını öte yana çevirmiş, sık kullandığı deyişi söylemişti, "O mezun olana kadar... gün doğmadan neler doğar!" Münakaşa edecek halim yoktu annemle, duymazlığa gelmiştim.

Sonra aramızda pek az konuşarak, yatağın yanındaki dar dolabın raflarına Regan'ın çamaşırlarını yerleştirmiş, göğüs cebine Saray amblemi işlenmiş formasını askıya asmış, spor ayakkabılarını alt rafa koymuştuk özenle. Biz bunları yaparken Regan yatakhanenin penceresinden dışarı bakıyordu.

"Evimiz ne tarafta, göstersene anne," demişti.

Yanına gidip, evimizin bulunduğu tarafı işaret etmiştim.

"Ben her gece yatmadan önce, bu pencereden size el sallayacağım," demişti henüz on yaşındaki çocuğum.

Bir an onu kucaklayıp, oradan kaçırmak geçmişti aklımdan. Gözlerimde titreşen yaşları görmemesi için, bir başka pencerenin önüne gidip, önümde uzanan çiçekli bahçeye bakmıştım. Annem, burasının bir zamanlar, çeşitli ağaçların ekili olduğu bir büyük bahçe olduğunu söylemişti. Bir zamanlar burada ağaç sever bir lider yaşamış. Ülkenin değişik yerlerinden çeşitli bitkiler, ağaçlar getirtmiş, ağaçları kestirmemek için bina dahi inşa ettirtmemiş, küçük bir bağ evinde yaşamış hep. Demek adamın çocukları ölümünden sonra muhafaza edememiş, satmışlar topraklarını, diye düşünmüştüm, ne para kazanmışlardır ama!

Yatakhane penceresinin önünde durmuş, bahçedeki çeşitli desenler oluşturan rengârenk çiçeklere bakarken, seranın nerede bittiğini tespite çalışmıştım. Uçsuz bucaksız bir doğaya bakar gibiydim. Ah para, sen nelere kadirsin, demiştim içimden, çünkü Uluhan'ın sarayının bahçesi, insanda sonsuzluk hissi uyandırıyordu. Acaba aynalar mı kullanılmıştı bu algıyı yaratmak için?

Uluhanımız'ın algı operasyonu ustası olduğu halk arasında bilinir, sık konuşulurdu. Kim bilir belki de bahçenin bu uçsuz bucaksız görünümünde onun da katkısı vardı. İşte ben bunları düşünmeye dalmışken, aniden beni yerimden sıçratan bir zil çalmıştı. Üzerinde yerlere kadar mavi üniformasıyla bir kadın bitmişti kapıda. Nazik bir sesle, "Vakit tamam," demişti bizlere, "Haydi anneler, çocuklarınızla vedalaşma zamanı geldi."

Çocuğu Saray'da okumaya hak kazanmış birkaç anne, çocuklarımızı önümüze katıp merdivenlerden inmiş, onlarla yan bahçeye açılan kapının önünde vedalaşmıştık.

Regan'a önce annem sarılmıştı. Onun anneannesine vedasını sabırla bekleyip sonra ben kucaklamıştım oğlumu, kokusunu içime çekmiştim.

31

"Günler çabucak geçecek küçük tavşanım," demiştim, "sekiz haftanın sonunda, seni ilk ara tatiline çıkartmak için bu kapının önünde olacağım."

Sanırım bir yaş yuvarlanıyordu burnumun kenarından, çünkü bana, "Ağlama anne, bunu sen istedin," demişti oğlum. Ben istemedim, baban istedi, diyememiştim ona.

Çocuğumdan ayrılırken yüreğimin parçalandığını kimseye belli etmemiş, onu eğitim muhafızına teslim ederken, kendimi tutmuş, ağlamak için evime dönmeyi, annem sesimi duymasın diye banyoma kapanıp muslukları açmayı beklemiştim. Acaba annem de benden gizli ağlıyor muydu odasında? Zira o da torununun bakımını üstlenmesi sayesinde göreceli bir saygınlık kazanmıştı toplum içinde. Ne de olsa, itibarın büyük önem taşıdığı bir toplumda, kocasız olmamıza rağmen dişimiz, tırnağımızla çalışarak saygınlık kazanmış iki kadındık annemle ben. Zaaf göstermeyi sevmezdik.

Evet, başlarda hayat her ikimiz içinde kolay olmamıştı, ama benim kendi alanımda gösterdiğim başarı, kazandığım bilimsel ödüller, hele de iş yerimde bölüm başkanı tayin edilmem, tek çocuklu ve boşanmış bir kadın olmanın ayıbını sildi attı alnımdan! Ben artık hem Ramanis Cumhuriyeti'nin çok saygıdeğer bir üyesi, hem de Saray Akademisi'nde yetiştiği için özel görev üstlenmiş, önemli bir şahsın annesiyim! Çifte kavrulmuş itibar derler buna, ki saygınlığımın yarısı benim kişisel başarıma aitse, diğer yarısı oğlumun İstihbarat Bakanlığı Gizli Servisi'nde, üst mevkilerde bir eleman olmasından kaynaklanıyor. Annem de, her ikimizin rüzgârından yararlanmakta!

ANNEM

Ramanis Cumhuriyeti'nde itibar kazanmak, evli ve çok çocuklu olmak kadar, rejimle uyum içinde olmaktan da geçiyor. Bu yüzden özgür ruhlu, fevkalade yaratıcı, kendine has bir kadın olan annem, aklının yatmadığı her şeye kafa tuttuğu için, benimkinden daha zor bir hayat yaşadı!

Çok iyi bir ressam olduğu halde, rejimin hoşlanmadığı soyut tarzda resim yapmakta ısrar ettiğinden, yıllar önce Akademi'deki hocalığını bırakmak zorunda kaldı. Babamın vefatından sonra evlenmeyi ret etmesi de cabasıydı! Ama torun sevgisi bambaşka bir şey olmalı; Regan annemi yumuşatmayı henüz minik bir bebecikken başardı, hatta yılların içinde onun çok daha uyumlu bir insan olmasını sağladı. Zekâsı, disipliniyle göz doldurup Gizli Servis'e atanmasıyla da, anneme nihayet dilini tutmayı öğretmeyi de bildi, Regan. Annemin, torununa zarar gelecek diye ödü patlardı çünkü!

Ama heyhat, her ne olduysa, akıllandığını sandığım annem, birkaç yıldan beri, bunaklık maskesi ardında, yine fikirlerini ulu orta saçmaya başladı. Yaşından dolayı akli vesayeti olmadığı için paçayı kurtaracağına güvenerek ağzına geleni söylüyor. Bence, canı sıkıldıkça bunakmış gibi davranarak, aslında hepimizle dalga geçmekte. Bu yetmezmiş gibi, kimlik bilgilerindeki yanlışlığı düzelttirmediği için, annem sadece bir kaçık değil, aynı zamanda bir nevi 'kaçak' da!

Esas yaşının kimliğinde belirtilenden çok daha genç olduğunu, ailesi dışında kimse bilmiyor, neyse ki! Aslında tüm kabahati anneme yüklemek de doğru değil.

Ülkenin Ramanis Cumhuriyeti rejimine geçmesinden sonra, yeni kimlikler düzenlenirken, annemin doğum tarihinde yanlışlık yapılmış, olduğundan çok daha yaşlı gösterilmişti. Sadece onun değil, binlerce kişinin adında, doğum tarihi veya adresinde pek çok yanlışlık yapılmıştı. Kolay değildi elbette, kısacık bir zaman diliminde, parmak, tükürük ve göz izleriyle hazırlanan özel çipli kimlikleri hatasız yenilemek. Üstelik bu yanlışları düzeltmek daha fazla vakit alıyor, kimi zaman bakanlığın bürolarının önünde kuyruklar oluşuyordu. İnatçı annem, benim tüm ısrarıma karşın, yaş hanesinde yapılan yanlışlığa itiraz etmedi. Henüz yaşlanmadan yaşlı bir kadın gibi algılanmaktan da hiç gocunmadı. Yaşına eklenen on dört yıl hiç de göze çarpmıyordu, çünkü estetik hizmet veren klinikler bu konuda muazzam beceri kazanmış, kadın ve erkekleri olduklarından çok daha genç gösterebilme konusunda adeta birbirleriyle yarışıyorlardı. Kimin elli beş, kiminin yetmiş beş yaşında olduğu dış görünüşten belli değildi artık, o nedenle annemin foyası meydana hiç çıkmadı. Hatta yeni yaşının bazı avantajları da olmadı değil. Annemin Saray bahçesinin bir önceki sahibinin hikâyesini hatırlayabilmesi, mesela, işte bu yüzdendi.

Madalyonun bir de diğer yüzü vardı ki, inadı onu hayatından edebilirdi. Uluhan, tam da o yıllarda, yaşlıların tümünü, binaların damları mora boyanmış olduğu için, Mor Dam adı verilen huzur evlerinde toplayan bir yasa çıkartmıştı. Art arda doğurdukları çocukları büyütmekle meşgul genç çiftlerin sırtından, bir de ana-babalarının sorunlarıyla uğraşma yükünü kaldırıvermişti böylece. Çok küçük bir bağış karşılığında yaşlı nüfusa, Mor Dam'larda güller gibi bakılmaya başlanınca, rejime gönülden bağlananların sayısında büyük ölçüde artma olmuştu.

Herkesi pek mutlu eden bu projeye tek itiraz eden annemdi. "Mordam'ın anlamının moruklar damı olduğunu çözemedin mi, Mucit?" demişti bana, "Uluhan bizimle dalga geçiyor."

Birkaç yıl sonra, soğuk bir kış günü, halkın ağzında Mordam'a dönüşen bu yuvaların en büyüğünde merkezi ısıtma arızaya geçince, yaşlıların tümü uykularında donarak ölmüşlerdi.

Annem, Mordam'da yaşamadığı için, paçayı kurtardı.

"Bak anne, ölümün sınırından döndün," demiştim. "Regan'a bakıyor olmasaydın, inadın yüzünden sen de orada diğerleriyle birlikte pisipisine ölecektin!"

"Ben orada olsaydım, merkezi ısıtma arızaya geçmezdi," demez mi! Sebebini sormadım bile!

Dedim ya, biraz kaçıktı.

Nerden geldi şimdi bütün bunlar aklıma? Oysa ilgilenmem gereken tek şey, Ofglen Sendromu! Eğer kelimeyi doğru hatırlayabildiysem, ipleri doktorumun eline vermeden belki de kendim çözerdim sorunumu. Bu konulara hiç girmeyip uyumaya çalışayım dedim, sabah kalktığımda araştırırım, bu sendromu. Daha önce karar verdiğim gibi, Ofglen'e de bakarım, Offren'e de.

Kapattım ışığı, yorganı tepeme çektim. Uyudum.

Gece boyunca uyanıp durarak, hatta kalkıp evin içinde dolaşarak sabahı ettim sonunda!

Yataktan çıkınca, ilk işim, cama yazdığım Ofglen Sendromu'nu *bilgi erişim*'de aramak oldu. Ne kadar site varsa hepsine girdim, fakat ulaşabildiğim sadece başında kocaman beyaz şapkasıyla kırmızı pelerinli bir kadın resmiydi. Uyku düzensizlikleriyle, hatta psikolojik rahatsızlıklarla ilgili sayfalarda bir satır olsun bilgi yoktu. *Bilgi erişim*'den umudumu kesince, Batı Kıyı Kantonu Üniversitesi'nde ders veren Arike'ye bir mesaj attım. Acaba Ofglen ya da Offren isimli bir sendromdan haberdar mıydı? Bana bu konuda herhangi bir bilgi yollayabilirse minnettar kalacaktım.

Yirmi dakika sonra, akıllı bilekliğim titreşmeye başladı. Arike, mesajımı almış, araştırmış, sesli mesaj yolluyordu. Dinledim. Sendromun adı, Ofglen'di. İdeolojilerine bağlılıkları çok derin olan kişilerde, o ideoloji uğruna intihar eğilimi böyle adlandırılıyordu.

Şaşırıp kaldım!..

Ben ne ideoloji sahibi bir insandım ne de intihara yatkındım. Uykusuzluğum başladığından beri belki biraz karamsarlığa kapıldığım olmuştu, ama hepsi o kadar! Başka çocuk sahibi olamayacağımı, Zogar'ın benden boşanmak istediğini öğrendiğimde dahi düşünmemiştim ölümü. Ben kim, intihar eğilimli Ofglen kim!

Giyindim, derslerimi vermek üzere Kurum'a gittim, fakat kendimi bir türlü işime veremedim. Öğrencilerim bile fark ettiler dalgınlığımı. Doktorumun beni intihara yatkın biri olarak görmesini aklımdan çıkaramıyordum. Nereden varmıştı acaba kadın, bu saçma sapan sonuca?

Akşamüstü, evime döner dönmez, asabiyetimi üstümden atmak için bir duş aldım. Ah ne kadar isterdim banyomu doldurup içine yatmak!.. Ama bir süredir, biz ayrıcalıklar dahil herkes suyu çok dikkatli kullanmak, duşla yetinmek zorundaydı, çünkü su parası kişi başı ödeniyor ve belli bir miktarı geçtikten sonra muazzam miktarda cezalar kesiliyordu.

Yemekten sonra, ertesi günün seminer sunumumun üzerinde çalışırken de aklım hep, bana diken gibi batan Ofglen Sendromu'na kaydı. Sonunda, sırf bunu araştırmak için Batı Kıyı Kantonu'na kadar gitmeye karar verdim. Geleceğimi bildirmek üzere, yine Arike'yi aradım. Yüzü gözlerimin önünde belirdi.

"Tatmin olmadın galiba sana yolladığım bilgiyle," dedi.

"İçimden bir ses, bana yazdıklarından daha fazlası olduğunu söylüyor."

"Tıbbi literatürde bulduğum bilgi bu kadardı. Daha fazlasını istiyorsan, gel buraya, kendin araştır, çünkü ben bir hafta sürecek yoğun tempolu bir seminer programı içindeyim."

"Öbür gün sen evden çıkmadan gelmeye çalışacağım."

"Boşuna acele etme, sana evin kapı şifresini göndereceğim. Ben olmasam da eve girebilir, internetimde istediğin gibi çalışabilirsin. Lens kutusunu çalışma masamın üstüne bırakacağım. Tamam mı?"

"Sen bulunmaz bir arkadaşsın, Arike," dedim.

BATI KIYI KANTONU'NDA

Ertesi gün, saat on bir sularında, Arike'nin altmış iki metrekarelik evinde, gözlerimde onun internet lensleri, Margaret Atwood adında bir kadın yazarın, *Damızlık kızın Öyküsü* isimli romanını okuyordum. İnsanın tüylerini ürperten bir hikâyeyi anlatıyordu yazar.

Gelecek zamanda, yeryüzünde bir ülkede, insan soyunun sonu geliyordu. Doğurganlık oranı ürkünç biçimde azalmıştı. İnsanlığın bekasını sağlamak üzere, askeri bir baskıcı rejim iş başındaydı. Kaçınılmaz sonu değiştirebilmek amacıyla, ordunun yüksek rütbeli komutanları, sağlıklı genç kızlarla genç dul kadınları, son bir umutla, damızlık olarak kullanıyorlardı.

Ofglen, işte bu damızlık kızlardan birinin adıydı.

Oh, nihayet Ofglen'in ne olduğunu öğrenmiştim.

Okumaya devam ettim. Yazar, damızlık kızların kıyafetini de en ufak ayrıntısına kadar tarif ediyordu. Kızların etek boyları yere kadar uzanan, boyunlarını göstermeyen kapalı beyaz elbiseleri, yine yere kadar uzanan kırmızı pelerinleri ve başlarında tüm saçlarını örten, geniş kenarlı beyaz başlıkları vardı. Tıpkı, Ofglen sözcüğünü ararken bilgi-erişimde bulduğum kızın resmindeki gibiydiler. Resmi görmemiş olaydım, yazarın tarifinden daha değişik bir kıyafet, hatta Kırmızı Başlıklı Kız masalındakine benzer, tombul yanaklı bambaşka bir kız hayal edebilirdim.

İyi de ne ilgisi vardı başkaları için çocuk doğuran damızlık kızın, benimle?

Romanı hızlı okuma tekniği ile okumama rağmen, saat beşe doğru henüz bitirememiştim. Sayfalara hızla göz gezdirerek, bazen atlayarak sonuna gelmeye çalıştım ve nihayet aradığımı buldum:

Ofglen, genç kadınları bu onursuz mecburiyete iten baskıcı sisteme karşı başlatılan bir darbe hareketinin içine sürükleniyor, yakalanıyor ve işkence sırasında dava arkadaşlarının adını ağzından kaçırmamak için kendini asarak intihar ediyordu.

Uykusuzluk çekiyorum diye benzetildiğim şeye de bakın, hele!

Hesabını sorarım ben sana bunun, Sorgen!

Arike'nin, Ofglen Sendromu hakkında verdiği ilk bilgi sonrasında kapıldığım bana haksızlık ediliyor hissi, yüreğimde daha da keskindi şimdi. Bir yandan Sorgen'e kızıyor, bir yandan da sendromun adının altında kesinlikle bir başka neden olduğunu hissediyor, romanı böyle alelacele, atlayarak okumak yerine, sindirerek dikkatle okusaydım, belki bir ipucu yakalardım diye düşünüyordum. Ama bu, artık mümkün değildi. Vaktim daralıyordu, arkadaşım evine döndüğünde, orada olmak istemiyordum. Belki yorgun argın gelip uzanmak, dinlenmek isterdi. O durumda, duvardaki yatağını açtığında, benim üzerinde oturduğum dar divanın tavana doğru yükselmesi gerekecekti. Yaklaşık yirmi yıl önce çıkarılan bir yasa gereği, evlerimizde gereksiz boşluklara yer yoktu çünkü. Benim evim, Merkez'de yaşadığım ve yüksek statüde olduğum için biraz daha büyüktü, fakat artık yasalar gereği konutlar, Uluhan'ın yakın çevresi dışında, en kalabalık aileler için dahi yüz iki metrekareyi geçemiyordu. Yataklar uyku zamanı açılıyor, yemek masası, sandalye veya koltuk gibi diğer mobilyalar, açılan yataklara yer açmak üzere otomatikman katlanıp ortadan kalkıyordu. Mutfak küçük bir tezgâhtan ibaretti. Zaten yemekleri marketlerden yarı pişirilmiş ya da toz halinde alıyorduk. Doğal ortamlarda, hormonsuz tarlalarda yetişen ürünler devlet denetimindeki her türlü mikrop ve bakteriden arınmış dev mutfaklarda toz haline getiriliyor ve paketlenip marketlere dağıtılıyordu. Evlerde toz gıdaları suyla karıştırmak yetiyordu, böylece kadınlar ve bekâr erkekler yemek yapmak zahmetinden kurtuluyorlardı. Dünyada, vatandaşlarını böylesine gözeten ender ülkelerden birinde yaşıyor olmaktan da hep gurur duymuştum. Ama onca dikkat ve özene rağmen insanların hâlâ ishal, dizanteri gibi türlü mide rahatsızlıklarına yakalandıkları da bir gerçekti.

"Bunda anlayamayacak ne var," derdi, bu gıdaların doğal olduğuna asla inanmayan annem. "Güneş görmeyen topraklara dayıyorlar kimyasal gübreyi, basıyorlar hormonu!.. Sen hepimizin ülsere yakalanmadığına dua et!"

Romanın son sayfasına da göz gezdirdikten sonra, Arike'nin lenslerini gözlerimden çıkarıp kutusuna koydum. Odanın ışığının arttığını da ilk o zaman fark ettim, zaten. Işık dengesi hep belirli bir oranda tutulur, hava karardıkça evlerimizin içi aydınlanırdı. Demek Batı Kıyı Kantonu'nda da aynı teknolojiyi kullanıyorlardı. Oysa burada güneşin etkisi, bize göre daha fazla hissedildiğinden, başka bir metotları vardır diye düşünmüştüm. Zaten icatların, ileri teknolojik buluşların tümü, beyin takımının bulunduğu Merkez'den çıkıyordu. Ne varsa bizde vardı. Diğerleri, bizi sadece kopya ediyorlardı. Boşuna dememişler, sıcak iklim insanı tembelleştirir diye. Bu da mı annemin bir sözüydü? Yok, hayır, bunu soğuk havanın faydalarının anlatıldığı bir televizyon programında duymuştum sanırım. Aynı program sık sık tekrar yayınlandığı için, aklımda kalmış olmalıydı.

Gitme zamanım geliyordu. Yavaş yavaş toparlanıp Arike'ye bir teşekkür notu karalamak niyetiyle pencereye yaklaştığımda ne göreyim! Arkadaşım, yanında bir erkekle birlikte hızla evine yürüyordu. Şaşırmadım değil. Biz Merkez'de yaşayanlar, işimizden akşam saat yediden önce ayrılamayız çoğu zaman. Oysa Arike, henüz mesai saati bitmeden evinin önündeydi.

Aceleyle başlığımı taktım, mantomu, botlarımı giydim ki, kapı açıldı.

Her üçümüz de, ellerimizi yüreklerimize değdirip başlarımızı öne eğerek birbirimizi selamladık. Aslında benim içimden gelen Arike'ye sımsıkı sarılmaktı, ama bir süre önce Ramalar kucaklaşmayı yasaklamışlardı. Araştırma Kurumu'nda birkaç yakın arkadaş, aramızda sarılma yasağının nedenini tartışmış, salgın hastalıklara karşı alınmış bir tedbir olduğuna karar vermiştik. Ramalar, yani din büyükleri, onar yıllık aralıklarla

Baş Rama'nın başkanlığında, Kutsal Kitabımız'ı zamanın ihtiyaçlarına göre, yeniden yorumlarlardı. Uluhan'ın vefatından sonra yerine geçen Oğulhan, babası gibi sözünü dinletemediği için, Ramalar, eskiden on yılda bir düzenlenen zamanın ruhuna uygun yeni emirleri artık her yıl yeniden düzenlenmeye başlamışlardı. Çünkü yasalar ve yasaklar, Kutsal Kitabımız'a dayandırılmadıkça, halk ne yasa dinliyordu, ne de yasak... Bir türlü laf geçiremediği halkını, işte böyle Rama buyruklarının yardımıyla idare etmeye çalışıyordu, zavallı Oğulhan.

"Seni evde yakalamak için, seminerden erken çıkıp geldim," dedi Arike. "Şansım varmış da sunumumu sabah saatlerine koymuşlar. İşim çabuk bitti."

"Arike, sana nasıl teşekkür edeceğimi bilemiyorum," dedim arkadaşıma, "sayende Ofglen neyin nesiymiş, öğrendim sonunda."

"Neymiş?"

"Bir roman kahramanıymış meğer!"

Arike paltosunu çıkarttı, saçlarının üzerine attığı eşarbı sıyırıp botlarını da çıkartmak için kapının yanındaki tabureye oturduğunda, "Ah Tamur, lafa dalıp, seni tanıştırmayı unuttum. İçeri girsene, niye kapıda dikiliyorsun?" dedi kapının gerisinde hiç konuşmadan sabırla bizi dinleyen adama. "Sana hep bahsettiğim değerli arkadaşım, işte karşında!"

Adamın yüzü pek yabancı gelmemişti, ama çıkaramıyordum nereden tanıdığımı. Elini kalbinin üzerine koyup eğildi, "Ben Tamur Resom," dedi.

"Ben de Yuna," dedim.

"Ünlü Yuna Otis'i kim tanımaz! Şeref duydum."

"Abarttınız."

"Olur mu hiç! Buluşlarınızla hayatımızı kolaylaştırdınız!"

"Tamur'u da yabana atmayalım," dedi Arike. "O da kendi sahasında müthiş başarılara imza atıyor. Kısacası ben ikinizin arasında pek sıradan bir can kaldım."

"Ama sen de güzel, zeki ve tatlısın," dedi Tamur.

İçimden acaba Arike'nin sevgilisi mi diye geçirdim. Ne de olsa bu eyalette Ramaların koyduğu yasaklar, Merkez'de olduğu kadar ciddiye alınmıyordu. Burada flört etmenin serbest olduğunu duymuştum. Ben bunları düşünürken, Arike sordu:

"Romanı sonuna kadar okuyabildin mi bari?"

"Okudum sayılır."

"İçin rahat etmiştir."

"Hem evet, hem hayır... Romanı böyle aceleyle değil, baştan sona dikkatle okumayı isterdim.

"O halde bu gece burada kal, istersen. Bu sokağın başındaki otelde, mutlaka yer vardır. Geçen gelişinde memnun kalmıştın."

"İsterdim ama yarın dersim var," dedim.

"O zaman hafta sonu gelsene."

"Olabilir. Otelin hafta sonu boş odası varsa gelirim belki."

"Ne iyi olur. Deniz kenarında yürüyüş yaparız. Dertleşiriz."

"Gelecek olursam sana haber veririm," dedim.

Sonra Arike, hiç beklemediğim bir soru daha sordu bana:

"Yuna, acaba Tamur'u da götürebilir misin yanında? Aniden, çok acil olarak Merkez'e çağrıldı. Hava treninde son dakikada yer bulamamış da..."

Bizim oralarda böyle şeyler hoş karşılanmaz diyecek halim yoktu, mademki ödüllü bir mucittim, erkek gibi kadındım, böyle mahalle baskılarına pabuç bırakamazdım. Karşımda dikilen adamı süzdüm, zeki bakışlı gözleri, alnına düşen saç-

ları vardı. Tuhaf bir şekilde yakışıklıydı. Kim bilir belki konuş-
kan ve eğlenceliydi de.

"Elbette buyursun," dedim, "yol boyunca çalacağım müzik-
ten sıkılmayacaksa, hemen gidelim."

Her ikimiz de Arike'ye ayrı ayrı teşekkür edip, ellerimiz
göğsümüzde, vedalaştıktan sonra, yan yana yürümeye başladık
arabamı bıraktığım park yerine doğru.

"Size nasıl teşekkür edeceğimi bilemiyorum," dedi Tamur.
"Son dakikada hiçbir vasıtada yer bulamadım."

"Bilmez miyim? Kantonlar arası vasıtalara önceden yer ayırt-
mak şart olmuş. Ben de arabamla gelmeye meraklı değildim ama
aynen sizin gibi hiçbirinde yer bulamayınca, mecbur kaldım."

"Ne iyi etmişsiniz! 'Her şerde bir hayır vardır' diye bir deyiş
duydunuz mu hiç?"

"Annem kullanır böyle demode lafları. Siz de annenizden
duydunuz herhalde."

"Benim annem ben çocukken vefat etmiş. Ona dair hatı-
ram pek az."

"Başınız sağ olsun," dedim. İçime bir ince hüzün çöktü, bir
suçluluk hissi yokladı yüreğimi. Regan da böyle mi düşünür
acaba? Annem beni küçükken yatılı okula teslim etti, onunla
hatıram pek azdır der mi? Yokluğuna onun iyiliği için kat-
landığımı bilir mi? Hiç konuşmadık bu konuyu onunla. Gör-
düğüm yoktu ki oğlumu... Aynı şehirde yaşamamıza rağmen
işlerimizin yoğunluğundan pek az görüşebiliyoruz. Birden onu
çok özlediğimi fark ettim. Eve dönünce mutlaka arayayım, en
kısa zamanda buluşalım, diye geçirdim içimden.

TAMUR'LA DÖNÜŞ YOLUNDA

Arabaya yaklaşırken beni tanıyan araç, otomatik olarak kilidini açtı. İkimiz de yerleşince, gideceğimiz adresi tuşladım, güzel bir müzik seçtim ve arkama yaslanıp sordum:

"Süt, çay ya da vitamin?"

"Kahve yok mu?"

"Bizim orada kahve sakıncalı."

"Ah evet! Unutmuşum," dedi.

"Sizin sürekli yaşadığınız yer neresi, Tamur? Merkez'den değilsiniz anladığım kadarıyla."

"Aslında Merkez doğumluyum. Merkez beni ciddiyeti ve yasaklarıyla boğdu. Ara sıra hâlâ gidip geliyorum iş için, ama ben havanın daha ılımlı, hayatın daha keyifli olduğu Batı Kıyı'yı seçtim, sürekli yaşamak için."

"Ne mutlu size ki, seçim hakkınız var."

"Seçim hakkım değil de şansım var. Genetik Araştırmalar'ın ana merkezi, biliyorsunuz Batı Kıyı'da. Ayrıca, araştırmalar bir bölge ile kısıtlı da değil. Bu yüzden çok seyahat ediyorum.

"Ne içiyordunuz?"

"Çay alayım."

Koltuğun sağ kolunda duran içki seçimi düğmesine bastım. Az sonra kolun alt kısmından bize sunulan çayları aldık elimize.

"Bu da mı sizin icadınız?" diye sordu Tamur, benimle dalga geçer gibi.

"Daha akıllı biri benden önce bulmuş," dedim. "Sıcak bir bardak çay içemeden uzun süre arabada kalmaya katlanamayabilirdim. İyi ki teknolojinin hayatlarımızı kolaylaştırdığı bir çağda yaşıyoruz. Annemin çocukluğunda, insanlar arabalarını kendileri kullanırlarmış. Düşünsenize, bilgisayarda sürüyle iş halledecekken, direksiyon sallamak... sallamak mı deniyordu, çevirmek mi? Onu bile unutmuşum."

"Termoslar sayesinde çaysız kalmazdınız, ama direksiyon çevirmek konusunda haklısınız. Akıllı arabalar bu yükü sırtımızdan aldılar."

Arabaya bindiğimizden beri, hafızamı zorlayıp durmuştum ama çıkaramıyordum bu adamı nereden tanıdığımı. Bir süre konuşmadan yol aldıktan sonra bana sordu:

"Yalnız yaşıyormuşsunuz, öyle mi?"

"Arike mi söyledi?"

"Evet."

"Ara sıra annem de benimle kalır."

"Anneniz Mordam'da kalmıyor mu?"

"Diğer yaşlılar gibi sürekli kalmıyor. Bazen benimle, çoğu zaman da torunuyla kalır."

"Anneanneyle torunun böyle anlaşabilmesi, ne güzel!"

"Ben çalıştığım için Regan'ı o büyüttü de. Çok severler birbirlerini. Regan evlenecek olursa, annem bir Mordam'a temelli yerleşme niyetinde, ama torunu onu bırakır mı emin değilim. Regan, anneme benden daha düşkündür."

"Böyle olması incitiyor mu sizi?"

Benim cümlenin sonunda sesim mi düştü, yoksa bu adamın düşünceleri okumak gibi bir marifeti de mi vardı? Gereksiz samimiyetine bozuldum ama belli etmedim.

"İncitmiyor," diye yalan söyledim, "ben deli gibi çalışmaktan oğluma vakit ayıramazken, annem hep onun yanındaydı. Böyle olması çok normal."

Bir süre konuşmadan, sadece müziği dinleyerek yol aldık. Sonra ben, "Sizin çocuklarınız var mı?" diye sordum.

"Var ama yanımda değiller."

"Saray Akademisi'nde mi okuyorlar, yoksa?"

"Benim kızlar o okula seçilecek nitelikte değiller ne yazık ki, her ikisi de normal." Güldü: "Babalarına çekmişler."

"Kızları almıyorlar zaten o okula. Nerede kalıyorlar peki?"

"Benden çok uzaktalar, Yuna. Eşim çocukları da yanına alarak memleketine, Kameriya Kıtası'na göç etti."

"Aa!"

"Boşandık biz."

Neden olarak kısırlık ileri sürülmedikçe, boşanmak ülkemizde kolay değildi, ama tek tük de olsa bazı eyaletlerde buna göz yumuluyordu. Özeline girmek istemedim adamın. "Özlemiyor musunuz onları?" diye sordum.

"Özlemez olur muyum!.. Hele ayrılmamızın ilk yıllarında... Neyse ki teknoloji sayesinde hemen her gün görüştük, neredeyse gözümün önünde büyüdürler. Şimdi artık kocaman oldular."

"Ne iyi. Eşinizle sorunsuz boşanmış olmalısınız."

"Onunla yollarımızı anlaşarak ayırdık. Bu ülkeye bir türlü alışamadı. Bu durumda zorlamanın âlemi yoktu."

"Bilmez miyim?"

"Siz de boşanmış olduğunuza göre, bilirsiniz."

"Ben boşanmadım Tamur. Bir oğlumuz vardı ama başka çocuk yapamayacağım için eşim beni boşadı."

"Aptal adam!" dedi.

"Hiç de değil. Çocuk istiyordu."

"Herhalde her çocukla gelen maaş artışını ve itibarı da istiyordu."

"Onu suçlayamam. İdeal Model'i seçmeyenler için, hayat kolay olmayabiliyor."

Tamur bir şey söylemek için ağzını açtı, ama nedense vazgeçip sustu.

Çaylarımızı içerken, yol arkadaşım bana Araştırma Kurumu'na dair birkaç soru sordu. Acaba Kutkar Zora'yı tanıyor muydum? Kutkar, Gıda bölümünün başındaydı ama ayrı bölümlerde çalıştığımız için tanışsak da samimiyetimiz yoktu. Yardımsever ve gırgır biri olduğunu, çok güzel fıkra anlattığını Tamur'dan öğrendim, açıkçası. Tanısam onu seveceğimi söyledi.

"Hani bir gün bir şeye ihtiyacınız olursa... orada bir Kutkar var, aklınızda olsun," dedi Tamur.

Saçma! Neye ihtiyacım olabilirdi ki benim? Ben o kurumda, bir kadının yükselebileceği en yüksek mevkideydim. Kutkar'ın seviyesi benimkinin altındaydı.

"Yardıma ihtiyacım olacağını sanmıyorum," dedim.

"Yine de aklınızda bulunsun," dedi, "hani marketlerde bulamadığınız bir besin filan olursa... ya da herhangi bir konuda..."

"Hafta sonları dahi, en yakındaki markete gidecek vakti zor buluyorum doğrusu."

"Ara sıra taze gıda yeseniz ne iyi olur," dedi Tamur.

"Ne fark eder ki? Devletin ürettiği gıdalarda her türlü besin mevcut."

Sesini çıkartmadı ama sözlerime katılmadığı belliydi.

"Ben bildiğiniz gibi, tüm vaktini işine ayırmış olan bir kadınım," diye ekleme ihtiyacı duydum.

"Ne mutlu size! Öbür türlü, yeteneklerinizi geliştiremezdiniz."

Bir erkekten gelen bu saptamanın samimiyetine inanmasam da sesimi çıkartmadım.

Sahile yaklaşıyorduk. Arabayı denize inmek üzere ayarladım. İlerde, arabalar tek sıra halinde denizin yüzeyinde süzülüyorlardı.

"Şansımız var, rüzgâr yok," dedi Tamur, "yoksa sallanırdık biraz."

"Merak etmeyin, rüzgâr bu arabaya etki etmez. Airflot sistemiyle yükseleceğiz."

"Eh, size de bu yakışır, öyle değil mi?"

Konumumu mu kıskandı, ne! Ne de olsa cebinin üzerindeki şeritler, Kutkar gibi onun da benim bir alt seviyemde olduğuna işaret ediyordu.

"Bizim kurum, çalışanlarına iyi bakar," dedim.

"Herhalde sadece hak edenlere."

Sesimi çıkarmadım.

Araç suyun üzerinde sorunsuz indi ve denizde hiç sallamadan süzülmeye başladık.

"Merkez'deki hayatından hoşnut musunuz, Yuna?" diye sordu Tamur.

Casus olmasın bu adam? Arike'nin yanıma bir casus koyması mümkün olabilir miydi?

"Hiçbir şikâyetim yok. Mutluyum," dedim.

Gülümsedi, "Bana güvenmiyorsunuz, değil mi, Yuna? Bir casus olmamdan şüpheleniyorsunuz."

"Nerden çıkardınız bunu, Tamur?"

"Merkez'de yaşayanlar böyledir. Orada insanlar gölgelerinden bile şüphelenirler. Biraz da bu yüzden kaçtım Merkez'den."

"Madem bu kadar rahatsızdınız, iyi etmişsiniz. Ben sizin gibi düşünmüyorum."

"Çünkü Merkez'de düşünmek de pek makbul sayılmaz."

"Bir şey mi ima ettiniz?"

"Sizi kast etmedim."

Suratımın asıldığını görünce, "Yanlış anladınız Yuna," dedi, "Sistem iki sınıf insanla hiç uğraşmaz. Birincisi yoksullardır: çocuklarının okul masrafları karşılanır, yılda birkaç kez gıda paketleriyle gözleri boyanır ve böylece hoşnut edilirler. Diğeri de imtiyazlılardır. Onların da bazı avantajlarla, göreceli özgürlüklerle gözleri boyanır. Her şey yolunda zannederler. Mesela siz, canınız istediğinde herhangi bir kantona geçebiliyorsunuz, öyle değil mi?"

"Elbette."

"Hatta bazı koşullarda yurt dışına bile çıkabilirsiniz."

"Çok uzun zamandır yurt dışına çıkmadım. Herhalde öyledir."

"Kısacası, seyahat özgürlüğünüz var, en azından ülke içinde. Ama ya sizin gibi imtiyazlı olmayanlar?"

"Herhalde yolculuğa yetecek paraları yoktur."

"Ama asıl neden bu değil," diye diretti.

"Yapmayın Tamur, siz mesela, seyahat özgürlüğünden doyasıya yararlanmışsınız. Baksanıza, eşiniz çocuklarını alıp ta Kameriya'ya kadar gidebilmiş."

"Ödülüm yok, ama ben de imtiyazlı sınıftanım."

"O zaman şikâyetiniz niye? Derdiniz ne?"

"Derdim şu: ülke içindeki tüm insanlar eşit haklara sahip değil! Bazıları görmezden gelinirken, bazıları sürekli himaye ediliyor! Kimi de sürekli baskı altında tutuluyor. Oysa yönetimi eleştirenlerin de yandaşlar gibi hak ettikleri mevkilere gelebilmeleri gerekirdi."

"Rejimi eleştiriyorsunuz ama bakın siz de bir yerlere gelmişsiniz. Yoksa sizi de himaye eden biri mi vardı?"

"Aklım vardı. Tıpkı sizin gibi, Yuna. Ama herkes yüksek zekâ ile doğmuyor. Üstelik bu gezegende normal zekâda insanlar çoğunlukta. Normalin altında olan da var elbette. Ama neden üstün zekâlı olmayanlar seyahat edemesin? Kadınların durumu derseniz, içler acısı. Çocukları varsa çalışamıyorlar, eşlerini de boşayamıyorlar."

"Sizin eşiniz boşanmış, işte."

"Ben kabul ettiğim için. Yoksa boşanamazdık."

"Bunlar pek önemli olmayan ayrıntılar. Ramanis Rejimi öncesindeki günlere kıyasla, halimize şükretmeliyiz."

"Sizin gibi akıllı birini dahi böylesine... neyse."

"Korktuğumu mu ima ediyorsunuz, yoksa uyuduğumu mu?"

"Korktuğunuzu sanmıyorum. Diğer teşhisiniz doğru olabilir, derin ve tatlı bir uykudasınız, evet. Ama gün gelecek uyanacaksınız, çünkü vicdan sahibisiniz."

"Tamur, dilerim siz de bu gereksiz kâbustan, bu paranoya halinden kurtulur, daha mutlu olursunuz."

Ona hafifçe sırtımı döndüm ve penceremden denizin kabaran dalgalarını seyretmeye başladım. İşte, tam da annemin beni defalarca uyardığı durumun içindeydim şu anda. "Seni konuşman için tahrik edebilirler, aman kızım sakın renk verme, sakın tuzağa düşme," diye defalarca tembih etmişti bana, ucu Regan'a dokunur endişesiyle. Tuzağa filan düşeceğim yoktu, ben cumhuriyetime sadık bir vatandaştım, ama bazı şeylerin de fakındaydım. Sürekli bir homurdanma vardı memlekette, nereden geldiği belli olmayan, tıpkı sert rüzgârların çıkarttığı o tuhaf ıslık gibi, kimsenin susturmayı beceremediği bir uğultu vardı! Bu tuhaf ses, kolluk kuvvetlerinin onca gayretine rağmen, bulabildiği en ufak çatlaktan dahi sızıyor, önlenemiyordu. Uluhan'ın vefatından sonra, yerine geçen oğlu Oğulhan zamanında uğultu daha da artmış, hatta homurtuya dönüşmüştü, ama elbette tartışacak değildim bu konuyu, elin adamıyla.

Tamur uzun süre sessiz kalamadı, konuştu yine:

"İkimiz de biliyoruz ki, en yüksek mevkidekilerin dahi sadakatini sürekli ölçen birileri var. Bu kişiler dost gibi gözüküp, sorular soruyorlar. Çoğu zaman sınandıklarının farkına bile varmıyor insanlar. Ama ben onlardan biri değilim. Güveninizi kazanmak için acaba ne yapabilirim?"

"Tamur, Merkez'e varınca, ineceksiniz bu arabadan. Benim güvenime hiç ihtiyacınız yok."

"Dostluğunuza var ama."

"Nedenmiş o?"

"Sizden çok hoşlandım, çünkü."

Ramanis Cumhuriyeti'nde iffetin en başat erdem olduğu her vesileyle gece gündüz vurgulanıp dururken, yeni tanıdığım birinin bana kur yapmasından rahatsız oldum, ama denizin ortasında, adama in arabamdan diyecek halim yoktu. Daha uzunca bir süre yan yana oturmaya mecburduk.

"Saçmalamayın," dedim, nihayet.

"Sizden hoşlanmak saçmalamak mı oluyor?"

"Birinden hoşlanabilmek için, o kişiyi tanımak, huyunu suyunu bilmek gerekmez mi?"

"Hayır."

"Bize böyle öğrettiler ama."

"Yuna, ya bize öğretilenlerin çoğu yanlışsa? Bakın, tuhaf bir içgüdüyle, ilk defa karşılaştığınız birinden o anda hoşlanabilirsiniz. Benim durumumda söz konusu olan içgüdü değil, üstelik. Sizin bir su damlası kadar saf olduğunuzu ele veren ela gözlerinizden, teninizin parlaklığından ve herkesin hemfikir olduğu zekânızdan da etkilendiğimi söylemeliyim."

"Biz Merkez'de yaşayan kadınlar, tenimizin parlaklığını güneşe hasret kalmaya borçluyuz."

"Ben teni böyle ışıldamayan pek çok Merkezli kadın tanıyorum."

Bu tür sözleri en son ne zaman duymuştum, ben? On yıl önce mi? Daha mı evvel? Bana resmen kur yapıyordu. Bundan hoşlandığımı ses tonumdan anlamasın diye, sustum. Sanırım biraz kızardım da. Tamur da benim gibi sustu bir süre.

"Merkez'e vardığımızda, sizi nereye bırakmamı istersiniz?" diye sordum, uzayan sessizliği bozmak için.

"Beni yanınıza almak nezaketini gösterdiğiniz için, teşekkür etmek adına, sizi yemeğe davet edebilir miyim?" dedi.

"Gelmeyeyim," dedim, "sabah erken kalkacağım."

Nerdeyse bir yıldır, işten eve, evden işe gidip geliyordum. O kadar uzun bir zamandır bir lokantada yemek yememiştim ki, acaba evet mi deseydim?

"O halde son bir rica," dedi, "kıyıya vardığımızda, size çok eziyet olmazsa, beni gideceğim yere bırakabilir misiniz?"

"Elbette. Adresi verin hemen programlayayım arabayı."

"Çok naziksiniz," dedi.

NEHİR KIYISINDA BİR LOKANTA

Karaya çıktıktan sonra, yolculuğun geri kalan kısmında, şehrin trafiğinin bu saatlerde ne kadar çekilmez olduğu, hava kirliliğinin hastalıkları arttırdığı, önümüzdeki kışın çok soğuk geçeceği gibi, sadece hava cıva şeylerden söz ettik, sırf konuşmuş olmak için. Zamanın nasıl geçtiğini fark etmemişim, zira rejimden şikâyet etmediği zamanlar, sohbeti hoştu Tamur'un.

Dağ yolunu aşıp, Merkez sınırlarına girdikten sonra, devriyelerin kontrolleri başladı. "Buradan kaçma nedenlerimden biri de bu işte, Yuna," dedi Tamur, "böyle zırt pırt durdurulmalara, kimlik göstermelere, hesap vermelere dayanamadım."

"Ben alıştım," dedim ihtiyaten, "hiç rahatsız olmuyorum."

"Belki arabanın camındaki, statü renklerinizi gösteren stikerden dolayı sizi o kadar sık durdurmuyorlardır."

"İhbar olmadıkça durdurmuyorlar."

"Öyleyse bugün yine bir yaramazlık var! Üç kere durdurulduk!"

Hangi gün yok ki, diyecekken, tuttum kendimi. Oğulhan'ın veya ailesinden birinin kara, deniz, hatta hava yoluyla olsun bir yere gitmesi durumunda hepten kesilirdi yollar. Saray aracı geçip gidene kadar, o güzergâh üzerindeki trafik tamamen durdurulurdu ki, ben en çok işte buna illet olurdum. Neyse ki bugün, şansıma Saray halkı evde kalmayı tercih etmiş olmalıydı. İş çıkışı saatini geride bıraktığımızdan, trafik de azalmıştı. Söylediği adrese kolayca ulaştık. Nehir kenarında bir iskelenin üzerine kurulmuş salaş bir balıkçı lokantasının önünde durdu araç. Tamur, o kocaman siyah gözleriyle baktı bana.

"Sizi son kez birlikte yemek yemeğe davet ediyorum," dedi.

Acıkmıştım. Hem de kurt gibi. Kahvaltıdan beri bir ıhlamurdan başka hiçbir şey geçmemişti boğazımdan.

"Merkez'i eleştirmek filan yok ama, tamam mı?" dedim, "Söz!"

Az sonra, ancak çok eski arşivlerden seçme filmlerde gördüğüm ekose bir örtü serilmiş tahta masada, karşılıklı oturuyorduk. Az ilerdeki şöminede çatırdayan yapay odunlar, sahici ateşmiş gibi içimi ısıtıyordu. Önümüzde çeşitli mezeler ve üstlerinde Porsoda reklamı olan turuncu bardaklar vardı. Dışardan bakan biri, bizi portakal sodası içiyor sanabilirdi ama aslında içtiğimiz on yıl öncesine kadar içimi serbest olan milli içkimiz mıza'ydı. Mıza ve her türlü alkollü içkinin satışı önce sadece turistik otellerle sınırlandırılmış, sonra hepten yasaklanmıştı. Babamın her akşam bir kadeh mıza yuvarlama adeti olduğunu hayal meyal hatırlıyordum sanki, ama son derece bulanık bir anıydı bu.

Hatırlamak söz konusu olduğunda, bir sersemden farkım olmadığım kesin...

Babamı örneğin, çok net hatırlamam gerekirken, hep bir sis perdesinin ardında gibidir yüzü. Onu kaybettiğimizde ben genç bir kadındım oysa. Babamı niye net hatırlayamadığımı Dr. Sorgen'e de sormuştum.

"Çünkü insanlar kendilerine çok acı veren olayları hatırlamak istemezler, beyin de zaman içinde bunların üstüne bir örtü örter. Babanızın ölümü sizi çok sarsmış olmalı," demişti. Haklıydı, çok sarsılmıştım, çünkü hem babam ölecek yaşta değildi, hem de ben ona çok düşkündüm.

"Daldınız Yuna. Yoksa pişman mısınız geldiğinize."

"Yok, pişman değilim... aklıma bir şeyler takıldı da..."

"Siz durgunlaşınca, korktum biraz. İçki dokunmuş olmasın?"

"Yoo, sanmam. Şey... yasaktan beri içmedim. Gerçi daha önceleri de sadece özel günlerde içerdim."

"Özel günler derken?"

"Nişanımda, düğünümde... Üniversitedeyken bira içerdik arkadaşlarla. Sonra, biliyorsunuz işte Tamur, içki içmek giderek zorlaştı. Şimdi de tamamen yasak sanıyordum ben." Gülmeden edemedim bu son sözleri söylerken.

"Her yasağın mutlaka bir kaçamağı olur, Yuna."

"Öyleymiş meğer. Ben eksikliğini hiç hissetmedim içkinin, ama itiraf edeyim, şimdi balığın yanında, mıza iyi geldi."

"Mıza gevşetir insanı, rahatlatır."

"Orası kesin de, ya yakalanırsak?"

"Endişelenmeyin."

"Diyelim ki yakalandık... farz edelim toplum polisi veya Rama zabıtaları bastı burayı..."

"Balıkçıya ceza yazar, lokantayı kapatırlar bir süreliğine."

"Bize bir şey olmaz mı?"

"Para cezası öderiz, sadece."

"İtibarımızı kaybederiz."

"İtibar bir kadeh içkiyle kaybedilecek bir şey değildir."

"İşlerimizi de kaybedebiliriz. Sizi bilmem ama bu benim için çok kötü olur."

"Bu kadar huzursuz olduysanız, bitirin mızanızı, size bir bardak porsoda isteyeyim de rahat edin," dedi.

Porsoda reklamlı turuncu bardağımı hemen kafama dikip, mızamı sonuna kadar içtim. Bunca zaman sonra hızla içtiğim içki yüzünden dizlerimin bağı çözülüyor, başım da dönüyordu hafifçe. Tamur bana bir şişe Porsoda ısmarladı. Bardağımla eş desenli şişedeki portakallı soda, balıklarla birlikte geldiğinde benim midemde ne balıklara yer kalmıştı ne de meşrubata. Kusmak istiyordum.

"İyi misiniz Yuna? Sapsarı oldunuz," dedi Tamur. "Keşke içki içirmeseydim size, baksanıza dokundu... Nehir boyunca biraz yürümek ister misiniz? Açılırdınız."

İyi de dizlerim çözülürken nasıl yürüyeceğim ben? Rezil oldum, diye düşündüm. Ben ki mor ve nefti renkleri taşımaya hak kazanmış biriyken, bir saat içinde sıfırladım tüm kazanımlarımı. Bir kadeh içkiyle kaybedilmezmiş itibar! İşte misali! Yeni tanıdığım birinin yanında üstelik, ne hallere düştüm! Niye? Bir su bardağı dolusu mıza yüzünden! Ne kadar da haklıymış Uluhan yasaklarken bu zıkkımı! Oysa nasıl da kızmış, söylenmiştik! Meğer bir bildiği varmış Uluhanımız'ın! Hayattayken kıymetini bilememişiz.

Garson masaya kılçıklarını temizlediği balığı bıraktı. Balık kokusu bir anda midemi döndürdü. Az daha kusacaktım. Elimde olmadan öğürdüm. Nehrin üzerindeki tüm tekneler, kayıklar fır fır dönüyorlardı. Buna rağmen zorladım kendimi bütün gücümle.

"Siz iyi misiniz?" diye bir kez daha sordu Tamur, kaygılı.

"İyiyim, merak etmeyin. Bunca zaman sonra, böyle hızlı içince, çarptı tabii."

"Midenize bir şeylerin girmesi iyi gelecektir." Bana bir parça kızarmış ekmek uzatıyordu, beni bu hale düşüren Tamur adındaki bela herif. Ekmeği elinden alıp ısırdım.

"Balık yemek de istiyorum. Çok güzel koktu," dedim, arsız ben, demin öğürmemişim gibi. Tamur'un bana uzattığı bir parça balığı çatalının ucunda, havada kaptım. Ağzımda eridi balık. Bir lokma daha uzattı. Hatta bir lokma daha... Hepsini yedim. Kendine ödül olarak sunulan balıkları kapmak için sıçrayan, gösteriye çıkmış bir yunusa benziyor olmalıydım. Halime gülmeye başladım, hem de kahkahayla. Çok daha iyi hissediyordum şimdi kendimi.

"Çok lezzetliymiş balık. Uzun zamandır balık yememiştim... böyle gülmemiştim de," dedim mahcup bir edayla.

"Uzun zamandır balık yememişsiniz, içki içmemişsiniz, gülmemişsiniz... Yaşamıyor musunuz, siz Merkez'dekiler? Bu nasıl bir mahalle baskısı? Ne hakları var size böyle yapmaya?"

Karnıma birkaç lokma yemek girince aklım başıma gelmiş olmalı, gözlerimi kısıp, karşımda oturan ve beni sarhoş ederek ağzımdan laf almaya çalışan adama baktım. "Abartmayın," dedim, buz gibi bir sesle. Sonra dayanamayıp sordum:

"Tamur, siz gerçekten benden ne istiyorsunuz?"

"Anlayamadım."

"Anlatayım. Benim arabama, davetsiz misafir olarak binip benimle yolculuk yapıyorsunuz. Yol boyunca ağzımı arıyorsunuz. Sonra beni buraya getirip sarhoş edip konuşturmaya devam ediyorsunuz. Kimin adamısınız, ne öğrenmeye çalışıyorsunuz bilmiyorum ama şunu bilin ki, benden sistemi kötüleyen tek kelime duymayacaksınız. Nokta!"

SAÇLARI IŞIKLI KIZ

"Ben de anlatayım o zaman," dedi Tamur, derin bir nefes alarak. "Sizinle şu anda yemek yiyor olmamım sistemle, rejimle hiçbir alakası yok. Evet, sistem öyle ki, nerdeyse her kişi bir başka kişinin casusu oldu. Ama şu an birlikte burada olmamızın nedeni sizi daha üniversite yıllarında, bir öğrenciyken görmüş olmam. Evet, babanızın, o efsanevi Otis Hoca'nın öğrencisiydim ben. Bir keresinde, Hoca'nın evde unuttuğu ders notlarını sınıfa siz getirmiştiniz. Siz içeriye girince, o ışıksız, gri, çirkin sınıfa sanki ışık dolmuştu. Saçlarınız mı, gözleriniz mi, size dair bir şey güneş etkisi yapmıştı bende. İşin aslı sizi ömür boyu uzaktan izledim. Bugün Arike'yi ziyaret ettiğinizi tesadüfen öğrenince, gençliğimde kaçırdığım fırsatı yakalayabilir miyim diye bir umuda kapıldım. Hepsi bu. Nokta!"

"A ah! Siz beni tanıyordunuz, öyle mi? Niye söylemediniz?"

"Siz beni hatırlamayınca... neyse, sonunda söyledim işte. Fazlasını da söyleyeyim, sizi ilk gördüğüm o gün, sınıfta yanınıza gelip, size dersten sonra buluşmayı teklif etmek istemiştim."

"Ne sizi ne de babama notlarını getirdiğimi hatırlıyorum..."

"Nerden hatırlayacaksınız, sizin için bir önemi yoktu ki. Aynı dersleri almıyorduk ama ben kurnazlık edip, sizinle birkaç derse birlikte girebildim, örneğin birlikte katıldığımız birkaç laboratuvar dersi var. Her seferinde sizin en yakınınızdaydım. Birkaç kez konuştuk, ama boşuna uğraşmayın, hatırlayamazsınız. Zaten gözleriniz sadece Zogar'ı görüyordu o günler. Ertesi yıl üniversiteden ayrılıp, evlendiniz onunla."

"Regan'a hamile kalmıştım... Şey... Madem öyleydi Tamur, bana neden açılmadınız hiç?"

"Dedim ya, başkasına âşıktınız."

"Ne yazık ki o aşk uzun sürmedi. Regan çok küçükken ayrıldık biz."

"Ben o yıllarda memlekette değildim. Üniversiteden sonra, babanızın yardımıyla sağladığım burs sayesinde, Kameriya'da yüksek lisans yapıyordum. Karımla da o sırada tanıştık. Doktoramı verince, aynı kentte bir araştırma hastanesinde iş buldum. Evlendik, ikiz kızlarımız oldu. Gerçi mutluydum, ama sonra memleketten çok iyi bir teklif alarak Batı Kıyı'da, yeni kurulan araştırma kurumunda göreve çağrıldım. Tatmin edici ücretin yanı sıra, lojman, hatta saha çalışmalarım için araba dahi veriyorlardı. Geri çeviremedim, ailemi de alıp ülkeme geldim. Sanırım o yıllarda siz çoktan boşanmış, üniversiteye geri dönmüştünüz."

Yılını sordum, söyledi. Evet, Tamur, benim üniversiteden mezun olup, Araştırma Kurumu'nda çalışmaya başladığım yıl dönmüştü yurda.

"Bir yudum mıza daha içsem mi acaba?" dedim. Bütün bu duyduklarımdan sonra gerçekten ihtiyacım vardı bir içkiye.

"En iyisi bu akşam bu kadarla yetinin."

"Tamam, ama siz de kendinizi anlatmaya devam edin. Batı Kıyı'da mutlu olamadı mı eşiniz?"

"Olamadı. Kurum henüz oturmamıştı. Çözülmesi gereken bir sürü bürokratik sorun vardı ve ben çok sık gidip geliyordum Merkez'e. Bazen bütün bir hafta kalmam gerekiyordu. Karım çok yalnızlık çekti, dili öğrenemedi, ortama alışamadı. Gitti sonunda."

"Çok üzüldüm."

"Ben de başlarda çok üzüldüm, ama zamanla alıştım. Hayat devam ediyor. Kendimi işime adadım. Çalışmalarıma devam ettim."

"Ben de öyle yapmıştım, Tamur. Boşandıktan sonra üniversiteye kaldığım yerden devam etmiştim. Uluhan'ın arzusu doğrultusunda çok çocuklu bir anne olamayacağıma göre, vatanıma başka türlü hizmet edeyim demiştim."

"Çok iyi yapmışsınız."

"Üniversiteyi evlenmek için bıraktığımda babamı çok üzmüştüm. Kendimi ona bağışlatmak istedim sanırım, gece gündüz çalıştım, birincilikle mezun oldum. Sonra arkası geldi, üst lisans, doktora, buluşlarım, ödüllerim, derken Araştırma Kurumu'nda bölüm başkanı olmam... Babam bugünlerimizi görsün isterdim, kızının, torununun başarılarıyla gururlansın. Olamadı. Kader işte."

"Kader, bir yere kadar! Ben size yaklaşacak cesareti bulabilseydim mesela, belki ikimizin de kaderi farklı olurdu."

Bu ihtimali düşünmek bile saçmaydı. Olan olmuş, aradan koca bir hayat geçmiş!

"Bunca zaman sonra beni bugün gerçekten tesadüfen mi buldunuz?" diye sordum.

"Hiç kaybetmedim ki, Yuna! Eşim gittikten hemen sonraydı, bir gün tesadüfen televizyonda gördüm sizi. Sanayi Bakanı'nın elinden bir ödül alıyordunuz. Devlet Yüksek Ödülü'nü kazanan en genç bilim insanı Yuna Elan Otis'i taktim ediyordu sunucu. Televizyonun sesini açtım, gözlerimi hiç ayırmadan seyrettim sizi. Değişmemiştiniz. Üniversitedeyken atkuyruğu yaptığınız saçlarınızı açık bırakmıştınız, hepsi bu! Kısa, öz ve etkileyici bir konuşma yaptınız. Size bir kez daha hayran oldum."

"Yıllar önceydi."

"Ertesi gün tüm gazeteleri satın aldım. Hepsinde resminiz ve haberiniz vardı. O gazetelerden birkaçını hâlâ saklarım."

"Yaa!"

"Ben sizi yıllarca uzaktan izledim, Yuna. Her başarınızı takip ettim. Haydi itiraf edeyim, Arike bugün evine, seminerden hemen sonra, Merkez'den gelen hatırlı bir misafiri için dönmek isteyince... elbette adınızı da söyledi... Açıkçası onu ben alet ettim bu işe. Sizin arabanıza binmek, benim fikrimdi, ama casusluk yapmak için değil, size hayran olduğum için..."

"Tamur, özür dilerim," dedim, "nereden bilebilirdim ki... ben, sandım ki..."

"Ne özrü! Siz de haklısınız."

"Bütün bu anlattıklarınızı Arike biliyor mu?"

"Elbette hayır! Sadece babanızın bir zamanlar hocam olduğunu biliyor. Size bütün iyi niyetiyle getirdi beni."

"Sakın fazlasını bilmesin. Birlikte yemek yediğimizi mesela."

"Elbette," dedi Tamur. Sonra hesabı istedi. Hesabın gelmesini beklerken, "Saçlarınız hâlâ aynı renk mi?" diye sordu.

Uluhan'ın vefatından hemen sonra, matem sürecinde giymek zorunda kaldığımız başlıkları ve kıyafetleri, Ramalar yeni bir yasa ile kalıcı kılmışlardı. Artık genç yaşlı bütün kadınlar, saçlarımızı örtüyor, uzun kollu ve uzun etekli giysilerle dolaşıyorduk.

"Rengi aynı da, boyu kısaldı. Başlık zorunluluğu getirildiği günden beri daha kısa kesiyorum," dedim ellerimle çene hizamı işaret ederek.

"Yazık. Çok güzel saçlarınız vardı."

"Önceleri ben de üzülmüştüm kestiğime ama... insanoğlu, iyi, kötü her şey alışıyor."

Hesap geldi, Tamur hesabı ödendikten sonra kalktık, arabaya yürüdük.

"Nereye bırakayım sizi?" diye sordum.

"Siz evinize gidin, ben orada iner başımın çaresine bakarım."

"Otelinize bırakaydım."

"Biraz yürümek istiyorum, Yuna."

Arabayı evin az ilerisindeki park yerinde bırakıp eve yürürken, Tamur kapıma kadar bana eşlik etmek istedi.

"Sizin park yerleriniz başka bir çağdan kalmış gibi Yuna, Batı Kıyı'da park yerlerinin çoğu evlerin hemen yanındadır. Akşamları tek başınıza eve yürürken korkmuyor musunuz?" diye sordu bana.

"Biz bu binada oturanlar, park yerlerine ayrılacak metrekarelerin evlerimize katılmasını tercih ettik. Oylama yapıldı, çoğunluk böyle istedi. Kaldı ki ben akşamları pek çıkmam," dedim.

"Rama zabıtasından mı tedirgin oluyorsunuz?"

"Hayır, hayat tarzım böyle. Akşamları yorgun dönüyorum, evde kalmayı tercih ediyorum."

Bina kapısının önünde, onu içeri davet edip etmemek arasında küçük bir tereddüt geçirdikten sonra, ellerimi göğsümün üzerinde kavuşturup selam verdim. "Çok teşekkür ederim. Balık da, çarpmasına rağmen mıza da çok iyi geldi bana. Uzun zamandır böyle gülmemiştim üstelik."

"Hafta sonu Batı Kıyı'ya gelirseniz, hepsi yine benden size armağan olsun! Gelir misiniz?"

"Bilmiyorum."

"Gelin Yuna. Lütfen gelin. Benim yakında Kuzey Üniversitesi'nde üç aylık bir ders programım başlayacak. Gitmeden mutlaka görüşelim."

"Şimdiden bir şey söylemem mümkün değil," dedim.

"Siz gelemiyorsanız, ben gelirim."

"Yok, yok... siz gelmeyin. Bunu tercih etmem!"

Mahallelinin aşina olduğu meslektaşlarımın dışında, yabancı bir erkekle görünürsem, çıkacak dedikoduları nasıl önlerdim?

"O halde, hafta sonu Batı Kıyı'da görüşmek üzere."

Sesimi çıkarmadım ama Tamur, onayımı bakışlarımdan okumuş olmalı, elini uzattı, yanağıma dokundu ve arkasını dönüp gitti.

Evime girdim. Başlığımı, mantomu fırlatıp attım kanepenin üstüne. Bir süre, dudaklarımda bir ıslıkla dolandım evin içinde. Mutfağın önünden geçerken, ocağın üstündeki tencerenin çeliğinde koridorun ışığı yansıdı gözüme... Ah annem! İçeri girmemle mutfağın ışığı kendiliğinden yandı. Yanılmamışım, annem gelmiş, yine bana bir tencere evde pişirilmiş sebze yemeği bırakmış! Benimle kalırken, pişirdiği yemekleri gücenmesin diye yemeğe gayret ederdim ama Regan'dayken veya Mordamların birinde arkadaşlarıyla takılırken, neden yemek pişirir de getirir evime, anlamak mümkün değil! Kaç kere söyledim, boşuna zahmet etme, ben toz yemeklerin tadını tercih ediyorum diye, ama dinletemiyorum. Hele de bu akşam, balıkları tıka basa yemişken, yazık olacak şimdi bir tencere sebzeye.

İçindekileri çöpe boşaltıp tencereyi bulaşık makinasına koydum. Sonra üstümdekileri çıkardım, banyoya geçip duşu açtım. Suyu israf ettiğime ilk kez boş vererek, uzun uzun durdum duşun altında. Üzerimde sadece külotum vardı. Evimizde tek başımıza banyo yaparken dahi, çırılçıplak kalmak yasaklanmıştı. Birkaç yıl önce, Ramaların getirdiği bir yasaktı bu. Ramalar, bu yeni yasağı aylarca tüm kanallarda vazederlerken, her kafadan bir ses çıkmıştı. Laboratuvarda çalışan kızlardan biri, "Ramalar galiba ergenlik çağındaki gençlerin banyoda mastürbasyon yapmaları ihtimaline karşı bir nevi önlem alıyorlar," gibisinden bir fikir yürütmüştü. Bir başkası evlerimizin her köşesinde, her an gözetlenebilme olasılığı nedeniyle getirildiğini ileri sürmüştü. Yok artık, daha neler! Neticede, yasağın esas sebebini bilmesek de, banyo yaparken çırılçıplak kalmamaya başlamıştık. Çünkü hem Ramaların yasaklarını tartışamazdık, hem de, ne demişler, yerin kulağı, duvarların dili, tavanın gözü vardı! İşte bu yüzden, külotum üstümde, mızanın kokusu tenimde kalmasın diye iyice sabunlanırken, bir yandan da Tamur'u düşünüyordum. Bana kendi hakkında anlattıkları doğru muydu? Arike'ye sorsa mıydım acaba? İçinden benimle alay mı ederdi? Ya aralarında bir şey varsa? Yok ya, insaf! Öyle olsa ikimizi bir araya getirip baş başa mı bırakırdı? Bak, bak, bak... tam da böyle yapmıştı, sanki aramızda bir yakınlığın doğmasını ister gibi! Amma kötü niyetliydim ben! Neler düşünüyordum... Ah! O da nesi! Dehşetle fark ettim ki, dalgınlıkla külotumu çıkarmış, yasak öncesinde olduğu gibi, sere serpe sabunlanıp duruyordum! Hemen külotu yerden alıp giymek için eğildim ve tam o anda bir şeytan girdi içime; doğruldum, ayağımın ucuyla bir tekme savurdum külota. Külot küçük, beyaz bir kuş gibi havalandı, duşun camına çarpıp yere düştü. Ramalara meydan okurcasına, üzerinde tepindim ve yasak öncesinde olduğu gibi, su çıplak bedenimin her tarafından akarken, bir süre daha kaldım duşun altında. Sonra çıktım banyodan, kurulandım, geceliğimi giydim, mesajlarıma bakmadan, televizyonu hiç açmadan, yatağa attım kendimi.

GÜNEŞ PARLAMASA DA YAŞAMAK GÜZEL

Sabah uyandığımda saat sekize geliyordu. Çok uzun bir zamandan beri ilk defa, rüya dahi görmeden, on saat deliksiz, ölü gibi uyumuşum! Böyle güzel, kesintisiz bir uyku bana olduğu kadar, doktoruma da yaradı denebilir, çünkü Sorgen'le, Ofglen konusunda didişmekten vazgeçmeye karar verdim, bu sabah. Varsın benim intihara eğilimli olduğumu zannetsin doktorum! Hakkımda ne düşünürse düşünsün! Mademki onu bana işinin uzmanı diye tanıttılar, göklere çıkardılar, kavuştursun bakalım beni de deliksiz uykulara!

Perdenin düğmesine bastım. Yavaşça katlanarak aşağıdaki yuvasına kaymaya başladı perde. Önce gri gök gözüktü. Sonra çok uzaklarda bir yerde, bej bir leke gibi belirdi güneş. Sanki beceriksiz bir ressam, elindeki kâğıda önce sarı, tombul, neşeli bir güneş resmi çizmiş, sonra çizimini beğenmeyip, üstünü koyu renk boya ile kapatmaya çalışmış, ama tam da kapatamamış gibiydi. Işınları güçsüzdü, soluktu, yeterince aydınlatamıyor, ısıtamıyordu ama grinin çeşitli tonlarındaki bulutların ardında varlığını belli ediyordu, yine de. Bizim de ruh halimiz alabildiğine griydi. Bu iklimden bıkmıştık. Öğlene doğru yağmur indirir, sonra hava güzelce açar diyemiyorduk. Hele kış bir çıksın, güneş baharla birlikte yüzünü gösterir nasılsa diye umutlanamıyorduk. Yaz gelsin, bakın güneş nasıl da parıldayacak diye teselli bulamıyorduk. Aylar, mevsimler, yıllar geçiyordu, çiçekler soluyor, ağaçlar ölüyordu. Yaşlıların kemikleri daha fazla kırılıyor, bebekler daha geç yürüyordu. Saçlarımız, gözlerimiz, tenimiz parlaklığını kaybediyordu. Kalsiyum takviyeli gıdalarımızla açığı kapatmaya çalışıyorduk. Tüm yayın organları, günbegün kararan umudumuzu yeşertmek için yayın yapıyorlardı. Dünyanın tüm fizikçileri, güneşle aramıza giren Gökcisim'in yörüngesini değiştirmek için gece gündüz çalışıyorlardı. Güneşimizle aramızda kara kedi gibi duran o Gökcisim, bir gün çekip gidecekti elbette. Belki çok yakındı çözüm. Kapıdaydı. O an gelene kadar bize düşen, sanki güneş gökte parlıyormuşçasına yaşamayı sürdürmekti. Hayata tutunmaktı.

Öyle yapıyorduk biz de.

Pencereden dışarı bakıp, içimi çektim.

Perde alçaldıkça, sırasıyla, gri gökyüzüne uzanan binaların üst katları, sonra çıplak ağaçların tepeleri, derken rasgele inşa edilmiş, üst üste yaslanmış gibi duran evlerin balkonları, pencereleri göründü. En son, sokağımdaki durgun, steril hayat serildi önüme. Başları eğik, gözleri yerde, hep hızlı adımlarla yürüyen asık yüzlü adamlar; saçlarını başlıklarının altına saklamış, etek boyları bileklerine inen mantolarını giymiş, çocuklarını okula götüren yorgun ve neşesiz kadınlar; çeşitli araçlar ve Merkez'in vişne kırmızısı çift katlı otobüsleri –ki gündelik hayatımızın renksiz sıradanlığı içinde tek canlı renk bunlardı–, geçip gittiler evimin önünden. Sonra lise öğrencilerini okula taşıyan otobüs, üst kat pencerelerinde genç erkeklerin, alt kat pencerelerinde genç kızların taze yüzleriyle, hızla aktı. Ürperdim. Gençliğim de böyle hızla akıp gitmişti benim, tıpkı evimin önünden geçen otobüs gibi. Kaşla göz arasında! Ben farkına bile varmadan! Anılarımı dahi bana bırakmadan!.. Keşke kuyruğuna yapışıp hiç bırakmasaydım, hızla geçen gençliğimi. Ah, keşke! Şimdi annem duyacak olaydı beni, ne şikâyet ediyorsun kızım, sen yaşlı değilsin ki, derdi. Annemle kıyasladığımda, gençtim elbette. Ama saçlarım başlığımın içine tıkıştırılmış, uzun eteklerim ve özel tabanlı botlarımla yollarda yürürken, evden işe, işten eve gidip gelirken, kendimi en az annem kadar yaşlı hissediyorum. Evet, başarılıydım, ama kesinlikle yaşlıydım. Bir zamanlar, aynanın önünde uzun saçlarımı fırçalarken, bana hâlâ genç olduğumu duyumsatan ışıltılar yakalardım, saçlarımda. Ama başlığın içine kolayca sığsın diye kestiğim saçlarımla birlikte gençliğimi de kendimden koparmış oldum gibi. Sanki genç kız, hatta çocuk dahi olmadım hiç. Annem anlatmasa, gözlerimi hayata kırk yaşına doğru açtığımı zannedeceğim, o kadar yani! Onun anılarını dinlerken, hayal meyal resimler geçer gözlerimin önünden, hiçbiri net olmayan. Silik, soluk, bölük pörçük, tıpkı güneşimiz gibi kalınca bir tülün ardında kalan resimler...

Boş ver Yuna, dedim kendi kendime, varsın sis perdesinin ardında kalsın hem güneş hem de anılarım; sokağa çıkarken başlık takayım, eteklerimin boyunu Ramalar saptasın, ne gam! Hayat seviyem ortalamanın kesin üzerinde değil mi? Güzel bir evim, itibarım, severek yaptığım önemli bir görevim yok mu?! Uykusuzluğum dışında sağlıklı, yaşamını yepyeni buluşlara vakfetmiş, başarılı biriyim. Sağlıklı ve başarılı bir de oğlum var! Mutsuz olmam için hiçbir neden yok. Buna bir de annemi inandırabilsem, her ikimiz de rahat edeceğiz! O beni, yalnız yaşıyorum diye mutsuzum zannediyor.

Perde aşağıdan yukarıya doğru, sonuna kadar açılınca, birazcık da olsa aydınlandı oda. Boşuna elektrik israfı olmayacak böylece. Sabahın beni bekleyen işlerine döndüm. Sorgen'e, hafta sonuna isabet eden randevuma gelemeyeceğim için özür dilediğimi bildiren bir mesaj bıraktım. Hafta içi dopdolu olduğundan, bana bir kıyak yapmaktaydı doktorum, o nedenle iyi oldu, kimseye minnet duymayı sevmem çünkü. Arike'yi hafta sonunda birlikte olacağımızı bildirmek için aramayı düşündüm, ama Tamur'u aramayacaktım. Onun beni aramasını bekleyecektim.

Kapım çalındı.

Sabahın bu saatinde bana gelse gelse birkaç ev ilerde oturan komşum Odelya gelirdi. Yine de otomatiğe basmadan önce, televizyon ekranındaki göstergeye baktım. A ah, ne tuhaf! Sokak kapısında, pembe renkli, sevimli bir küçük robot dikiliyordu! İçeri girmesine izin verdim. Az sonra, elinde meyve aranjmanlı şık bir sepetle, karşımdaydı. Göğsünde kıpkırmızı bir yürek, ışıklar saçarak yanıp sönüyordu. Bana uzattığı, yapay yapraklar ve ateş böcekleriyle süslenmiş sepeti aldım, meyvelerin arasında yanıp sönen mesajı okudum. Tamur bana dün gece için teşekkür ediyordu. Bu aşk meleği kılıklı robotları genelde yeni evliler Sevgililer Günü'nde kullanırlardı. Sepeti hazırlayan her kimse, bizi de yeni evli zannetti her halde, diye düşündüm. Robot bana elini uzatınca, avucunun içindeki çipe, sepeti aldığımı kanıtlamak için sağ başparmağımı bastırdım. Mekanik sesiyle teşekkür etti, kıpkırmızı yüreği hep çarparak, döndü arkasını gitti.

Sepetten bir elma seçip ısırarak banyoma geçtim ve aynada yüzüme baktım. Yanaklarıma hafif bir pembelik mi gelip oturmuş, ne! Şimdi annem göreydi beni, "Hayrola, yine yüzüne *sevindirik* bir ifade yerleşmiş, neler oluyor, anlat bakalım," derdi, *sevindirik* her ne demekse? Duygularımın, ruh hallerimin zabıtası annem. Hiçbir şey kaçmaz gözünden! O nedenle bugün annemden uzak durmaya karar verdim. Sesimin tınısında mutluluğu hemen yakalar, sevinmesine sevinir de, sorar da sorar, artık!

Kahvaltımı ettikten sonra, önce Tamur'a kısa bir teşekkür mesajı yolladım, sonra dolabımı açtım ve birbirine benzeyen birkaç giysinin arasında, hafta sonu ne giyeceğime karar vermeye çalıştım. Üzerimde ne vardı benim, dün? İki kere üst üste aynı giysiyi giymemeliyim diye düşündüm. Dün madem elbise giymiştim mantonun altına, bir dahaki sefere tulum giymeliydim. Tulumu askıdan çekip, geçirdim üstüme. Belindeki düğmeyi çevirmeye başladım. Tulumun rengi, açık pembeden giderek kırmızıya, sonra turuncuya ve sarıya değişti. İstediğim su renkleri skalanın sonunda olmalıydı, düğmeyi çevirmeyi sürdürdüm. Nihayet nehir rengi oldu tulum. Yakasını ve kol ağızlarını koyu yeşile ayarladım. Rengimi bulduğuma sevinerek, o renkleri sabitleyip çıkardım tulumu, astım. Sevgilisiyle ilk buluşmasına giden bir genç kız gibi davranıyordum.

"Hey, kendine gel Yuna," dedim, yüksek sesle, "daha beş gün var gitmene, sen bugünden giysini hazır ediyorsun. Deli misin sen be!"

Bilekliğim titreşti, açtım, Arike'nin yüzü...

"Günaydın," dedi.

"Sana da Günaydın." Bir kısa sessizlik oldu.

"Nasıl geçti?"

"Ben de seni arayacaktım Arike, teşekkür etmek için. Evini açtın bana, lenslerini..."Lafımı ağzıma tıktı Arike,

"Neler konuştunuz Tamur'la? İyi anlaştınız mı?"

"Evet. Babamın öğrencisiymiş meğer."

"Senin annen de ressam Samira Otis'miş! Hiç söylememiştin bana."

Bunun ne önemi var, diye geçirdim içimden...

"Ee, neler konuştunuz bakalım Tamur'la?"

"Havadan sudan... Çocukları yurt dışındaymış... onu anlattı işte."

"Ha! Demek öyle. Biraz şeydir... muhaliftir kendisi... bilmem fark ettin mi?"

"Siyaset konuşmadık hiç," diye yalan söyledim.

"Peki, ne konuştunuz?"

"Arike, işe gecikiyorum, ben seni öğlen tatilinde arasam..."

"Olur," dedi, "ben sadece kolay gittiniz mi diye sormak için..."

"Evet, gayet iyi geldik, merak etme. Hafta sonu yine gelebilirim, kitabı şey etmeye..."

"Ah ne iyi! Ben sana yer ayırtayım, hemen."

"Yok, sakın! Daha emin değilim... geleceksem, haber veririm sana."

Kapattık telefonu.

Üzerime Araştırma Kurumu'na giderken giydiğim etekle kazağı geçirirken, Arike'nin beni niye sorguladığını düşündüm. Acaba Tamur'la konuşmuşlar mıydı aralarında? Yemek yediğimizden haberi var mıydı? Yok, olsa mutlaka birkaç soru sorardı. İyi de, niye ondan Tamur'un muhalifliğini fark ettiğimi saklamıştım? Tamur'a zarar gelmesin diye mi? Bana bir iki iltifat eden birini bu kadar çabuk benimsemeye amma da teşneymişim diye düşündüm, azıcık utanarak.

Başlığımın giydim, paltomun yakasına özel renkli atkımı sardım, çantamı omuzuma takıp çıktım evimden. Rüzgâr vardı. Rüzgârı arkama alıp, eteklerimi uçura uçura yürüdüm, sabahın gri serinliğinde. Haydi itiraf edeyim, biraz heyecanlıydım, kıpır kıpırdı içim...
Yaşamak, güneş parlamasa da güzeldi!

Ertesi gün çok yoğun çalışmam gerekiyordu. Düşünmeye, dertlenmeye ya da romantik hayallere dalmaya izin vermeyen bir gündü. Art arda derslerim vardı, başımı kaşıyacak vaktim yoktu, yine de kendimi hafta sonunu düşünürken yakaladım, hem de kaç kere!
Tuhaf bir heyecan vardı içimde, sanki bu hafta sonu bana bir şeyler olacaktı. Olacaklar her neyse, Tamur'la mı ilgiliydi yoksa bambaşka bir şey miydi bilemiyordum, ama hayatımda bir değişiklik olacağına emindim.
Gün boyu, neşe saçtım etrafıma bu yüzden. Öğrencilerimle yakından ilgilendim, meslektaşlarıma yardımcı oldum, başkalarının işlerini üstlendim.

Günün sonunda yorgun argın eve vardığımda Arike'nin sesli mesajını buldum: "Otelde yerin ayrıldı, Tamur'la birlikte heyecanla bekliyoruz seni," diyor, hava treniyle mi yoksa deniz otobüsüyle mi geleceğimi soruyordu.

Daha karar vermemiştim neye bineceğime. Bu kez arabamla gitmek istemiyordum. Tamur şikâyet ettiğinde, ona katılmamıştım ama kara yolculuklarında iki de bir toplum polislerine ve Rama zabıtalarına hesap vermek için durdurulmak gerçekten çekilmez olmaya başlamıştı.

Arike'ye ne diyeceğimi henüz bilemediğim için, yanıt vermedim. Dolabımdan bu kez tulum yerine bir elbise seçip, onun rengiyle oynayıp durdum. Aynı renklere ayarladığım elbiseyle tulumu yan yana yatağımın üzerine sermiş, hangisini giyeyim diye gözlerimi kısmış bakıyordum ki, annemin sesi patladı oturma odasında.

"Kaç gündür sesin sedan çıkmıyor, iyi misin kızım?" diye soruyordu. Televizyon ekranının köşesinde, bana el sallıyordu annem.

"İyiyim," dedim, "sen nasılsın."

"Sana anlatacaklarım var, hafta sonu buluşalım mı Yuna, ne dersin?"

"Hafta sonu Batı Kıyı'ya gidiyorum."

"Daha yeni gitmedin miydi sen Batı Kıyı'ya?"

"Arike'yle bir çalışmamız var da, o yüzden işte."

"Nasıl bir çalışma?"

Yalan söylemenin hakkını hiç veremedim gitti. "Şey... geçen hafta ben oradayken bir kitap okuyo... okudum... yani..."

"Kitap için kanton değiştirdinse, belli ki mesleğinle ilgili değilmiş. Ne kitabı bu?" Anneme Tamur'dan söz edecek değildim, varsın, roman okumaya gittiğimi zannetsin. Aynı bahaneyi, Arike'ye karşı da kullanmıyor muydum, zaten?

"Bir roman."

"Adı ne?"

"*Damızlık Kızın Öyküsü.*"

"Haa!"

"Okudun muydu?"

"Evet. Gençken, Akademi'de okurken hatta... İlginç bir kitaptı. Şimdilerde, sakıncalılar arasına girmiştir. Dikkatli ol, Yuna. Pisi pisine töhmet altında kalma."

"Alt tarafı bir roman, anne... kurgu dedikleri işte."

"Sembolik göndermeleri var. Saray'ın hoşuna gitmez, bilesin."

"Ben sembolik gönderme filan göremedim okuduğum kadarıyla."

"Neyse, git gel de buluşalım. Kitabı da konuşuruz. Belki sende kalırım birkaç gün."

"İyi olur." Regan da biraz rahat eder, dedim içimden.

"Kendine iyi bak," dedi annem. Yüzü kayboldu duvardaki ekranda.

Sana söyleyeceklerim var demişti ama unuttu herhalde. Pek de merak etmiyordum söyleyeceklerini. Mordam'daki arkadaşlarıyla ilgili bir şeyler olmalıydı. Başka ne söyleyeceği olabilirdi ki annemin bana!

Ben giysi seçimi için dolabı bir kere daha alt üst ettikten sonra, son yılların icadı rengi ayarlanabilen giysilerde değil de işe giderken giydiğim, demode giysimde karar kıldım. Öyle çok özenerek giyinmiş algısı yaratmak istemiyordum.

Uzun bir gündü, yorgundum, bir şeyler atıştırıp, erken yattım. Dışarda yine yaklaşık on dakikada bir havanın sıfırın altında yirmiye düşeceği; gece saat on itibariyle kimsenin sokaklarda kalmaması, evine gidemeyenlerin en yakın kapalı kamu binalarına sığınması konusunda duyurular yapılıyordu. Huzursuz uykularımdan birine daha dalmak üzere, evime yeni taktırdığım ses geçirmeyen perdenin düğmesine basıp indirdim.

Oh! Kesin sessizlik! Ama kafamın içindeki sesleri ne yapacaktım?

İÇİMİZDEKİ HÜZÜN BİRİMİZDEN DİĞERİNE AKIYORDU

Gece boyunca bölük pörçük uyumama rağmen, sabah dinlenmiş kalktım. Kahvaltımı edip çıktım. Araştırma Kurumu'na gitmek için köşeyi dönüp caddeye doğru ilerlerken az önümde yürüyen komşum gözüme çarptı.

Odelya, diye selendim. Duymadı. Elinde alışveriş çantası, sol bacağının üstünde hafifçe sekerek yürüyordu. Tekrar seslendim. Durdu bu sefer, ama dönüp bakmadı bana. Yanına gittim.

"Günaydın Odelya," dedim, "markete yürüyorsan, birlikte gidelim."

Başlığının kenarlarını yüzünün ortasına kadar çekiştirmiş, gözlerinde bu kapalı havada eskiden kalmış güneş gözlükleri.

"Olur," diye fısıldadı yüzüme bakmadan.

"Odelya! Nedir bu halin? Dur bakayım yüzüne... A ah! Gözünün altı mosmor olmuş... dudağın da..."

Başını öte yana çevirdi.

"Rahat ver, Yuna."

"Yine dövmüş seni! Hayvan herif, yine vurmuş sana!"

"Hayır, düştüm, yüzümü çarptım. Uzatma Yuna, lütfen!"

"Niye şikâyet etmiyorsun, Odelya! Bir gün elinde kalacaksın, kocanın! Rama aşkına, saklamanın sana faydası ne?"

"Açık etmenin de bir faydası yok! O bir erkek! Ona hiçbir şey olmaz, olan bana olur." Bir yaş taneciği yuvarlandı çenesine doğru.

Elinden alışveriş çantasını aldım. İtiraz etmedi. Yan yana yürümeye başladık.

"Hiç denedin mi? Aile polisine gittin mi hiç?"

"Hem de kaç kere. Şaka yapar gibi, her seferinde aile reisine itaat etmem konusunda nasihat edip evime yolladılar. Akşam eve gelince, Hanor beni şikâyet ettiğime bin pişman ediyor."

"İnanamıyorum!"

"İnanamazsın elbette. Kocan yok ki senin. Şanslı kadın!"

"Kocasız kadının şanslı olduğunu ilk kez duyuyorum. Yaşa sen, Odelya," dedim.

"Biliyor musun Yuna, senin yerinde olmak için neler vermem."

"Yalnızlık da kolay değil... benim işime böylesine odaklanmış olmam, hep yalnızlığımı yenmek için, Odelya."

"Hanor'un başına bir şey gelecek olsa, ben bir daha dünyada evlenmem."

İçimden, keşke bu hayvan herifin başına bir şey gelse, diye geçirdim, insafsızca.

Birbirimize acıyarak, ama duygularımızı seslendirmeden yan yana yürüyüp caddeye çıktık. Odelya, gözleri yerde, küçük adımlarla yürüyordu, yıllar öncesinde Hanor'dan yediği bir tekmeden dolayı, hâlâ hafifçe aksayarak. Omuzlarımız birbirine değdikçe içimizdeki hüzün birimizden diğerimize akıyordu sanki. Aklıma bir gün önce okuduğum kitaptan bir sahne düştü. Omuz omuza, ağır yüreklerle, gözleri yerde, mutsuzluklarını konuşmadan paylaşarak yürüyen, yarınları olmayan o zavallı kadınlar. Nerdeyse onlardan farksızdık. Ürperdim.

"Odelya, bir ara eczaneye uğra da bir şeyler al," dedim sessizliği bozmak için, "yüzüne sürersin, fena morarmış gözünün altı."

"Utanırım, bu yüzle giremem eczaneye, tanıyorlar beni. Büyükannemden öğrendiğim bir karışım var... iyi geliyor. Olmazsa, iki mahalle ötedeki güzellik merkezine giderim. Çocuklar hafta sonunda eve gelmeden, suratımın halini mutlaka düzeltmeliyim."

"Ya geçmezse, nasıl bu hale geldiğini soracak olurlarsa..."

Lafımı kesti,

"Yuna, çocuklar sormuyorlar artık, çünkü aynı yanıtı almaktan bıktılar. Onlara hep ayağım halıya takıldığı için yüzümün üstüne düştüğümü söylüyorum."

"Yutuyorlar mı bu yalanı?"

"Yutmasalar da, gerçeği benden duymasınlar. Babalarıyla aralarında sorun çıksın istemiyorum."

Zavallı canım! "Benim yapabileceğim bir şey var mı?" diye aptal bir soru sordum.

Başını salladı, hayır anlamında. Ayrıldık. O yoluna devam ederken ben Araştırma Kurumu'na yöneldim. Ağır ağır yürümeme rağmen iki kez tökezledim yolda, çünkü aklım Odelya'daydı.

İşime gün boyu odaklanamadım. Bir sakarlık vardı üzerimde, dalgınlıkla iki kere deney tüplerini devirdim, yetmedi, birilerine çarptım.

Akşamüstü biraz erken ayrıldım işten. Kocası eve dönmeden önce Odelya'ya uğramak istiyordum. Hanor, evine saat yediden önce gelmezdi, ama yine de tedbirli davranarak haber verdim gitmeden önce.

Beni görünce çok sevindi arkadaşım. Başlığını çıkardığı için, bu kez de saçlarıyla kapatmaya çalışmıştı yüzünü, ama Odelya'nın sağ yanağı, dalından erken koparıldığından tam kızaramamış, yarısı yeşil kalmış elmalar gibiydi. Gözünün altındaki morluk, hafifçe yeşererek aşağı doğru inmişti. Yanağına her ne sürmüşse, kekik kokuyordu.

"Miden bulanıyor mu?" diye sordum, endişeyle.

"Yok bir şeyim Yuna. Canım yanmıyor, inan bana."

"Bütün gün aklım sendeydi. Bir daha dövecek olursa, kaç bana gel."

"Seni de dövsün diye mi?

"Beni niye dövsün, deli mi bu?"

"Ne sandın!"

"Boşan o halde, Odelya."

"Boşanmış kadınların itibarının sıfır olduğunu bilmiyor musun? Boşanamam."

"Ben boşandım, işte."

"Seninle ben bir miyiz? Ben bilim kadını mıyım? İcatlarım mı var? Sadece dört çocukla kaldım, beşinciyi bile yapamadım ki, aileme para kazandırayım."

"Bir de altın plaket," dedim.

"Plaketi takan kim!"

"Sırf onuru için, yani..."

"Benimkisi gibi bir hayata verilecek plaketin onuru batsın! Meyve suyu içer misin, Yuna?"

"İstemem. Sen iyi misin diye bakmaya gelmiştim. Kalkacağım birazdan."

"Kalkma, daha gelmez," dedi, "buz torbamı alıp geleyim mutfaktan, bekle." İçeri gidip elinde küçük boy bir buz torbasıyla geri döndü, torbayı yanağına, gözünün altına yerleştirdi.

"Ah Odelya, nasıl evlendin sen bu canavarla? Hiç mi anlayamadın nasıl biri olduğunu?"

"Anlayamadım. Teyzelerin aracı olduğu bir evlenmeydi."

"Teyzelerin mi evlendirdi seni?"

Gülümsemeye çalışırken, acıyla buruştu yüzü Odelya'nın.

"İlahi Yuna," dedi, "nereden bileceksin sen, benim gibi İffet Yuvası'nda yetişmedin ki! Bizim eğitim gördüğümüz İffet Yuvalarında, *teyze* dediğimiz, yaşça bizden büyük kızlar vardı, her şeyimizi onlar belirlerdi. Evlenme çağına gelince de, erkek okulundan örgütün herhangi bir kıza uygun gördüğü bir damat adayı belirlenir ve teyzeler o aday ile görüşür, onay verir ya da vermezlerdi. Bize de kabul etmek düşerdi."

"Bildiğim kadarıyla çok eskilerde görücü usulü denirmiş buna."

"Tam değil. Teyzelerimizin gözetiminde taliplerimizle buluşur, senin anlayacağın, biraz da olsa tanırdık evleneceğimiz kişiyi. Hanor'la böyle tanıştık, işte. Yakışıklıydı, benim devam ettiğim İffet Yuvası'nın erkek kısmında yetişmişti, bu yüzden iyi bir işi vardı."

Gözlerimde bir soru işareti belirmiş olmalı,

"Biliyorsun, buralardan mezun olanların işleri de hazır olur."

"Yoo, bilmiyorum, nasıl yani?" dedim.

"İffet Yuvalarının kurucuları, devletin üst kademelerinden gelen kişiler olduklarından, uyumlu çalışmak bahanesiyle kendi öğrencilerini münasip işlere yerleştiriyorlardı. Hiçbirimizin zaten haddine düşmezdi itiraz etmek de... böyle işi hazır, iyi maaşlı bir kocaya niye itiraz edilsin ki. Hepimiz evlendik gitti, bize uygun görülen kocalarımızla."

"Yani, huyunu, suyunu bilmediğiniz adamlarla evlendiniz, öylece," dedim ve der demez, fark ettim ne aptalca bir laf ettiğimi. Sanki ben Zogar'ı koca diye, kendim seçerken, huyunu suyunu biliyordum da!

Aklımdan geçeni okuyamadı Odelya,

"Ama Yuna, kocanı kendin seçtim diyelim, nereden bileceksin güvenceli bir işi olduğunu?" dedi.

"Sen koca mı seçtin kendine, güvenceli iş mi?" deyiverdim.

"Her ikisini de! Erkek milleti işsiz kalınca fıttırıyor, evdeki karısından çıkarıyor hırsını. Devlet kadrosunda çalışan birinin, en azından iş güvencesi olur diye düşündüm."

"İlla devlet kadrosu diyorsan, orada çalışan birini kendin de bulabilirdin. Ne gerek vardı teyzelere?"

"Teyzelerden onay almayan kızlar, devlet kadrosundaki gençlerle öyle kolay evlenemez. İffet Yuvalarında eğitilen erkek çocukların da evlenmek için üstlerinden izin almaları gerekiyor."

"Yaa! Hiç bilmiyordum bunu... Ben kocamla üniversitede tanışıp, sevişip... Her neyse, nasıl evlenirsek evlenelim, mutluluk şansa kalmış."

"Mutluluk öyle de, kocaların iş durumu, pek şansa kalmıyor, Yuna. Mesela senin oğlan gibi, nasıl Saray Akademisi üst kademeye yönetici yetiştiriyorsa, alt kadrolar da bizim

İffet Yuvalarından çıkanlarla dolduruluyor... Polisti, zabıtaydı, tapuda, gümrükte memurdu... Arkanda duran olmadı mı devlete kapak atmak hiç kolay değil."

"Peki ya ben ne oluyorum Odelya? Baksana, orada yetişmediğim halde ben de devlet kadrosundayım."

Odelya buz torbasını çekti yüzünden, masanın üstündeki tabağa bıraktı.

"Sen başkasın Yuna. Sen de bu akıl varken, tüm kapılar sana açık," dedi. "Ama işte ben, iş güvenceli koca istemenin cezasını ödüyorum. Derdim büyük."

"Haklısın canım," dedim, "senin başında gerçekten çekilmez bir dert var!"

Biraz daha oturdum ama tedirgindim.

"Haydi, ben kalkayım artık Odelya, seninki damlar birazdan. Bak yine söylüyorum, benim kapım sana hep açık. Ne zaman istersen... başın sıkışırsa... hemen kalk gel, emi."

"Yüce Ram razı olsun senden, komşum. Güle güle," dedi bana kapının önünde. Akrabalar dışında, sarılmak hoş karşılanmasa da aldırmayıp sarıldık birbirimize. Kekik kokusu burnumu gıdıkladı. Kapıdan çıkınca gözlerim endişeyle sokağı taradı, Hanor ortalıkta görünmüyordu. Evime yollanırken acaba utancından mı gelemiyor eve diye düşündüm, saf saf!

AŞK YENİDEN

Ne açık yeşil tulum vardı üstümde ne de açık yeşil elbise. Tamur'un bana hayran olduğunu söylediği geçmiş yılların modasına çok aykırı düşmeyen bir giysiyi tercih etmiştim. Trendeki genç insanlar beni demode bulabilirlerdi, ama eminim Tamur öyle düşünmeyecekti. Bir gün önce kaşla göz arasında çok para verip aldığım kaz tüyü yeleğim, beyaz bluzum ve dar siyah etekliğimle, kucağımda katlanmış duran paltomla, cam kenarında oturuyordum hava treninde.

Pencereden şehrimin benden giderek uzaklaşan kargaşasını seyrediyordum. Varoşları da geri bırakıp, uzun bir süre ekili arazinin üzerinden gittik. Ufukta deniz gözüktü. Denizin üzerinden geçerken, gözlerimi kapatıp Tamur'la karşılaşacağımız anı hayal etmeye çalıştım. Ellerimiz göğsümüzün üzerinde, en resmi protokolle mi selamlaşacaktık acaba? Yoksa sarılır mıydı bana, Batı Kıyı'da bu gibi formaliteler daha rahat olduğu için?

Ancak düşündüğüm gibi olmadı. Hava treni terminale doğru iyice alçalınca gördüm onları, Arike ile yan yana durmuş, trenin inişini izliyorlardı. El salladım ama beni seçemediler. Trenin yürüyen merdiveni açılıp, ben dışarı çıkınca, Tamur bana doğru koştu. Aşağı inip ona elimi uzattığım anda beni kendine doğru çekti ve bir an öyle kaldık. Ben, hayli tedirgin, etrafı kolaçan ederek, uzaklaştırdım kendimi.

Tamur'un peşinden Arike de geldi yanıma, selamladı beni. Bir süredir toplum içinde kızlarla dahi kucaklaşmamamızın nedeni dinimizle değil, hijyenle alakalıydı aslında. O kadar çok mikrop, bakteri vardı ki çevremizde, güneşimiz de parlayamadığı için birçoğunun bağışıklık sistemi iyice çökmüştü, tedbirli olmak zorundaydık. Sürekli uyarılıyorduk bu konuda. Televizyon programlarının yanı sıra, hemen her sokakta sağlık konusunda uyarılar yapan panolar vardı.

Yaşam şartlarımız dört dörtlük olmasa da, o an, Arike'nin arabasında, neşe içinde sohbet ederek giderken ben hayatımdan çok memnundum.

"Otele mi gidiyoruz?" diye sordum.

"Sahile götürüyoruz seni Yuna. Işığın en parlak olduğu saatleri kaçırma diye." dedi, Arike.

"Elimdeki çantayı bırakırdım."

"Dursun bagajda. Niye vakit kaybedelim ki!"

"Doğru," dedim, "vakit kaybetmeyelim. Kitaba sonra bakarım."

Az sonra, rıhtımda, bir küçük pastanede, denize karşı oturuyorduk. Önümüzden kuğu gibi süzülen yelkenliler ve çeşitli deniz araçları geçiyordu.

"Yelkenlileri nostalji yaratmak için, eski modellerine benzer şekilde yeniden tasarladılar," dedi Arike. "İşlevsel değiller, ama spor olarak çok faydalı, ayrıca harika bir görüntü veriyorlar, öyle değil mi?"

"İşe yaradıkları zamanlar o kadar geride kalmış ki," dedi Tamur, "insan hayal dahi edemiyor deniz ulaşımının sadece yelkenlilerle yapılabildiği günleri. Siz yelkenliye hiç bindiniz mi, kızlar?"

"Hayır," dedim ben.

"Denemek ister misiniz?"

"Batarsak ne olacak? Ben ancak havuzda yüzecek kadar yüzme biliyorum. Denize düşersem kesin boğulurum. Arike binsin, o yüzme bilir."

"Anca beraber, kanca beraber," dedi Arike.

"O halde hep birlikte yapabileceğimiz başka bir şey düşünelim," dedi Tamur. "Mesela dönme dolaba binelim."

"Dönme dolap?"

"Yapma Yuna, bu yaşa geldin dönme dolap nedir duymadın mı? Eskilerde çok popüler bir eğlence aracıymış."

"Biliyorum, duymuştum da hiç binmedim elbette."

"Haydi o zaman," dedi Tamur, "Bizim kantonun başkanı, nostaljik takılan biridir. Yelkenlilerden başka, bir de eski zaman usulü lunapark kurdurdu şehrin doğu tarafına. Sizi oraya davet ediyorum."

"Ben bu ünlü lunaparka hiç gitmedim," dedim Arike.

"Çünkü siz iki hanım, işten başınızı kaldırmıyorsunuz. Etrafta ne var ne yok, merak ettiğiniz yok."

"Eh, ne yapalım, siz erkekler dalga geçerken, birilerinin gemiyi yürütmesi lazım," dedim ben.

"Keşke bizi kadınlar idare edeydi, gemi çok daha hoş yerlere giderdi," dedi Tamur, hesabı ödemek için kalkarken.

"Ben de katılmak istiyorum," dedim.

"Sen misafirsin Yuna."

"Ama olmaz ki böyle hep..."

Tamur sözümü kesti,

"Ben Merkez'e gelirsem, sen de beni ağırlarsın, tamam mı?"

Demek Arike'ye, birlikte yediğimiz yemekten söz etmemiş diye düşündüm. Ağzı sıkılığı hoşuma gitti. Hep birlikte kalktık, Tamur ödemesini yaparken, Arike kolumu tutup dedi ki:

"Yuna, sizinle gelmesem hoş görürsün değil mi? Benim bir hasta ziyaretim vardı, hazır hastane şuracıktayken, ziyareti çıkarıvereyim aradan. Sizinle daha sonra yemekte buluşurum."

"Nerden çıkardın hasta ziyaretini, şimdi?"

"Dün akşam geç vakit öğrendim. Halamı hastaneye kaldırmışlar da.."

Bizi yalnız bırakmak için mi böyle bir şey uyduruyordu, yoksa sahiden mi hastası vardı, emin değildim ama bana düşen kabul etmekti. Sahilde, Tamur'un sık gittiği balık lokantasında belli bir saatte buluşmak üzere, ayrıldık.

Yolun sonunda, bir taksiye binip Lunapark denilen yere gittik. Anlaşılan o ki, her şey tıpkı eski zamanlardaki gibi, aslına uygun yapılmıştı. Işıklar saçarak dönen atları, yükseklerden hızla aşağı akan trenleri, ağaç tepelerinden yükseklere çıkan dönme dolapları görünce çocuklar gibi sevindim. Biz önce çarpışan arabalara, sonra su altından giden trene bindik. Belki de dünya yüzünde mevcut tüm deniz hayvanlarının arasından geçtikten sonra, insanları türlü biçimlere sokan aynanın karşısında bulduk kendimizi. İnce, uzun, şişko, kısa, çarpık çurpuk hallerimize kahkahalarla güldük. Sonra, elimizde birer elma şekeriyle dönme dolap sırasına girdik. Elma şekeri Regan doğduğunda çoktan yasaklanmıştı, sadece eski çocuk kitaplarını gösteren sitelerde ona ait bir iki imaj bulmak mümkündü. Şekerlerin satıldığı tezgâhın tepesinde, dijital yazıyla renginin boya değil gerçek çilek suyu olduğu, elmanın çürük olmadığı yazıyordu. Yazıyı gösterip, "Vatandaşlarının sağlığını böylesine gözeten bir başka ülke var mıdır, bu dünyada?" diye takıldım Tamur'a.

"Biraz da ruh sağlığımızı gözetseler keşke," diye yanıtladı beni, rejim hakkındaki iflah olmaz karamsarlığıyla.

Sıramız gelince, vagonumuza bindik, yan yana oturduk. Yavaş yavaş yükselmeye başladık. Bir dönme dolabın en üst seviyesinden kuşbakışı aşağı bakmak ne kadar hoşmuş. Ağzım kulaklarımdaydı.

"İyi ki geldik," dedim Tamur'a.

"Seni mutlu görmek ne güzel."

"Mutsuz bir insan görüntüsü mü veriyorum?"

"Ciddi bir insan görüntüsü veriyorsun."

"Bu kötü mü?"

"Yo, hiç değil, ama beni endişelendiren gözlerindeki hüzün."

"Hüzünlü olmamı gerektiren bir şey yok, sana öyle gelmiş olmasın?"

"O kocaman gözlerin hep bir soruya yanıt arar gibi bakıyor. Yanıtı bulamadığı için olmalı, bakışlarında hüzün var."

"Belki de o hüzün senin gözlerindedir, çocuklarından uzaksın ne de olsa."

"Olabilir, Yuna. Çok özlüyorum onları."

"Tatillerde getirtsene. Yurtdışına çıkış çok zor ama gelmek kolay."

"O zor çıkıştan korktuğum için gelmelerinden endişe ediyorum zaten. Biliyor musun, insan bir müddet sonra özlemeye de alışıyor. Ne hazin ki, insan her şeye alışıyor."

Vagonların hepsi dolunca, dönme dolap hızlandı. Yükselirken değil ama hızla inerken, içim bir tuhaf oldu. Ben de tüm kadınlar ve çocuklarla birlikte bir çığlık attım. Tamur, kolunu korkmamam için omuzuma doladı. Bunun dışardan nasıl gözükeceğini bilmediğimden hafifçe kasıldım ama tam o sırada rüzgâr önümüzdeki vagonda oturan adamın kasketini uçurdu. Adam uçan kasketin arkasından bir hamle yapınca, yanında oturan kadın adamın beline sarıldı, ikisi birden vagonun içine düştüler. Bacakları havada, debelendiler. O kadar komiktiler ki, her ikimiz de kahkahayla gülmeye başladık. Yıllar var ki böyle gülmemiştim.

"Dönme dolaptan inince, seni bir de korku tüneline götüreyim," dedi Tamur.

"Yok, artık sen beni Arike'yle buluşacağımız balıkçıya götür."

"Acelen ne?"

Tamur, buraya kadar sırf onun için gelmiş olduğumu anlasın istemiyordum. Bahanemi kullandım, "Yemekten sonra, şu romana bakmaya zaman kalsın istiyorum."

"Niye Yuna, ne arıyorsun sen bu kitapta?"

"Bir ipucu. Hayatıma, hayatımıza dair bir ipucu."

"Hayatına dair ipucunu bir kurgu romanda mı arıyorsun?"

"Hafızamın derinliklerinde de arıyorum, Tamur. Bu yüzden bir psikoloğun divanına saatlerce uzanarak uyutulma seanslarına dahi katlanıyorum."

"Aradığın tam olarak nedir?"

"Hatırlayamadıklarım. Geriye doğru gittikçe hafızam bulanıklaşıyor."

"Ne zamandır?"

"Babamın ölümünden biraz öncesi ve sonrası... kayıp demesem de çok sisli. Örneğin üniversite yıllarımı... hayal meyal hatırlıyorum."

"Sen gıdalarını Raman-Marketlerden mi alıyorsun, Yuna?"

Deli mi ne bu adam! Ben ona ne anlatıyorum, o bana ne soruyor!

"Hayır Tamur, ayakkabı mağazasından alıyorum. Özellikle fırından yeni çıkmış terlikler çok lezzetli oluyor."

"Ben ciddiyim, toz gıdaları mı yarı pişmişleri mi tüketiyorsun?"

"Elbette herkes gibi ben de hayatımı kolaylaştıran toz ürünleri tüketiyorum. Çünkü hazırlanması çok kolay."

Tamur bana doğru eğilip yüzünü yüzüme yaklaştırdı.

"Sana bir sır vereceğim," dedi, "Yapma! Raman-Marketlerden taze ve özellikle de mevsimlik meyvenin dışında alış veriş etme. Hele içeceklerle yarı pişmiş gıdaları hemen kes! Bundan sonra yiyeceklerini sana vereceğim adreslerden temin et ve bundan kimselere bahsetme lütfen."

Bir an deli olmasın bu adam, diye düşündüm, şimdi beni aşağı atmaya kalkarsa ne yapardım?

"Marketteki gıda meselesi de nereden çıktı şimdi Tamur?" diye sordum, sesim hafifçe titreyerek. "Ben, geçmişimi, babamla hatıralarımı anımsayamamaktan yakınıyordum."

"Şuradan çıktı, Yuna; gıdalara ekledikleri maddeler unutkanlık yapıyor."

"Bilakis, günün eşsiz ikliminde, en gelişmiş teknolojinin yardımıyla yetişen ürünlere, başta D vitamini olmak üzere çeşitli mineraller ekleniyor, ki bunlar..."

Lafımı kesti,

"Vitaminlerini filan ayrıca içebilirsin."

"Bizi zehirliyorlar mı demek istiyorsun? Sen ne söylediğini farkında mısın?"

"Sen, sana bir sır verdiğimin farkında mısın?"

Bir bezginlik çöktü üstüme. "Haydi, gidelim artık," dedim.

"Tamam, yemekte konuşuruz bu konuyu."

Dönme dolap turunu tamamlamış, vagonlarını boşaltarak yavaş yavaş alçalmaktaydı. Sıra bize gelince, indik. Lunaparkın çıkışına doğru yürümeye başladık. Ben artık hiç konuşmuyordum. Suyla karıştırınca çeşitli lezzette yemeklere dönüşen toz gıdalarıyla, rengârenk meyve suyu şişeleriyle tertemiz, pırıl pırıl Raman-Marketlere laf edilmesine bozulduğumu her halimden belli ediyordum. Çünkü bu marketler, Merkez kuruluşlarıydı. Vatandaşın her türlü ihtiyacı düşünülerek tasarlanmış, özel satış noktalarıydı. Fiyatları uygundu. Bayat gıdalar, GDO'lu mallar asla satılmazdı. Böyle bir hizmet sunulduğu için teşekkür edeceğine, ettiği laflara bakın hele! Zaten bana söylediklerine pişman gibi, suskunlaşmıştı Tamur.

Sahildeki balıkçıya işte bu asık suratlarla girdik.

Beni Batı Kıyı'ya koşturan büyü bozulmuştu. Koca bir marketler zinciri girmişti Tamur'la aramıza. Arike de henüz gelmemişti. Merkez'de hemen hemen hiç yemediğim için, vitrinden balık seçme işini Tamur'a bıraktım. Tam o sıra Arike'nin mesajı düştü kolumdaki bilekliğe.

Halamın durumu iyi değil. Kuzinimi yalnız bırakamıyorum.
Siz yemeğe bensiz başlayın, diye yazmıştı.

Hemen yanıt verdim: *Mutlaka gel. Beni bu adamla baş başa bırakma.*

Ondan yanıt geldi: *Canını sıkacak 1 şey mi yaptı? Asıldı mı sana?*

Hayır, ama senin de burada olmanı isterdim.

Arike'den başka yanıt gelmedi. Hastane köşelerinde benim saçmalıklarımla uğraşacak hali yoktu elbette. Tam ona beni merak etmemesini bildiren bir mesaj daha çekiyordum ki, Tamur başımda bitti.

"Başlangıç olarak birer bira içelim mi?" diye sordu.

Hayır demek istiyordum ama ağzımdan evet çıktı. İyi ki evet demişim. Denize karşı oturmuş, buz gibi biramdan birkaç yudum içince, hayatı daha güzel görmeye başlamıştım. Şu içkiyi keşke yasaklamasalardı Merkez'de diye düşündüm. Ara sıra insana ne kadar iyi geliyordu bir yudum içki. Gevşetiyor, rahatlatıyordu. Bir süre biramızı yudumlayarak, konuşmadan oturduk.

Sessizliği bozan Tamur oldu.

"Yuna, seni söylediklerimle tedirgin ettimse, gerçekten üzüldüm," dedi, "ancak söylediklerim doğru. Merkez, gıdalara maddeler ekletiyor. Raman-Marketlerse hiç güvenilir değil."

"Bizlere zarar verecek bir şeyi neden yapsınlar?"

"Ekledikleri maddelerin bellek zayıflatıcı etkisi dışında sağlığa zararı yok. Bak Yuna, önceleri yeni rejimi oturtabilmek ve siyasi tarihi yeniden şekillendirebilmek için yerleşik değerlerimizi, bilgilerimizi, alışkanlıklarımızı unutturmak istemişlerdi. Arada normalleşme sürecini yaşadık. Son zamanlarda, muhaliflerin sayısı çoğaldıkça, bir nevi tedbir olarak eski yöntemlerini tekrar kullanmaya başlamışlar."

"Mışlar?"

"Düzeltiyorum; başladılar."

"Emin misin?"

"Eminim çünkü bu işi üstlenen birimde çalışan dostlarım var."

"Bunların gizli bilgi olması gerekmiyor mu?"

"Elbette. Ben de önüme gelenle paylaşmıyorum bu bilgiyi. Değerli Otis Hoca'mın kızı olduğun için sana söyledim. Sana bir zarar gelmesin diye."

"Bana zarar gelmez, ben muhalif değilim ki! Ben onlarla, onlar için çalışıyorum, Tamur."

"Sana tek söylediğim gıda konusunda dikkatli olman."

"Başka şeyler de mi var?"

"Henüz bunları duymaya hazır olduğunu sanmıyorum."

"Bak Tamur, insanın ülkesine, rejimine güven duymaması iyi bir duygu değil. Bu sistem benim oğlumu en iyi şartlarda okuttu ve en iyi şartlarda yaşatmaya devam ediyor. Beni de tek çocukla kalmama rağmen..."

Elini uzatıp dudaklarıma dokunarak, sözümü kesti,

"Yuna, sorun da burada zaten. Normalde, çocuğunun sayısına kendin karar vermeliydin. Kocan seni doğuramıyorsun diye boşayamamalıydı. Hiçbir aileye çocuk sayısı dayatılmamalıydı."

"Ama genç nüfusun artması ülkemizin güçlü olması için şart."

"İnan bana güç ve itibar insan sayısından kaynaklanmaz. İnsanın kalitesinden kaynaklanır."

"Sen bizlere kalitesiz mi diyorsun? Mükemmel bir eğitim alıyoruz. Devlet elimden tutmasa, ben bir mucit olabilir miydim?"

"Sen yüksek IQ olduğun için, nerede yaşarsan yaşa, bilim insanlarının takımında olurdun. Bizler ve meslektaşların, yani küçük bir zümrenin dışındaki insanlara dikkat etmedin mi hiç? Robottan farksızlar. Ne kadar az şey biliyorlar ve nasıl her söylenene inanıyorlar... Neden? Çünkü düşünmemeleri, sorgulamamaları, ne söylenirse onu yapmaları için her yola başvuruluyor. Bak sen bile bu zekânla, mekanik bir yaşam içinde sorgulamayı bırakmış, neler olduğunu görmeden yaşayıp durmaktasın."

"Bana aptal mı diyorsun, anlayamadım?"

"Aptal demedim. İyi niyetli ve iyi yürekli, dedim."

Ben ne söylemeye çalıştığını kavrayabilmek için dikkatle yüzüne bakarken, o devam etti:

"Ve çok alımlı ve çok hoş."

Ben iltifat duymaya alışık olmadığım için, kızarıp bozarırken, garson elinde balık tabaklarıyla yaklaşıyordu. Çok uzun süredir görmediğim soğan, domates ve yanında birtakım yapraklarla pişmiş balık kokusu! Ağzım sulandı, çocukluğumdan esen bir rüzgâr dolandı etrafımda. İştahla yemek yiyen bir küçük kızın hayali... ben miydim bu çocuk? Tabak önüme konur konmaz, Tamur'un ima etmeye çalıştıklarına boş verip, parmaklarımla daldım tabağıma.

"Balığı beğendin mi?" diye sordu, Tamur.

"Bayıldım."

"Elle yediğine göre, biliyorsun bu işi." Bu sırada garson ikinci birayı boşalttı bardaklarımıza. "Ben Merkez'e geldikçe sana taze balık getireyim Yuna," diye devam etti Tamur. "Kanton başkanımızın sayesinde bu civardaki koylara bir süredir balık geliyor, biliyor musun? Arada bir balığa çıkıp, yeni satın aldığım tekneyle açılıyorum. Çünkü en iyi balık biraz açıkta çıkıyor."

İyi de, o balık bana fazlasıyla uzak denizlerde çıkıyor! Beni iyi niyetli olmakla suçlayan adamın kendi saflığına gülmek geldi içimden. Haftada bir bana balık mı taşıyacaktı, özel balıkçım olarak? Deli mi ne!

Hiç konuşmadan, çabucak tabağımdakilerin çoğunu silip süpürdüm. Karnım doyunca, biranın da etkisiyle az önce bana söylediklerinin üstüne gitmeye karar verdim:

"Halk robottan farksızlar dedin ya demin, sence hangi lider halkının koyun sürüsü gibi olmasını ister?" diye sordum, bana yanıt vermekte zorlanacağını umarak.

"Suça bulaşmış olanlar. Halkını sömürmüş, halkın sırtından rant edinmiş olanlar. İşte onlar, haliyle halk hiç uyanmasın, sorgulamasın ister. Ve bunu mümkün kılmak için elinden geleni yapar."

"Ramanis Rejimi yöneticilerini kast ediyorsan eğer, babam da Saray'ın hukuk danışmanlarından biri olarak yönetici ekibin içinde sayılırdı. O bu dünyada bulabileceğin en dürüst insandı. Bu nedenle sana katılmıyorum."

"Babanı tanımaz mıyım, elbette öyleydi."

Her ikimiz de babamın anısını kutsar gibi, bir an konuşmadan uzaklara baktık. Sonra o sordu,

"Yuna, baban nasıl öldü?"

"Kalp krizi."

Masanın üzerinden ellerini uzatıp, ellerimi tuttu, gözlerimin içine bakarak bir şey söyleyecek gibi oldu, yutkundu ve çok alçak sesle, "Bırakalım baban Yüce Ram'ın rahmetinde, huzur içinde uyusun," dedi ve hemen konuyu değiştirdi.

"Arike'den haber var mı?"

"Geleceğini hiç sanmıyorum," dedim, "hastası kötüye gidiyormuş. Yanından ayrılmak istemiyor."

"Tüh! Yazık oldu, bugün her şey olağanüstü güzel. Hani az gayret etsek nerdeyse güneşi görüvereceğiz."

"Merkez'de böyle havayı bizler yılda iki kere yakalasak sevinçten deliye dönüyoruz. Bu uğursuz Gökcisim'den en çok ülkemizin etkilenmesi ne büyük talihsizlik! "

"Asıl talihsizlik en doymaz, en açgözlü yöneticilerin, bizimkiler olmasında."

Adamdan tam hoşlanmaya başladığımı kendime itiraf edecek kıvama geliyordum, pat diye bir laf ediyor, hevesimi kursağımda bırakıyordu.

"Sen kafayı bozmuşsun bu yöneticilerle. Sende fikrisabit var, farkında mısın?" dedim.

Gülmeye başladı. "Haklısın Yuna. Dilimi tutmasını öğrenmeli, gerçeği bilmeyenlerin yanında konuşmamalıyım."

"Neymiş şu gerçek?"

"Yuna, bilmen gereken çok şey var ama, şöyle diyeyim: artık ben emin değilim gerçeği bilmenin sana faydası olacağına."

"Neden?"

"Senin tertemiz dünyanı karıştırmak doğru değil. Gerçekler seni üzecek. Seni üzmek benim son istediğim şey."

"O halde bana bir ipucu ver, kendim çözeyim."

"Tamam, al sana bir ipucu. Okumak istediğin bir romana ulaşabilmek için, kanton değiştiriyorsun. Neden?"

"Çünkü Merkez'de ulaşılmıyor."

"Neden yasakladılar, sence?"

"Sanırım romanla kendi hayatlarımız arasında benzetmeler yapmamamız için."

"Benzetme yaparsak ne olur?"

"Ne bileyim... şey... iyi olmaz, kafamız karışır. Oysa biz burada iyiyiz."

"Dur ben sana söyleyeyim: kafamız karışmaz, aynaya bakmış gibi olur, halimizi görürüz ki bu istenmiyor. Demek ki biz burada iyi değiliz. Demek ki, yıllar önce yazılmış bir kurgu romandan bile rahatsız olanların idare ettiği bir düzende yaşıyoruz."

Ona, bence sen abartıyorsun demek istedim ama doğru kelimeleri ararken, Tamur benden önce konuştu:

"Merkez'de okunması yasak herhangi bir kitabın niye yasaklandığını sorgulamaya başlarsan, zaten anlarsın nasıl bir sistemde yaşadığımızı."

"Tüm dünya böyle."

"Nasıl böyle dersin Yuna, işte burada, bu kantonda kitabı okuyabiliyorsun... Sadece Merkez ve Merkez'in borusunu öttürebildiği kantonlar senin dediğin gibi. İnsanların özgürce yaşadığı bambaşka bir dünya daha var ki, Merkez'de yaşayanlar bunu henüz bilmiyorlar."

"Sen nasıl biliyorsun?"

"Çünkü ben Merkez'de yaşamıyorum! Burası, liman kenti ve kıyı şeridi olduğu için, geleni gideni de, bilgi akışı da çok oluyor. Kıyı bölgeleri her zaman kara bölgelerinden birkaç adım öndedir. Ama bil ki, Merkez'deki bu gidişat uzun sürmez Yuna, gün gelecek herkes uyanacak."

Ben, konuşmuyor sadece kuşkulu gözlerle bakıyordum Tamur'a.

"Neyse, kafanı daha fazla karıştırmayacağım. Senden tek ricam, sana söylediğim gibi, gıdana dikkat etmen; market ürünü yememen. Sana Kutkar'dan bahsetmiştim. Gıdalar hakkında fikrini değiştirirsen onu ara."

Masaya uzanıp, kendime de Tamur'a da biraz salata koydum. Bu tatsız konuyu uzatmayıp, ondan bundan konuştuk, çocuklarımızdan söz ettik. Tomur babama dair, gözlerimi yaşartan birkaç hoş anısını anlattı. Babamı sıradan bir öğrencisi bu kadar net hatırlarken, sevgili kızının hatırlayamaması... içimi acıtıyordu.

"Yuna, hüzünlendin babandan söz edince," dedi Tamur.

"Yo, tam tersi, çok memnun oldum," dedim, "babamdan konuşmak hoşuma gidiyor."

Lokantadan çıktıktan sonra Arike'yi aradım yine.

"Ben bu gece hastanede kuzinimle kalacağım, Yuna, çünkü halamın sabaha kadar dayanacağını sanmıyoruz. Sen oteli iptal et ve bu gece bende kal. Boşuna para harcama," dedi arkadaşım. "İçeri girmek için şifreyi hatırlıyorsun, değil mi?"

"Hatırlıyorum da," dedim, "çantam senin arabanda kaldı."

"Önemli bir şey var mıydı içinde?"

"Sadece diş fırçasıyla gecelik."

"Benim yatak odamdaki şifonyerin ilk çekmesinde geceliklerim var. Bir tanesini giy işte. Bir de fırça ucu al, benim alete takar fırçalarsın. Yarın getiririm çantanı eve."

"Arike, bize katılamadın diye çok üzgünüm. Senin için yapabileceğim bir şey var mı, canım?"

"Çok yaşlı bir kadının canına can katamayacağına göre, keyfine bak sen. Tamur'a da, seni ona emanet ettiğimi söyle, emi."

"Ben kendi başımın çaresine bakarım, merak etme Arike," dedim ama telefonu kapadıktan sonra otelin iptal edilme işini, Tamur'a yükledim.

Sahile indik, botlarımızı çıkartıp ıslak kumun üzerinde, uzun bir yürüyüş yaptık. Botlar elimizde, yan yana yürürken, kollarımız ara sıra birbirine değiyordu. Nedense beni hiç tedirgin etmiyordu bu temas. Bir ara ben tökezleyince, Tamur beni tutmak için belime sarıldı, sonra da koluma girdi. Çekmedim kolumu. Öylece kol kola, konuşarak, gülerek ve yine babamı anarak uzun uzun yürüdük. Sonra ayakkabılarımızdan kumları silkeleyip yeniden giydik ve eski tarz bir sahil kafesinde oturup kahve içtik. Merkez'de kahve yasağı yoktu ama Uluhan kahve tüketimine hoş bakmadığı için marketler, kafeler ve lokantalar kahve satışı yapmaya çekinmiş, 'kafe'ler zaman içinde 'çayhane've 'çay evi' ismi altında işletmelere dönüşmüştü. Neden çay değil de kahve sakıncalıydı bilmiyordum ama kahve nerdeyse on yıldan beri içilmiyordu Merkez'de. Tadını unutmuşum, acı geldi, sevmedim. Bana bir zencefil çayı ısmarladık.

"Sen bu sağlıklı bitki çaylarıyla iki yüz yaşını rahat bulursun," diye dalga geçti Tamur benimle.

"Sen de iç, benim gibi uzun yaşa," dedim.

"Seni sık görebileceksem, niye olmasın!"

Kızardım. Ne diyeceğimi bilemediğim için, "Dönelim mi artık?" diye sordum.

"Kalkalım," dedi Tamur, "Ben seni Arike'nin evine bırakıp, bir saat sonra akşam yemeğine götürmek için geri geleceğim, biraz dinlenirsin arada."

"Tamur, zahmet etme. Ben aç değilim."

"O halde gösteri merkezlerinden birine gidelim. Madem nostaljik takıldık, buranın operası meşhurdur. İster misin?"

"Operaya son gittiğimde on iki yaşındaydım."

"Annen ve babanla mı gitmiştin?"

"Okul götürmüştü. Müzik düşkünü bir öğretmenimiz vardı, opera binası tamamen kapanmadan bir ay önce, öğrencilerinin bir opera deneyimi olsun istemişti. Biliyorsun tasarruf nedenleriyle kapatıldı operamız. Pek giden de olmuyormuş zaten."

"Hoşuna gitmiş miydi?"

"Bayılmıştım. *Hoffman'ın Masalları*'nı seyretmiştik."

"Bilet bakayım o halde, şansımız varsa iki yer bulurum."

Hesabı ödeyip kalktık ve bir taksiye atladık. Trafik yoğundu. Arike'nin evinin önüne geldiğimizde akşamüstü olmuş, hava iyice kararmıştı. Ben inerken, Tamur, "Operada yer bulamazsam, başka bir gösteri için bilet alacağım. Su balesine ne dersin?" diye sordu.

"Yakında mı oturuyorsun?" dedim.

"Hayır, benim evim şehrin öbür ucunda."

"Bir saatte gidip dönebilecek misin?"

"Eve gitmeyeceğim ki. Bilet işini hallettikten sonra, dolanacağım etrafta. Belki bir kafede otururum."

Beni gün boyu gezdiren, yedirip içiren ve hâlâ mutlu etmek için çırpınan bu adamdan utandım.

"İçeri buyur, Tamur," dedim, "Hem internete girer gösterilere bakarsın, hem sen de dinlenirsin biraz. Operaya filan yer bulamadıksa bir şeyler atıştırırız evde. Herhalde Arike'nin buzdolabı bomboş değildir."

"Sen nasıl istersen," dedi Tamur. "Sen çık ben az sonra geliyorum."

Kapıyı açmak için şifreyi tuşlarken, onu eve davet etmekle doğru yapıp yapmadığımı düşünüyordum. Az tanıdığım üstelik tuhaf fikirleri olan bir adamı sırf gençliğinde bana hayrandı

diye çağırmamıştım elbette, çağırmasaydım ayıp olacaktı...
Peki ya Arike'nin evine bir adamı davet etmek!..

Yanlış yaptım! Ne cüret! Ne düşüncesizlik! Bunca yıldır, kendine hiç söz getirtmeden, hakkında asla dedikodu yaptırtmadan, namusuyla, şerefiyle yaşamış olan ben!

Yok ya, amma da abarttım! Boşandığım yılın hemen ertesinde, bir sevgilim olmuştu. Âşıktım ona. Sekiz ay flört etmiştik, çocuk doğuramayacağımı öğrendiğinde basıp gitmişti. Sonraki yıllarda, hem üniversitenin son sınıfında, hem de ihtisas yaparken iki kişi daha girdi hayatıma, ama onlara, ben kapıya konmadan, kendim yol verdim. Çünkü her ikisi de evlenmek isteyen genç adamlardı, çocuk isteyecekleri kesindi. Sonra da sımsıkı kapattım gönül kapımı. Kendimi tamamen işime, kariyerime adayınca aşk neydi, unuttum gitti.

Tamur'u eve davet etmek, elbette doğru bir hareket değildi. Ama ben kuralların katı, yüreklerin kapalı olduğu Merkez'de değildim şu anda. Dünyanın daha bir neşeyle, keyifle dönmekte olduğu Batı Kıyı'daydım ve gün benim için henüz bitmesin istiyordum.

Eve girdim. Perdeleri açmadan, ışıkları ayarlayan düğmeye basmadan, üzerimdeki paltoyla başlığımı çıkarmıştım ki, kapı zili çaldı ve Tamur'un sesi çınladı evin içinde:

"Benim Yuna, otomatiğe bassana," diyordu.

Otomatiğe bastım. Aynaya koştum, başlığın bastırdığı saçlarımı kabarttım ellerimle. Ne yapıyorum ben, yahu! Başlığımı aradım telaşla. Nereye koydum, nereye? Kapıya parmaklarıyla vurdu Tamur. Saçlarım açıktı, yanaklarım kıpkırmızıydı. Boş verdim başlığa, kapıyı açtım. Tamur'la karşı karşıya durduk. Tamur, bir süre yüzüme baktı ve dedi ki:

"Babasına evde unuttuğu notları getiren kız, kürsünün yanında dururken sınıfı ışığa boğan Yuna... yılların içinde, değişen hiçbir şey yok..."

Nasıl oldu hiç bilmiyorum ama bir anda Tamur'un kollarındaydım. Dudaklarım ağzının içindeydi. Saçlarım avuçlarındaydı. Beni kucaklayıp içeriye, oturma bölümündeki divana yürüdü. Birlikte üzerine yığılıp deli gibi öpüştük. Öpüşmediğim yılların acısını çıkarmak istercesine öpüşüyordum onunla. Tamur, yüzümü, boynumu, kollarımı, ellerimi, parmak uçlarımı öpüyordu. Ben de onu... hiç utanmadan, çekinmeden, ben de onu öpüyordum! Oda loştu, ışığı açmaya vakit bulamamıştım. O yarı karanlıkta, soydu beni, sevdi beni, başka yıldızlara, gezegenlere taşıdı beni.

Ne çok zaman geçti, onu da bilmiyorum, karanlıkta üst üste yatıyorduk. Ben Tamur'un üzerinden yana kaydım, dar divandan düşmemem için koluyla sarıldı bana. Yıllar geçmişti, birinin bana sevgiyle, şefkatle dokunmasından bu yana. Sevilmeyi, sevişmekten daha fazla özlemişim, hasret kalmışım. Ürperdim.

"Üşüdün mü?" diye sordu.

"Yok, oda yeterince sıcak," dedim.

Arike'nin evinde de hepimizin evinde olduğu gibi, merkezi ısıtma vücut sıcaklığımıza ayarlıydı. Üşümüyor, terlemiyorduk.

"Yuna, seninle sevişmeyi o kadar çok hayal ettim ki; önce gençlik yıllarımızda, sonra da seni ikinci buluşumdan sonra... beni bağışla lütfen... böyle... kendimi kaybettiğim için."

İyi ki kaybettin kendini, dedim içimden.

"İnan bana, yıllar sonra seni tekrar bulduğumda, seni şefkatle sevmeyi hayal etmiştim, ürkütmeden, örselemeden... çok kırılgan bir halin vardı çünkü. Fakat sana sarılınca. bana ne oldu bilmiyorum."

Aslında ben de bana ne olduğunu bilmiyordum.

Tamur, beni tüy gibi yumuşak dokunuşlarla, sanki bir kedi yavrusunu ürkütmeden severmiş gibi okşamaya başladı. Sokuldum ona. Şimdi, dalgaların yumuşak çırpınışlarla kıyıya vurduğu bir denizde yüzer gibiydim. Yeniden seviştik. Acıktık. Arike'nin buzdolabında ne varsa, hapur hupur atıştırıp bir kere daha seviştik. Duvardaki yatağı açmaya üşenip, o dar divanda, birbirimizin kollarında uyuyakaldık. Birkaç saat sonra uyandık, Arike'nin tek kişilik duşuna zar zor sığışarak, birlikte duş aldık. Beni sabunladı, yıkadı, duruladı, kuruladı, Tamur. Yeni doğmuş bebekmişim gibi, özenle havluya sarıp, duş almadan önce duvardan indirdiği yatağa taşıdı. Sarmaş dolaş öylece yattık, gün ağarana kadar. Sonra uyumuşuz.

Sabah sekize çeyrek kala, Arike'yi uyandırma müziği olduğunu tahmin ettiğim, evin her köşesinden gelen tatlı bir melodiyle uyandık.

Arike geldi zannedip telaşla yataktan fırladım. Tamur'la yatağı hemen toparlayıp kapattık. Tamur, çabucak giyinip çıktı, az sonra döndüğünde elindeki torbada fırından yeni çıkmış çörekler ve bir termos dolusu sıcak kahve vardı. Mis gibi çörek ve kahve kokusu sardı evi. Ben de giyinmiştim; mutfakta birbirine alışık, kırk yıllık karı kocalar gibi konuşa, gülüşe huzurla kahvaltı ederken, tadını unuttuğum kahveden bir fincan içtim, çok uzun bir zamandır yemediğim çöreklerden atıştırdım iştahla.

"Ara sıra yasakları çiğnemekten bir zarar gelmez," dedim Tamur'a.

"Ne yersin sabahları?" diye sordu Tamur.

"Sütlü yulaf ezmesi."

Yüzünü buruşturdu.

"Sen çörek mi yersin her sabah?"

"Ben kahvaltımı evde etmem ki. İş yerine giderken yolda atıştırırım bir şeyler. Kahvaltının tadı, biriyle paylaşırsan çıkıyor."

Doğru söylüyordu, yemeklerimi çoğu kez yalnız yiyen biri olarak, tek başına atıştırmanın hiçbir keyfi olmadığını biliyordum ama onu onaylamak yerine dedim ki:

"Arike arar birazdan. Ona ne diyeceğimi bilemiyorum."

"Sana geceyi nasıl geçirdiğini soracaktır. Sen de mışıl mışıl uyuduğunu söylersin."

Sözünü bitirdiği anda telefon çalmaya başladı.

"Git buradan çabuk! Banyoya gir, kapıyı kapat ve konuşmamız bitene kadar ortaya çıkma, emi! Seni burada görmemeli... Haydi ama Tamur!"

Telefonu Tamur odadan çıkınca açtım. Ekranda Arike'nin yorgun ve üzgün yüzünü gördüm. Kendi mutluluğumdan utanarak,

"Nasılsın Arike?" dedim.

"Bitkinim Yuna! Halam gece boyunca çok kötüydü. Sabaha doğru ateşi düştü biraz. Kızı evine, duş yapıp üstünü değiştirmeye gitti. Gelince, ben de evime döneceğim. Ölüyorum uykusuzluktan. Sen ne yaptın? Rahat ettin mi benim yatakta?"

"Çok rahat ettim, sağ ol. Ben de yeni kalktım, toparlanıyordum. Bu sabah dinlenmeye ihtiyacın olacağını tahmin ettiğim için, dönüş biletimi değiştirip erkene aldım. Birazdan Tamur beni almaya gelecek, hava trenine götürmek için."

Yalan söylemeye alışıkmışım gibi, bu yalanları nasıl da hiç düşünmeden attığıma şaşkındım.

"Kırk yılda bir geliyorsun, böyle olmasını hiç istemezdim Yuna. Çantan da bende kaldı... hemen getireyim mi, önemli bir şey var mıydı içinde?

"Dursun sende, bir daha ki buluşmamızda alırım."

"Tamam. Beni bu seferlik bağışla, acısını çıkarırız," dedi Arike, masum masum, beni daha da utandırarak.

"Halan iyileştikten sonra, sen de gel bende kal. Çantamı da getirirsin. Bizim denizimiz yok ama başka marifetlerimiz var sana sunacak. Hayvanat bahçemizin eşi yok mesela."

"Olur, gelirim," dedi Arike.

"Sen evine döndüğünde ben gitmiş olurum. Tekrar binlerce teşekkürler, Arike," dedim.

"Sana da iyi yolculuklar, canım," dedi.

Arike'nin yüzü küçüldü, nokta kadar kaldı. Ekran kararınca, "Çıkabilirsin," diye seslendim Tamur'a.

"Amma attın Yuna, Merkez'deki hayvanat bahçesinin alası Kuzey'de var. İnanmazsan seni götürür, gösteririm," dedi Tamur.

"Sen bizi mi dinledin?"

"Dinlemedim, sağır olmadığım için duydum."

Yanıma geldi, öptü beni yanağımdan.

"Tamur, yapma! Hemen giyinip çıkmamız lazım. Bakarsın geliverir Arike, haydi git hazırlan."

Alelacele giyindik, kahvaltı bulaşıklarını yıkadık, banyonun ıslak yerlerini kuruladık, divanın yastıklarını kabarttım, çıktık evden.

"Şimdi nereye gitmek istersin?" diye sordu Tamur.

"Arike'nin bize rastlayamayacağı bir yere."

"Tamam," dedi.

En yakındaki taksi durağına yürüdük el ele. Tamur şoföre adresi söyledi.

"Nereye gidiyoruz?" diye sordum.

"Ne Arike'nin ne de bir başkasının bizi görmeyeceği bir yere. Benim evime."

Şehri baştanbaşa kat ettikten sonra, tüm katları bahçeli, yayvan binaların bulunduğu bir mahalleye geldik.

"Eskiden burada bahçe içinde villalar vardı. Ben de bir bahçem olsun istemiştim. Bir de ne göreyim, o evleri yıkıp, yerlerine bu balkonları bahçeli apartmanları inşa etmişler. Yazık olmuş! Yine de, tepeleri bulutların arasında kaybolan gökdelenlerden iyidir diye düşünüp buraya yerleştim. Birkaç ay sonra ne göreyim, bahçelerimize yapay çiçekler dikiyorlar. Benim bahçeme sakın dikmeyin dedim. Olmazmış, görüntü bozulurmuş. Şimdi bin kere pişmanım buradan ev aldığıma."

"Üzülme Tamur, çiçeklerin yapay oldukları uzaktan hiç belli değil."

"Yakından da belli değil ama ben biliyorum ya, içime sinmiyor. Keşke güneşsiz yaşayabilen bitkilerden dikselerdi."

Bir erkeğin yapay çiçekten bu kadar rahatsız olmasına şaşırmadım değil. Gerçekten özel biriydi, bir günlük sevgilim. Şimdi de gözlerini dikmiş, bir yere bakıyordu. "Şu sarı gülü görüyor musun duvarın dibindeki, gerçek bir gül olaydı, onu dalından koparıp saçına takardım."

"Boş ver, başlık var başımda, zaten takamazdın."

"Evde çıkaracaksın başlığını, o güneş ışığı gibi saçların evimi ışıtacak, Yuna."

"Ama sen uslu duracaksın Tamur. Bugün sadece sohbet edeceğiz."

Taksi, özel bir asansörle Tamur'un kapısının önüne kadar çıktı. Tamur önden koşup evin kapısını açtı bana. Camları tavandan yere kadar uzanan ve salon kapısı yedinci katta olmamıza rağmen önündeki bahçeye açılan ferah eve girdim. Uzaktan deniz görünüyordu. Tamur, yarı kapalı perdeyi tamamen açtı ve böylece balıkçı teknelerini, batmadan yüzeyde giden vapurları, Batı Kıyı'nın iki yakasını birbirine bağlayan köprüleri de gördüm.

"Manzaran harika," diye bağırdım.

Tamur yanıma geldi, önce boynumdaki eşarbı sonra usulca başlığımı çıkardı, yüzümü ellerinin arasına aldı ve bana, "Sen de harikasın," dedi, "ilk görüşte vurulduğum kız, bana en güzel manzara sensin."

"O dediğin yıllar önceydi. Ben orta yaşlı, yıpranmış bir kadınım artık."

"Dün gece keşke sana bir ayna tutaydım da kendini göreydin, Yuna."

Sarıldı bana. Kollarını boynumdan hiç çözmesin istiyordum. Beni öpsün, benimle yine sevişsin istiyordum. Ama yavaşça sıyrıldım kollarından, paltomu çıkardım, gidip manzaraya karşı duran koltuğa oturdum.

"Ne ikram edeyim sana?" diye sordu.

"Hiçbir şey. Yanıma gel, biraz oturalım burada. Doya doya denizi seyredeyim. Sonra trenime götürürsün beni."

Geldi, ayaklarımın dibine çöktü, başını dizlerime dayadı. O kadar mutluydum ki, bir yaş yavaşça göz pınarımdan yana-

112

ğıma doğru kaydı. Tamur'a belli etmeden sildim gözyaşımı. Bu anın rüya olmasından korkuyordum. Saçlarına dokundum yavaşça, sonra başını okşadım. Ele veriyordum kendimi. Yapmamalıydım. Sevgiye bu kadar susamış olduğumu belli etmemeliydim. Toparlandım, çektim elimi saçlarından. Birkaç saat sonra, kendi bölgeme döndüğümde, üstünde bir kadının hak edebileceği en itibarlı renkleri taşıyan Prof. Yuna Otis olacaktım, erkeklere pabuç bırakmayan, onlar tarafından üzülmemeye yeminli, güçlü ve yalnız kadın!

Şu ana kadar pek iftihar ettiğim ve mutlu olduğum konumum hakkında, şimdi kafamda soru işaretleri vardı.

Tamur, beni yere, yanına çekti. Sırtımızı koltuğa dayayıp omuz omza, karşımızda denizle ufkun birleştiği sonsuzluğa bakarak oturduk bir süre.

Sonra ben, "Sen dün rejim hakkında bazı imalarda bulunmuştun. Ben sürekli sözünü kestim, hiç konuşturmadım. Bana ne söylemek istiyordun?" diye sordum.

"Madem memnunsun hayatından, böyle kal, Yuna. Başını derde sokmak istemiyorum. İlerde bir gün, sen de huzursuzluk duyacak olursan, o vakit konuşuruz."

"Şimdi konuşalım. Neden endişelisin, anlat bana."

"Belki başka bir zaman. Şu anın keyfini bozmak istemiyorum."

"Merak ettim ama, Tamur. Aklım takıldı bir kere."

"Şu kadarını söyleyeyim o halde: her türlü bilgi akışında müthiş sansür var. Bize dış haber olarak sunulanlar tamamen uydurma haberler. Ülkenin dışındaki hayat bambaşka, Yuna."

"Bunları sen nereden biliyorsun?"

"Birileri sansür şifresini kırmanın yolunu buldu, komşu ülkelerle, hatta çok uzakta olanlarla da iletişim kurup neler olup bittiğini öğrenebiliyoruz artık."

"Tamur! Bu çok tehlikeli! Sansür şifresini kırmanın cezası ağır, biliyorsun değil mi?"

"Elbette biliyorum."

"Başını belaya sokarsın. Lütfen yapma! Bak, pek çok insan halinden şikâyetçi değil. Dünyanın her yerinde insanlar mutluluğu küçük şeylerde yakalıyor ve hayat akıp gidiyor. İnsanın da hükümetin de iyisi var, kötüsü var. Kurcalamasan, durumunu kabullensen olmaz mı?"

"Olur da, güneş üstümüzde yeniden parlasın, hava ısınsın, ağaçlar çiçeğe dursun, iklimler eskisi gibi olsun istemez miydin?"

"Elbette isterdim ama bunun bilgi paylaşım servislerine getirilen sansürle ne ilgisi var?"

"Yuna... çok ilgisi var. Bak..."

Bir süre ne diyeceğini bilemezmiş gibi sustu Tamur. Sonra devam etti:

"Sen kafanı bunlara yorma, güzelim. Biz şimdi, sadece ikimizi ilgilendiren çok daha önemli şeyleri konuşalım. Önümüzdeki hafta, en rahat günün hangisi? O gün ben Merkez'e geleceğim ve sana söz verdiğim gibi, elimle tuttuğum taze deniz balıklarından getireceğim. Çarşambaya ne dersin?"

"Çarşamba olmaz. Cuma günü gelsene."

"O gün dersim vardı ama ayarlamaya çalışırım."

"Benim de çarşamba günleri Dr. Sorgen'le randevum var, sen ayarlayamıyorsan, ben randevu günümü değiştirmeye çalışayım."

"Seni yarın akşamüstü arar, teyit ederim."

"Tamam."

"Bana balıkları evinde pişireceksin ama! Gerekli pişirme aletlerin var mı, Tava, tencere gibi? Getireyim mi?"

Yok demeye utandım. Balığını kendi tutan adama, evimde tava olmadığını nasıl söylerdim. İlk fırsatta gidip bir tava alacaktım. "Var," dedim, ne güzel yalan söyler olduğuma bir kere daha hayret ederek.

"Şimdi de şunları söyle bana, en sevdiğin çiçek, en sevdiğin meyve ve en sevdiğin renk hangileri?"

"Niye soruyorsun bunları?"

"Sevdiğim kadını tanımaya çalışıyorum. Aynı şehirde yaşasaydık kendim bulurdum zaman içinde, ama öyle bir lüksümüz yok madem, sorarak öğreneceğim."

"Pekâlâ, çiçeklerden menekşe... idi yani... iklim değişikliğinden önce. Meyvelerden kiraz ve karpuzu severdim ama onlar artık sera meyveleri... nasıl desem, eski tatları kalmadı."

"Sevdiğin rengi de söyle."

"Yeşilin her tonu."

"Ben de severim yeşili. Bizim rengimiz olsun mu?"

"Beraberken yeşil mi giyelim, yani?"

Güldü, "Yeşil giymesek de, yeşili bol yerlere dolaşalım. Bahçelerde, çayırlarda, kırlarda, göllerde... Doğanın koynunda, kısacası."

"Ah bir de güneşimiz olsa..." dedim ben.

"Umudunu kaybetme. Göreceksin, gün gelecek o da olacak," dedi Tamur, ayağa kalktı, benim de kalkmam için elini uzattı.

"Yuna, dün yapamadıklarımızı bugün yapalım mı? Gel çıkalım şimdi evden, şehir merkezine inelim, bakarsın *Hoffman'ın Masalları*'na rast geliriz. Olmadı, sahilde yürürüz yine, sonra da bir şeyler atıştırırız. Ne dersin?"

115

"Bak ne diyeceğim, evde kalsak... hiçbir şey yapmadan böylece otursak... sıkılır mısın?"

"Sadece sen sıkılmayasın diye teklif etmiştim, haydi gel," dedi. Bana uzattığı elini tutup kalktım. Yatak odasına yürüdük. Yatağın üzerine yan yana uzandık. Tamur uzaktan kumandayla, perdeyi indirdi, denizi, gemileri, köprüleri gördük yine.

"Bu evde televizyon nerede? Hiçbir yerde ekran göremiyorum."

"Hepsi şu duvarlardaki kapıların ardındalar. Gerekmedikçe açmıyorum... Bir nevi tedbir... Ama müzik dolabım çok çeşitlidir, bak."

Başucu masasındaki düğmeye basarken, "Ne dinlemek istersin?" diye sordu.

"On sekiz, on dokuz yaşlarımın şarkılarını çal bana... yaşayamadığım gençliğimin müziğini."

"Yuna izin ver, o yılları sil baştan birlikte yaşayalım," dedi Tamur.

Lise ve üniversite yıllarımın en popüler şarkıları arka arkaya sıralanırken, ben gençliğimi gecikmiş de olsa yaşayabilmek için, sokuldum sevgilime.

CENNETİN ARKA KAPISINDA

Tamur sayesinde, ikince kez evime şarkı mırıldanarak giriyordum. Onun beni ilk yemeğe götürdüğü gece gerçekten sarhoştum diyelim, ama bugün ağzıma içki dahi koymadığım halde zil zurna sarhoş hissediyordum kendimi... Gamsız, mutlu, sırtımda bir çift kanat varmış gibi.

Üzerimde ne var ne yoksa çıkarıp yatağın üzerine bıraktım, banyoma yürüyüp saçlarımı duş bonesinin içine tıkıştırmak için musluğun yanındaki çekmeceyi açarken, gözüm aynaya takıldı... A ah, o da ne! Aynamın üzerinde büyük harflerle bir şeyler yazıyordu. Okudum: *Televizyon açıksa hemen kapat. Bu notu okuyunca cennetin arka kapısına gel.* İmza yoktu, imza yerine iki tavşankulağı çizilmişti!

Biri girmiş evime! Bir yabancı! Dizlerime bir titreme geldi. Kapının arkasına asılı bornozu aceleyle üstüme geçirdim. "Kimsin?" diye bağırdım, korkudan kısılmış sesimle, "Kim var orada?"

Çıt çıkmadı.

"Hey, ortaya çıksana!"

Yine ses yok. Evin tüm ışıklarını açtım uzaktan kumandayla, dolap kapılarını açıp kapadım, oturma odasına, mutfağa baktım; annemin ve Regan'ın geldiklerinde kaldığı odaya geçtim, yine dolap içlerini teker teker kontrol ederek. Kimse yoktu!

Yüce Ram, aklımı koru! Kim girdi benim evime, ben yokken... Üstelik yatak odamdan geçilen banyoma kadar? Bu evin kapı şifresini sadece annemle oğlum biliyordu. Annem olamazdı, daha yeni konuşmuştum onunla, dönüş yolundayken. O halde içeri giren ve bu yazıyı yazan Regan'dı ama beni aramak varken, neden aynama not bıraksın, oğlum?

Belki çocukluğunu özlemişti! Bir zamanlar karşılıklı zekâmızı sınamak için, böyle bilmeceli notlar bırakırdık ya, birbirimize; yıllar sonra oyun çekti canı herhalde, diye düşündüm. Sakinleştim.

Haydi canım, koca adam oyun oynar mı hiç! Hele de Regan! Zor görevi onun bütün oyunbazlığını, neşesini yedi bitirdi. İşten başını kaldıramayan, suratsız ve ciddi bir genç adam, şimdi o.

İyi de aynamdaki bu yazının sırrı ne? Hem o yazmış olsa, imza diye tavşan kulakları çizeceğine adını yazmaz mıydı!

Bir çift tavşan kulağı! Tavşan...ku..la..ğı... Ah nasıl düşünemedim!

Oğulcuğum çocukken, tavşan gibi zıp zıp sıçrayarak yürüdüğü için, ona *tavşancık* derdim. Adını yazmak yerine iki tavşan kulağı çizmiş aynaya, Regan. Ayrıca televizyonu açmamam için uyarmış beni. Ne demişti bana Tamur? Televizyonlar açıkken tüm evler dinleyebiliyor, hatta gözetlenebiliyor dememiş miydi!

Salondaki televizyonun kapalı olduğunu biliyordum ama yine de, ekranların kapalı olduğundan emin olmak için bir kere daha dolaştım odaları. Sonra aynadaki nota odaklandım. Evet, Regan kesinlikle çocukken oynadığımız oyundaki gibi, şifreyle bir yer tarif etmeye çalışıyordu bana. Neden böyle yaptığını bilmiyordum ama çok tedirgindim. Banyoya gidip, açık unuttuğum duşu kapattım, tuvaletin üstüne oturdum. Şimdi sakin olup, yazının gizini çözmeliydim.

Cennet?

Regan, herhalde bana bir yer tarif etmeye çalışıyordu? Cennet! Güzel bir yer olmalı... Suların şırıl şırıl aktığı, yeşilliğin bol olduğu... düşün Yuna, düşün kızım... Cennet gibi yerleri düşün teker teker! Cennet? Cennet?

Buldum!

Cennet, onu çocukken oyun oynaması için sık götürdüğüm, suni gölün kıyısındaki bahçe olmalıydı. Regan, o bahçenin, tıpkı bir ormanı andıran ağaçlarla kaplı bölümüne cennet derdi. Heybetli ağaçların arasında saklambaç oynardık.

Odama koşup yatağa bıraktığım giysileri üzerime geri giymem bir dakika sürmedi. Fırladım evden, arabamı park ettiğim yere koşup, adresi tuşladım. On dakika sonra, göl kenarındaki bahçede, oğlumun cennet adını taktığı yere doğru koşar adım yürüyordum.

"Sağa dön ve yürümeye devam et!"

Durdum.

Tanıdık bir sesti, ama o kadar korkmuştum ki, bana emir verenin kim olduğunu çıkaramadım. Arkama baktım, arkamda kimse yoktu.

"Durma! Sağına dön ve yürü."

Ürperdim. Yavaş adımlarla ilerleyerek sağa döndüm, ağaçların arasına daldım. İyice karanlıktaydım, şimdi. Birden biri kolumdan tutup beni taflanların içine çekti. Çığlık attım.

"Sus anne, bağırma!" dedi, ağzımı eliyle kapatan Regan.

"Regan! Çıldırdın mı oğlum! Yüreğime indirecektin. Ne yapıyorsun burada?

"Asıl sen ne yapıyorsun? Aklını mı kaçırdın anne? Ne işin var senin Batı Kıyı'da, o adamla?"

"Hangi adamla?"

"Bilmezden gelme!"

"Regan, sen beni sorguya mı çekiyorsun?"

"Evet."

"Bu ne cüret? Ben senin annenim."

"Tam da o nedenle sorguluyorum seni."

"Aferin sana! Ben de, çocukken oynadığımız oyunla beni çağırıp, bana bir sürpriz hazırladığını sanmıştım. Aptal ben!"

"Aynen, aptal sen!"

"Benimle böyle konuşamazsın! Günün birinde Gizli Servis'in başına da geçsen, buna asla izin vermem."

"Tehlikedesin, anne."

"Ne tehlikesi, yahu? Yeni bir arkadaş edindim diye... Yoksa kıskandın mı sen beni?"

"Saçmalama lütfen. Seni düşündüğüm..."

"Beni izlettin sen! Anneni izlettin, hiç utanmadan!" diye sözünü kestim oğlumun.

"Senin iyiliğin için, anne."

"Madem öyle, böyle saçma oyunlar oynayacağına, eve geleydin."

"Ev dinleniyor ve gözleniyor olabilirdi."

"Daha neler! Neden dinlesinler, gözlesinler beni?"

"Aptalca şeyler yaptığın için. Bak anne, seni uyarıyorum..."

"Sen beni uyaramazsın Regan, haddini bil," diye tekrar lafını kestim.

"Pekâlâ, Gizli Servis'te çalışan biri olarak, seni uyarmak istedim diye düzeltiyorum cümlemi. Oldu mu?"

"Olmadı! Ne yapıyorum ki, uyarıyorsun beni?"

"Tehlikeli kimselerle görüşüyorsun, bu bir. Batı Kıyı'ya gereğinden fazla gitmeye başladın, bu da iki."

"Hani özgürlük vardı, hani diğer kantonlara geçmek izne bağlı değildi artık?"

"Anne, gel şuraya oturalım," diyerek beni kolumdan tutup az ilerdeki ağacın etrafına örülmüş alçak sete sürükledi oğlum. Yan yana oturduk.

"Bu ay içinde kaç kere gitmişsin Batı Kıyı'ya biliyor musun?"

"Elbette biliyorum. İki kere mesleki nedenlerle, iki kere de arkadaşlarımla olmak için gittim. Sen benim her adımımı izler misin böyle?"

"Elbette hayır. Adını sarı listede görünce seni uyarmak istedim. Bir daha gitme. Bir kere daha gidersen dikkat çekersin ve '*sürekli izlenme*'ye alınırsın."

"Sarı liste de neyin nesi?"

"Gözetlenmeye adayların listesi."

"Yüce Ram!"

"Yeşil listeye alındın mıydı, otur Yüce Ram'a sabahtan akşama yalvarıp yakarmaya başla. Kırmızıya geçtin miydi boşuna yalvarma, hiç faydası olmaz."

"Hayatım boyunca ülkem için çalıştım ben. Ömrüm deney odaları, laboratuvarlarda geçti. Utanmıyorlar mı beni gözetlemeye?"

"Gözetledikleri sen değildin anne, Tamur Resom'du. Sen gözetleme ağına, onun yüzünden takılmışsın. Sonra, Batı Kıyı'ya kaç kere gittiğine bakmışlar, yirmi gün içinde, tam dört kez. Sarı listeye böyle geçmişsin. Lütfen dikkatli ol. Sonra benim de başımı yakarsın."

"Regan, sen Tamur Resom'u nereden biliyorsun?"

"Ben Gizli Servis elemanıyım, unuttun mu? Her şeyi, herkesi bilirim."

"Kötülük yapacak biri değil o. Zaten babamın öğrencisiymiş zamanında. Neden izleniyor?"

"Bunu sana söyleyemem."

"Onu görmeme mani olmak istiyorsan, söylemelisin. Neden tehlikeli biriymiş, öğrenmeliyim."

"Anne, bana söyleyemeyeceğim şeyleri sorma da bir düşün. Dikkat edersen bugün sana telefon dahi etmedim."

"Neden? Sen de mi izleniyorsun yoksa? Dünyada inanmam!"

"Bence inan, hele de annemin adı sarı listeye geçtiyse."

"Gerçekten izliyorlarsa, eve girerken görmüşlerdir seni."

"Görmediler, eve tamirci olarak girdim. Sen, kapının şifresi tutukluk yapıyor diye başvuru yaptın ya, bir tamirci geldi, sorunu çözmeye."

"Ben başvuru yapmadım ki!"

"Yaptın işte! Anne, o adamla görüşme bir daha. Kötü biri olmayabilir ama izlendiğine göre, senin de başın yanar."

"Arike de izleniyor mu? Evinde kaldığım arkadaşım?"

"Hayır."

"Oğlum, benim de bir hayatım var," dedim. "Ömrüm evimle işim arasında gidip gelmekle geçti. Şimdi, çok geç olmadan hayatımı yaşamak istiyorum biraz."

"Hangimiz istemiyoruz ki bunu! Senden rica ediyorum, Tamur Rasom'la buluşma, konuşma, haberleşme. Ben sana söyleyene kadar Merkez dışına sakın çıkma. Listeden düştüğün zaman haber veririm sana. Haydi anne, şimdi kalk, sakin sakin yürü, parka gir, dolaş oralarda biraz, sonra da evine git. Soran olursa, evde bunaldım, hava almaya çıkmıştım dersin."

"Regan, bak..."

"Artık gitmelisin, anne. Hemen... haydi..."

"Mutlaka ara beni."

"Tamam. Telefonda bu konuyu sakın konuşma... ve sözümü dinle anne, kendinle birlikte beni de yakarsın yoksa."

Oğluma sarılmadım. Elini sıkıca tutup bıraktım sadece. Saray Akademisi'ne gittikten sonra, sarılmaktan hoşlanmaz olmuştu. Erkekler öyle şeyler yapmaz diye öğretmişler. Küçücük çocuk, büyük adam olmaya özeniyor demiştik, annemle. Sonraları, onda bir alışkanlığa dönüştü kimseye sarılmamak, şap-şup öpüşmemek. Çocuğuma içimden taşan sarılma arzusunu hep bastırmıştım, o lanet okula gittiği yıllarda. Yine öyle yaptım. Kalktım oturduğumuz banktan, arkama bakmadan yürüdüm, taflanların arasından sıyrılıp, toprak yola çıktım, çocuk parkının ortasından geçtim, gölün etrafında gezindim. Sonra arabamı bıraktığım yere gittim ve evime döndüm.

Evime girip, yatağıma yatana kadar, konuştuklarımız hakkında düşünmeye dahi cesaret edememişim, sanki birileri düşüncelerimi okuyuverecekmiş gibi. Başımı yastığa koyduğum anda, kuşkular, sorular, endişeler üstüme üstüme gelip, bastılar bana!

Tamur Resom gözleniyormuş!

Tamur'un kötü bir şey yapmayacağına emindim. Kalbim öyle söylüyordu.

Haberi var mıydı acaba, izlendiğinden, dinlendiğinden? Bunu ona mutlaka bildirmeliydim! Bilmeli, tedbirini almalıydı!

Ama nasıl?

Oğlumu tehlikeye atmadan nasıl başaracaktım ona ulaşmayı? Telefonu dinlendiğine göre, telefon edemezdim. Mail atamazdım. Ona bu bilgiyi ancak Arike yoluyla ulaştırabilirdim ama beni de izlemeye aldılarsa, telefonumu dinler, mailimi okurlardı. Telefonlarından hat alabilmek için vatandaşlık numaramızı girmemiz gerekmeseydi, Araştırma Kurumu'ndaki telefonları kullanabilirdim. Fakat ne yazık ki iş yeri, sokak ve kamu telefonlarını kullanabilmek için, vatandaşlık numarası ile hat almak gerekiyordu.

Her bir hareketimizin takip edilebildiği bir sistemde yaşadığımı yeni fark ediyordum. Daha önce aklıma hiç gelmeyen ayrıntılar, mesela kişisel çipimizi kullanmaksızın telefon edememek ve kanton değiştirirken izahat vermeden bilet alamamak... Evlerimizdeki ısı regülatörlerine takılan, uzun süreliğine bir yere gitmişsek, bunun tespitini yapılabilecek aygıtlar ve daha bir sürü şey... Tüm bunlar, bizi icabında dinleyebilmek, izleyebilmek için miydi? Düşünceyi de okuyabiliyorlar mı acaba? Bu kadar ileri gittiler mi? Yok sanmam. Beni uyutmazdı o zaman Sorgen, yüzüme bakar okurdu düşüncelerimi, öyle değil mi? Ama Sorgen düşüncelerimi merak etmiyor ki, onun öğrenmek istedikleri geriye dönük anılarım...

Çaresizlikle kıvrandım yatağımın içinde. Saatlerce uyuyamadım. Ara ara daldığımda ise kâbuslar gördüm. Birkaç kez sıçrayarak uyandım. Şimdiki uykusuzluğum farklıydı. Gün ışımaya başladığında, yorgunluktan, uykusuzluktan bitkindim. Yine de gayret edip çıktım yatağımdan, dün evden ayrılmadan kapattığım iletişim ağını açtım. Odaya sabah haberlerini veren sunucunun görüntüsü ve sesi hâkim oldu. Yatağıma geri döndüm. İyi, güzel, yüreklendirici haberler veriyordu, her zamanki gibi.

Borsa yükseliyordu, paramızın değeri ve ihracatımız artıyor, itibarımız da yükseliyordu, böylece. Oysa Güney Küre devletleri iflasın eşiğindeydiler; Alkanitsa Devleti ile Undi Cumhuriyeti savaşa girmek üzereydiler. Dünyanın başka bir ucunda kıtlık ve açlık vardı. Ramanis Cumhuriyeti, bu zavallı insanlara yardım eli uzatmaya hazırlanıyordu. Araya reklamlar girdi. Sonra yerel haberlere geldi sıra; Merkez öğrencileri, bölge liseleri arası bilgi yarışmasında yine birinci olmuşlardı, memleketimizde her şey günlük güneşlikti. Güneş hariç... Güneş, tüm bilim adamlarının ortak gayretine rağmen, hâlâ sis perdesinin gerisindeydi. Her şeye çare bulan hükümet, yakında bu sorunu da çözecekti. Bilim adamları sonuca çok yaklaşmışlardı.

Pöh! Herkesi kandırsalar, ben kanmam! Yok öyle bir gelişme, gayet iyi biliyorum!

Her sabah duymaya alışık olduğum haberler, nedense bu sefer sinirime dokunuyordu. Yatağımda dönüştürürken, birden ekranın köşesinde, annemin yüzü belirdi.

"Günaydıın," diye sesleniyordu bana.

"Günaydın anne," dedim bezgin bir sesle.

"Neyin var senin, hâlâ yatakta mısın? Çok yorgun görünüyorsun, Yuna," dedi, yatakta doğrulmamla yüzümü görür görmez.

"İyi uyuyamadım."

"Yine mi? O doktor kadın bulamadı mı daha nedenini? Acaba doktor mu değiştirsen."

"Bu seferki uykusuzluğum başkaydı."

"Nasıl yani?"

"Bilmem... öyle işte."

"Kafana bir şey mi takıldı?"

"Evet anne," dedim, konuyu kapatmak için, "kafam dolu bugünlerde."

"Desene yeni bir icat geliyor... ve belki de yeni bir ödül."

"Ah anne, keşke öyle olaydı."

"Kızım, hayrola, nedir derdin, bana söylemek istemez misin? Belki yardımcı olurdum."

Olamazdın demek üzereyken, durdum. Belki de yardımcı olurdu sahiden. Tamur'a erişmek için birine ihtiyacım vardı ve bu kişi pekâlâ annem olabilirdi.

"Bugün dersim yok, bir yerde buluşalım mı seninle," diye sordum.

"Eve geleyim."

"Dışarda buluşalım anne. Selvili Park'ta yürüyüş yapalım, sonra bir şeyler yeriz."

"Ah Yuna, harika olur. Sana anlatacağım o kadar çok şey var ki!"

"Ne hakkında?" diye sordum.

"Regan hakkında."

Elim ayağım buz kesildi. "Ne! Ne diyorsun! Ne olmuş Regan'a? Söylesene anne? Yok, yok, dur, sakın şimdi söyleme! Buluşunca anlatırsın."

"İlahi Yuna, ne olacak ki Regan'a? İyi şeyler olmuş! Çok iyi şeyler! Niye heyecan yaptın böyle?"

"Tamam, tamam. Kaçta buluşalım?"

"On bir iyi mi?"

"On iki olsun. Selvili Park'ın kapısında," dedim.

Oğlumun başına, benim yüzümden bir kötülük gelmemiş! Yüce Ram, çok teşekkür ederim sana, çok ama çok teşekkür ederim! Şimdi hemen kalkıp giyinecek, eğer beni izliyorlarsa, onlara normal bir hayat sürdüğüm izlenimi vermek üzere her zamanki rutin işlerimi yapacak, sonra da gayet masum bir eylem olarak, parkta anneciğimle buluşacaktım. Annesiyle buluşan birinden kimse şüphelenmezdi. Ben de önce Regan'ın iyi haberi her neyse, onu öğrenecek, sonra kimse duymasın diye çok alçak sesle konuşarak, annemin ağzını arayacaktım, bana yardımcı olup olmayacağı hakkında. Tamur'a ancak onun vasıtasıyla ulaşabilirdim, çünkü annem gibi yaşlı bir kadının telefonlarını filan kimse dinlemezdi. İyi de, anneme Tamur'u nasıl açıklayacaktım? Ben kırk yaşımı aşsam da, annem hâlâ annemdi! Haydi, yüzgöz olmayı göze aldım diyelim, nasıl ikna edecektim onu, Tamur'un iyi bir insan olduğuna? İzlenen birinden elbette kuşku duyacaktı.

Giyinmeliydim. Yatak odama geçtim, dolabın önünde boş gözlerle dolapta asılı giysilerime bakıyordum ki, birden aklıma müthiş bir fikir geldi!

Kutkar!

ARADIĞINIZ ŞAHIS BURADA ÇALIŞMIYOR

Bana ne demişti Tamur? Bir şeye ihtiyacın olursa, Kutkar Zora'ya başvur demişti, hem de iki ayrı sefer. Önüme ilk gelen eteği çekip giydim. Alelacele bir kazak geçirdim üstüme. Başlığım, pardösüm, çantam! Aman, eşarbımı unutmamalıydım, bugün çok işime yarayabilirdi.

İki dakika sonra hazırdım. Her gün yaptığım gibi, iş yerime arabamla değil trafikte vakit kaybetmemek için hava taksisiyle gittim. Birkaç aydır binmemiştim hava taksisine, yine zam yapmışlardı. Durmadan zam yapıyorlardı, son iki yıldır! Gerçekten iyi huyluydu Ramanis Cumhuriyeti'nin halkı, kimsenin çıtı çıkmıyordu yılda iki kez gelen zamların karşısında. Bizim maaşlara da bir zam gelir miydi acaba?

Şimdi zamları düşünecek zaman değildi, önemli işlerim vardı. Kendi bölümüme çıkmadan, danışmaya yürüdüm, Kutkar Zora'nın çalıştığı bölümün katını sordum. Kafam o kadar karışıktı ki, bildiklerimi de unutmuştum, gıda bölümünün hangi katta olduğunu hatırlayamamak gibi...

"Gıda Araştırmaları, beşinci katta," dedi yetkili memur. Asansöre bindim, beşinci kata çıktım. Kapının şifresini bilmediğim için, zil düğmesine bastım. Mekanik bir ses ne istediğimi sordu.

"Kutkar Zora'yı görmek istemiştim," dedim. Kapının hemen açılacağını sanıyordum. Epeyce bekledim kapının önünde, zile bir daha bastım. Bu kez uzun konuştum:

"Ben Araştırma Kurumu, Tekstil Bölümü'nden Prof. Yuna Otis. Mesleki bir konuda, Kutkar Zora'yla görüşmek istiyorum." Bekledim, bekledim. Nihayet bir insan sesi yanıtladı beni.

"Kutkar Zora burada değil."

"Ne zaman gelir?"

"Gelmeyecek."

"Anlayamadım," dedim. "Kutkar Zora burada çalışmıyor mu?"

"Artık çalışmıyor."

"Neden?"

"Aradığınız şahıs burada çalışmıyor, Profesör."

"Ne zamandan beri?"

"Cumadan beri."

"Araya sadece hafta sonu girdi. Ne oldu ki?"

"Aradığınız şahıs burada çalışmıyor."

"Onu anladım, kızım. Nedenini soruyorum." Herhalde telefona bakan, tecrübesiz bir öğrenciydi.

"O kişi burada çalışmıyor!"

Hattın kapandığını belli eden bir tıkırtı geldi kulağıma. Kapalı kapının ardında çaresiz kaldım. Asansörle giriş katına indim, tekrar danışmaya yürüdüm.

"Kutkar Zora bugün giriş yapmış mı?" diye sordum. Eşarbımın renkleri olmasa, bana yanıt veremeyebilirdi adam, ama saygıyla yanıtladı:

"Bir dakika bakayım efendim. Bugün giriş yapmamış."

"Son girişine bakabilir misiniz?" Az bekledim yine.

"Cuma sabahı saat sekizi on gece girmiş."

"Çıkışı?"

"Çıkışı gözükmüyor."

"Yani hâlâ içerde mi?"

"Onu ben bilemem. Daha fazla bilgi istiyorsanız, Danışma Müdürü'ne başvurun. Şu ilerdeki kapıdan girin sola dönün, üçüncü oda."

Kararlı adımlarla adamın tarif ettiği yere yürüdüm, kapıyı tıklattım. Yine aynı seremoni! Karşılıklı konuşmalar, benim kimliğimi belirtmem ve saire... Açıldı kapı. Duvarları ekranlarla, ekranların ise binanın her bir alanı, odası, köşesiyle dolu olduğu küçük bir odadaydım şimdi.

"Kutkar Zora ile birlikte bir projenin üzerinde çalışıyorduk. Bu sabah randevumuz vardı. Kutkar ortalıkta yok. Hiç gecikmezdi. Sordurdum, cuma günü giriş yapmış ama çıkışı gözükmüyor. Merak ettim, başına bir şey gelmiş olmasın?" dedim.

"Ne gelmiş olabilir ki?"

"Başı dönüp düşmüş olabilir. Tuvaletteyken baygınlık geçirmiş olabilir. Belki de bir kalp krizi. Gıda bölümüne girmek ve araştırmak istiyorum, bana yardımcı olursanız..."

"Bekleyin," dedi ve çıktı odadan. Birazdan geri döndü.

"Sayın Profesör, sordurdum, başına bir şey gelmemiş. Bölümünde yok."

"Ama çıkış yapmamış."

"Aygıtlar bir tutukluk yapmış olmalı." Böyle dedi ama söylediklerine kendi inanmadığı da belliydi.

"Bugünkü randevumuz çok önemliydi. Yaptığımız işin aciliyeti vardı. Bana evinin adresini verin, o halde."

"Adresi burada bulunmaz. Onun için Personel Bilgi'ye başvurmanız gerekiyor."

Bir sonraki durağım Personel Bilgi'ydi. Artık içime baygınlıklar vermeye başlayan prosedürü baştan sona tamamladıktan sonra, bu kez suratsız bir genç kadının (yüzünden akan lanete bakılırsa herhalde onun da çocuğu olmuyordu ki, ev dışında bir işte çalışabiliyordu) önündeydim. Kutkar'ın adresini istedim.

Önündeki bilgisayara baktı ve başını kaldırmadan dedi ki: "Kaydı silinmiş."

"Nasıl yani?"

"Yani adresi yok!"

"Bir insanın bilgisi neden silinir?"

"İşten ayrılınca silinir."

"Ama bu şahıs bina dışına çıkmamış. İşten ayrılmamış, yani."

"Bence daha fazla kurcalamayın, Hoca'm."

"Pardon?"

Yüzüme manalı manalı baktı, ya da bana öyle geldi. "Elimden daha fazlası gelmiyor. Özür dilerim," dedi.

İçim çekilir gibi oldu. Kadının çalışma masasının kenarına tutundum, düşmemek için. Ne yaptılar Kutkar'a? Öldürdüler mi? Kaçırdılar mı? O ne yapmış olabilir ki yok ettiler adamı?

Az ilerdeki sandalyeye zor yürüyüp oturdum. Tamur'un haberi var mıydı acaba o çok güvendiği arkadaşının artık burada olmadığından. Hatta belki bu dünyada dahi olmadığın-

132

dan... Tamur ne durumdaydı, sahi? O da iş yerine giriş yapıp çıkamayacaklardan mıydı? Başım dönüyor, dizlerim çözülüyor, kulaklarım uğulduyordu. Bayılıyor muydum ne? Bayılamazdım, kendimi toparlamam lazımdı. To-par-la...ma... "İyi misiniz?" diye soruyordu galiba bir genç kadın.

Kollarıma ferahlatıcı bir sıvı mı dökmüşler, kollarım, yüzüm ıslaktı. Elim ayağım buz gibiydi. Sağ elimin başparmağına yüksük gibi geçirilmiş minik bir tansiyon aleti... Ne kadar geride kalmışlar, bu ne ilkellik diye düşündüm. Kan basıncı ne zamandır göz bebeğinden ölçülüyordu halbuki! Bazı bölümlerin başında böyle antika tipler bulunabiliyordu ne yazık ki; kırk yıllık ilkel araçları daha emin zannettikleri için tercih edenler, her yerde hâlâ vardı. Tam karşımdaki camın üzerinde Gıda Araştırma gibi bir şeyler yazıyordu, ama pek net göremiyorum. Ne işim vardı benim gıda bölümünde? Benim bölümümün adı Teks...

Yavaş yavaş hatırlamaya başladım olanları. Ah evet, Kutkar'ı soruyordum! Kutkar da böyle eski aletlere meraklı, geçmişe takılı biri miydi acaba? Öyle olsa bu birimin başında olmazdı. Ama... ama... Kutkar... yoktu Kutkar!

"Hafif bir baygınlık geçirdiniz. Korkmayın Hoca'm, tansiyonunuz düşmüş. Sabah bir şey yemediniz mi?" Üzerindeki beyaz önlükten sağlıkçı olduğunu anladığım genç bir adam, tepemde dikiliyordu.

"Doğru bildiniz, yemedim," dedim.

"Size bir enerji karışımı getirecekler şimdi. Doktorunuzun iletişim bilgisini verirseniz, sizi hemen ona yönlendiririz."

"Gerek yok."

"Olmaz olur mu! Tansiyonunuz çok düşük. Enerji karı mını içer içmez, sizi hemen doktorunuza sevk edeceğiz."

Ne kadar karşı koysam da, çekip gitmemi kabul ettirem yeceğimi biliyordum. Kaza anlarında veya böyle bayılmalar filan, elemanların hemen doktora sevki, her kurumda şar Gönülsüzce, Sorgen'in telefon numarasını ve adresini verd ve kocaman bir bardakta getirilen turuncu renkli sıvıyı zor narak içtim, ellerinden çabuk kurtulmak için.

Yarım saat kadar sonra, Araştırma Kurumu'nun özel a basıyla doktorumun muayenehanesine yollanmış, beklel odasında sıramı beklerken tamamen kendime gelmiştim. şimdi, sert divanda uzanmış, Sorgen'in sorularını hangi bey yalanlarla yanıtlayayım diye, ter döküyordum.

Gözlerimin tam içine bakıyordu sinir kadın:

"Tansiyonunuz sizi kırk saniye bayıltacak kadar düşm şimdi de gereğinden fazla yüksek seyrediyor. Oysa gay düzenli bir kan basıncınız vardı Hoca'm. Bu değişikliğe fizi sel veya ruhsal bir travma mı neden oldu?"

"Yoo."

"Hayatınızda sarsıcı bir değişim oldu mu? Üzüntü, kor veya tam tersi bir şey? Yeni bir buluşun heyecanı, mesela?"

Şimdi bana bayılma nedenini bulmak için soru üstüne so soracak, çünkü ne de olsa o bir psikiyatr. Sorgen'in elind kurtulmanın tek çaresi, anlaşılıyor ki, itiraf etmek olaca ama bayılmama neden olanların sadece azıcık bir bölümünı

"Hipokrat yemini, Ramanis Rejimi'nde de geçerli mi?" di sordum.

"Şüpheniz olmasın. Hasta ile Doktoru arasına Ramalar b giremez."

"Ben âşık oldum, Sorgen!"

"Pardon?"

"Âşık oldum, dedim."

"Ne zaman?"

"Hafta sonu!"

"Hocam, iki günde?.."

"Aşk böyle bir şeydir."

"Ah ne harika! Bakarsınız benim seanslarıma gerek duymadan, uykularınıza kavuşuvermişsiniz!"

"Ya da tam tersi, yaşayacağım ruhsal iniş çıkışlardan dolayı, sissiz nefes alamaz duruma gelivermişim! Bu yaşta aşk, gençlik aşkına benzemiyor. İnsanı havalarda uçurmuyor, tersine endişelere kaptırıyor."

"Varsın endişeleriniz, aşktan olsun!"

Keşke öyle olsaydı, dedim içimden.

"Bu haftaki randevuya geleceksiniz değil mi?" diye sordu.

"Aşk, seanslarımıza mani değil ki! Çarşambaya buluşuyoruz yine."

"Ben şimdi bir kere daha ölçeyim tansiyonunuzu. Normale dönmemişse, size vereceğim damlayı üç gün kullanın, sonra bırakın."

Sorgen gözümden tansiyonumu ölçtü. Reçetemi yazdı. Araştırma Kurumu'nda içirdikleri bulamaç iyi gelmiş olmalı, kendimi bayağı güçlü hissediyordum. Kapıdan çıkarken bana dedi ki:

"Çarşambaya, sadece aşkı konuşalım."

"Uykularıma kavuşturacaksa, neden olmasın," diye yanıtladım.

Çıktım muayenehaneden, annemle buluşacağım parka doğru yürürken, aklıma Tamur'u, Odelya'nın telefonundan arayabileceğim geldi. Ah, neden daha önce düşünememişim! Böylece annemin binlerce sorusuna hedef olmaz, Tamur'un kim olduğunu açıklamak zorunda kalmazdım.

Anneme gecikeceğimi bildiren sesli mesaj bıraktım, bir taksi çevirip Odelya'nın evine gittim. Güvenliğe adımı verdim, bekledim. Evdeydi.

"Sen çalışmıyor musun bugün?" diye sordu beni karşısında görür görmez.

"Bir nevi izinde sayılırım. Şu uykusuzluğumdan dolayı tedavi oluyorum ya, bir ay boyunca mesai saatlerim oldukça gevşek."

"Beni merak ettinse, iyiyim," dedi Odelya. "Korkma, başka bir vukuat olmadı. Her dayaktan sonra olduğu gibi, Hanor pişman görünüyor. Bakalım ne kadar sürecek bu durum."

"Odelya, iyi olduğuna çok sevindim," dedim, "senden bir ricam var, bilekliğini kullanabilir miyim?"

Gözleri kolumdaki bilekliğe kaydı.

"Benimki sabahtan beri işlemiyor," dedim, bu imkânsız bir şey olduğu halde, "oysa önemli bir mesaj atmam lazım da... sen de yolumun üstündesin diye..."

"Ama Yuna, sen benden daha iyi bilirsin de bunların bozulmaması gerekiyor. Hemen bir şikâyet formu doldur."

"Yapacağım da, önce şu mesajı atayım izin verirsen."

"Numarayı söyle... Sesli mesaj mı bırakacaksın?"

"Yazılı mesaj bırakacağım. Ben yazayım, daha kolay olur."

Biraz şaşkın kolunu uzattı. Kızın bilekliğinden Tamur'a, *"Beni sakın arama, mesaj atma. K dünden beri kayıp,"* yazıp yolladım. Sonra hemen sildim yazdıklarımı.

"Teşekkür ederim," dedim, "çok makbule geçti."

"Otur bir şeyler içelim. İki laf ederiz, hem şikâyet dilekçesini gönderirsin benim telefondan. Bir an önce tamir etsinler, insan onsuz yapamıyor."

"Annemle buluşacaktım, geç kaldım. Çıkayım ben, sonra bakarız artık..."

Yüzünde şaşkın bir ifade mi vardı? Sanki annenle buluşacaktın madem, onun bilekliğinden niye atmadın mesajını, der gibiydi.

"Sen sakın kocana senin bilekliğini kullandığımı söyleme emi, zaten benden hiç hoşlanmıyor, sonra yine kızmasın sana."

"Yok artık, daha neler. Sen benim arkadaşımsın, bilekliğimi elbette kullanırsın, lazım olduğunda."

"Sen ihtiyatlı ol, Odelya. Neyse, ben kaçayım, annemi bekletmeyeyim. Bir başka sabah uğrarım çan çan etmeye."

Odelya'ya aceleyle veda edip çıktım, koşturarak annemle buluşacağımız parka gittim. İyi değildim, hayatımda ilk defa sürekli yalan söyleyip duruyordum. O kadar rahatsızdım ki, bir daha temizlenemeyecek kadar kirlenmiş hissediyordum kendimi.

Annem Selvili Park'ın girişindeki bankoda oturmuş, beni bekliyordu. Geldiğimi görünce elleriyle nerede kaldın der gibi bir hareket yaptı, ama yanına yaklaşınca bana fırça atacağına kaygıyla sordu:

"Ne bu hal Yuna? Kireç gibi olmuş yüzün? Hasta mısın kızım?"

"Yorgunum," dedim.

"Çok fazla yoruluyorsun. Dinlenmen lazım."

Yanına iliştim, kolunu sıkıca utup, gözlerinin içine baktım.

"Anne, önce Regan'la ilgili haberi ver bana."

"Önce sen söyle, söyleyeceğini."

"Hayır, önce sen! Oğlum yine bir kademe yükseltildi mi, ne oldu?"

"Oğlunun haberi işiyle ilgili değil. Biliyor musun, işten önemli şeyler de var bu dünyada?.."

"Ne gibi şeyler, anne?"

"Aşk gibi."

Annem dalga mı geçiyordu benimle, yoksa Tamur'u mu duymuştu? Yok, mümkün değildi bu.

"Aşk mı dedin?"

"Evvvet! Oğlumuz âşık olmuş. Evlenmeye karar vermiş."

"A ah!"

"Şaşırdın değil mi? Ben de şaşırdım duyduğumda."

"Neden bana söylememiş?"

"Sana da söyleyecekmiş ama ben senden önce duydum işte."

"Ama onun annesi benim," dedim. Kalbim kırılmıştı. Dün gece gördüğüm oğlum, böyle bir müjdesi varken, beni azarlamakla yetinmişti sadece.

"Yuna, yapma böyle, kaldığım Mordam'da tamirat vardı da, çok gürültü oluyor diye, iki geceliğine Regan'a geçmiştim ya... o yüzden yani..."

"İkimize aynı anda söyleyebilirdi."

"Yunacığım, bana hafta sonunda söyledi, sen Batı Kıyı'dayken. Cumartesi akşamı kıza evlenme teklif etmiş, eve döndüğünde ben henüz uyumamıştım, o zaman söyledi işte..."

"Ne zaman evleniyormuş?"

"Ay ne bileyim Yuna."

"Bir kızla görüştüğünü bile bilmiyordum. Senin haberin var mıydı?"

"Ben ara sıra aynı evde kaldığımız için bir yıldır biri olduğunun farkındaydım. Telefonda gizli gizli konuşmalar filan... Sonra bir gün evde rasgeldim, kız gidince sordum, işle ilgili bir görüşme demişti... Kızın elinde dosyalar filan vardı, inanmıştım. Meğer o kızmış."

"Nasıl bir kızdı?"

"İşte öyle, ince uzun, sade bir kızdı, nasılsa sen de görürsün yakında."

Dün akşam en önemli sorunum Tamur'a ulaşmak, sabah, Kutkar'a ne olduğunu öğrenmekti. Şu anda ise, oğlum evleneceğini niye ilk bana değil de anneme söyledi diye kıskançlık yapıyordum. Utandım kendimden. Kutkar belki tehlikedeydi, belki de ölmüştü ve ben nelerle uğraşıyordum.

Sıkıntılıydım ayrıca, Odelya'nın bilekliğinden attığım mesajı Tamur'un alıp almadığını hiç öğrenemeyecektim... Oysa, onu şimdi bir de annemin bilekliğinden arasam... ya açarsa telefonu?.. Ya konuşma imkanı bulursam onunla?

"Anne," dedim kararlılıkla ve sözü hiç uzatmadan. "Benim senin yardımına ihtiyacım var, anne."

"Hayrola, ne var?"

"Batı Kıyı'da bir arkadaşım... bir meslektaşım var... Şu anda tehlikede."

"Arike mi?"

"Hayır ama Arike'nin de arkadaşı. Ona ulaşabilmek için senden yardım istiyorum. Lütfen hayır deme, çünkü senden başka yardım isteyebileceğim kimsem yok."

"Neler oluyor, Yuna?" dedi kaygıyla.

"Anne... anlatması zor. Ben sana her şeyi anlatacağım ama önce sen hemen sana söyleyeceğim numarayı ara, sonra bırak ben konuşayım."

"Niye sen kendin aramıyorsun?"

"Çünkü benim kendi telefonumdan aramam tehlikeli olabilir."

"Ne tehlikesi?"

"Anne, soru sormadan benim için bir şey yapamaz mısın? Bir tek kerecik! Lütfen!"

"Dinleniyor musun yoksa?"

"Böyle bir ihtimal var."

"Ne yaptın Yuna sen?" dedi annem.

"Şşşt, alçak sesle konuş. Bak birileri bu tarafa yürüyorlar, duymasınlar bizi."

"Sen ne yaptın ki, telefonun dinleniyor. Çok tehlikeli bu. Ucu Regan'a kadar gidebilir, ha! Ben sana sakın uluorta şikâyet etme, sakıncalı insanlarla görüşme diye tembihlemedim miydi? Kızım, sen Regan'ı hiç mi düşünmedin?"

"Hayatta bir kerecik, Regan'ı değil beni düşün, anne! Ben, senin kızınım!"

"Seni düşünmez olur muyum?! Her şey, seni düşündüğüm için zaten..."

"Beni düşündüğün için, ne?"

"Bırak şimdi benim ne dediğimi. Ne oldu, anlat, haydi."

"Kutkar kayboldu."

"Kutkar da kim? Köpek mi?"

"Kutkar diye köpek adı olur mu hiç!"

"Neden olmasın, Fezar, Zapolyon köpek adları değil mi? Bir insan durup dururken kaybolmaz, ancak bir köpek alır başını gider. Ya da bir kedi!"

"Kutkar, benimle aynı kurumda çalışan biri. O, şu anda çok büyük bir tehlikede olmalı. Bunu, birine haber vermeliyim. Kendi telefonumdan yapamam. Seninkini kullanacağım."

"Kime vereceksin bu haberi?"

"Tamur'a."

"Hangi Tamur'a?"

"Anne ne çok gereksiz soru soruyorsun. Bak zaman kaybediyoruz. Tamur Resom'a. Babamın öğrencisiymiş vaktiyle."

Annemin yüz ifadesinin değiştiğini gördüm. Dudaklarını ısırdı, sonra hemen toparladı kendini.

"Tehlikeli sularda yüzüyorsun Yuna," dedi, "Nereden buldun sen Tamur'u?"

"Arike tanıştırdı."

"Ne zaman?"

"Ay anne! Hafta sonu. Tamam mı, bitti mi soruların? Telefonunu verir misin?"

"Olmaz!"

"Ne demek olmaz!"

"Sen konuşma. Seni dinliyorlarsa, Tamur'u mutlaka dinliyorlardır. Ben konuşacağım onunla."

"E, o zaman da sen takılırsın ağlarına."

"Olsun. Takılırsam, bunağı oynarım hep yaptığım gibi. Seksenini aşmış biriyim ben... kimlik bilgilerime göre, yani. Katır geni tedavisi de görmediğim için kimse beni yaptıklarımdan, söylediklerimden sorumlu tutamaz."

Ağzım açık bakakaldım anneme!

"Haydi, sallanma, söyle ne dememi istiyorsan."

"Tamur'a de ki, Kutkar işten ayrılmış, üstelik kaydı da silinmiş, de. Oysa dün Kurum'dan çıkış yapmamış. Kısacası, adam kayıp. Başına bir şey gelmiş olduğu kesin. Bunları anlat işte anne. Bir de tembih et, bana ne telefon etsin ne mesaj yollasın. Dinleniyorum ben."

"Nerden biliyorsun, Yuna?"

"Anne, biliyorum işte! Haydi ara Tamur'u. Onu bulamazsan, Arike'yi arayacaksın."

"Arike'ye güvenilebilir mi?"

"Geçen hafta sorsan, evet derdim. Ama bugün artık kendimden bile şüphe eder haldeyim."

"Yuna kızım, neler oluyor, anlatsana bana da."

"Uzatma anne. Seni konuşmak istemediğinde konuşturmak mümkün mü? Ben de senin kızınım, işte. Arike, Tamur'un yakın arkadaşı... yani, bizi o tanıştırdığına göre...ama..."

"Arkadaş olmaları yetmez! Tamur'u tehlikeye atmamalısın."

"Anne? Sen, Tamur'u tanıyor musun yoksa? Anne! Sen Tamur'u tanıyorsun!"

"Elbette tanıyorum," dedi sakin sakin, "sen kendin söylemedin mi babamın öğrencisiymiş diye. Kaç kere evimize geldi, öğrenciyken. Baban çok severdi Tamur'u."

"Neden ben hiç rastlamadım ona, evde?"

"Sen evliydin o sıralar, kendi evine çıkmıştın. Yuna, bütün bunlardan Regan'ın haberi var mı?"

"Ne alakası var şimdi bunların Regan'la? O asla Bilmemeli."

"Evet, o sakın bilmesin."

"Sen dilini tutarsan bilmez. Zaten o şimdi sevgilisiyle meşguldür. Haydi anne, ara artık Tamur'u."

Kolunu uzattı bana, Tamur'u, bu kez de annemin bileğinden tuşladım.

Çal sesini duyuyordum... Çaldı, çaldı, çaldı. Sonra 'sesli mesaj bırakın' sinyali geldi.

"Beni ara, dedi," annem.

"Senin kim olduğunu ne bilsin, anne?"

"Numaram çıkmıştır."

"Kim oluğunu bilmeden... arar mı?"

"Bir erkek mutlaka kendini arayan kadına yanıt verir."

Sonra Arike'yi aradık. Doğrudan sesli mesaja düştük.

"Ben Merkez'den Samira," dedi annem, yine. "Beni ilk fırsatta geri ara, Arike. Çok önemli."

Bağlantıyı kesti ve başını kaldırıp bana baktı, "Arar beni merak etme."

"Mesajı bırakaydın keşke. Tamur'a haber verirdi."

"Olmaz. Dinlenmediğinden emin değiliz."

"Ama anne, o zaman sen de tehlikeye atıyorsun kendini."

"Beni sorgulayan olursa, kızıma ulaşamadım, acaba hâlâ arkadaşının evinde mi diye aramıştım, derim. Anneler kaç yaşında olursa olsun, kızlarını merak ederler."

"Arike'yi de dinliyorlarsa, onunla konuşamamalısın."

"Ben neyi nasıl söyleyeceğimi bilirim, dikkati çekmeden. Arike yeterince zekiyse, anlar."

"Pek merak ettim anne, Tamur'un beni aramamasını Arike'ye nasıl anlatacaksın mesela? Ya da Kutkar'ın kayıp olduğunu?"

" 'Kızım Tamur'la asla görüşmek istemiyor. Tamur'a söyle kızımı rahat bıraksın,' diyeceğim. Sonra da, 'Bu işe seni aracı etmek istemezdim, aslında bu mesajı Kutkar'la yollayacaktım ama ona birkaç gündür ulaşılamıyor. Herhalde bir yere gitti. O yüzden seni aradım,' diye ekleyeceğim."

"O da inanacak öyle mi?"

"Belki de inanmayacak ama mesajı Tamur'a geçirecek. Tamur, ne söylemek istediğimizi anlar."

Annemin yüzüne bakakaldım.

Vay be! Ne atlatmacalar biliyordu böyle, benim işine geldiğinde bunak geçinen annem! Ne zaman edinmişti bu kıvrak casus ağızlarını? Ama ben annemi tahlil edecek durumda hiç değildim, o anda. Bir el boğazımı sıkıyor, yaşlar göz bebeklerimde birikiyordu. İstediğim olmamıştı. Becerememiştim. Ulaşamamıştım Tamur'a. Onu bir daha hiç göremeyebilirdim. Belki onun da defteri dürülmüştü, tıpkı Kutkar gibi. Mutlu olacağıma dair bir ışık, kısacık bir süre, bana göz kırpıp sönüvermişti. Ne kadermiş benimki ama!

"Senin Tamur'la aranda ne var?" diye soruyordu annem. Bense başımı ona yaslayıp ağlamak istiyordum.

"Anne, yeni tanıştık ama yakınlaştık," dedim, "Yani, ben ondan hoşlandım, anne."

"Keşke zamanında, ikiniz de öğrenciyken hoşlansaydın. Geç kalmışın madem, şimdi ondan uzak dur. Başını da belaya bulaştırma, ucu Regan'a da dokunur, sonra."

"Ne biliyorsun sen, Tamur hakkında?"

"Muhalif olduğunu."

"Pek çok muhalif var."

"Ama hepsi etkin değil. Tamur, mimlilerden biri."

"Nerden biliyorsun?"

"Arkadaşlarla konuşurken duydum."

"Anne, siz Mordamlarda ihtiyarlarla bunları mı konuşuyorsunuz?"

"Moda mı konuşacağız bu yaşta? Memleket meselelerini konuşuyoruz... Yaşlıyız ama kör değiliz."

"Sevsinler sizi," dedim. "O keskin gözlerinizle neler görüyorsunuz bakayım?"

"Senin göremediklerini, kızım. Sen öylesine vermişsin ki kendini işine, olup biteni fark etmiyorsun. Ama kabahat senin değil, sizin kuşağa düşünmeyi öğretmeyenlerde. Sizin yerinize düşünen, üzülen, sorunları çözen Uluhanınız vardı. Size tek öğretilen işlerinize odaklanmaktı, sonra da her istediğiniz önünüze serildi. Ev, okul, sağlık hizmetleri, iş, güç, hazır-yiyecek, ana-babalarınıza barınak... Hayatı kolaylaştırdı size, karşılığında da sorgu sualsiz itaat ve ha babam çalışmanızı istedi. Hiç gocunmadan çalıştınız. Böylece kalkındık. Paramız güçlendi. İtibarımız arttı. Uçtuk."

Nefeslendi annem.

"Bunun neresi kötü?" diye sordum.

"Sonunda robotlara döndük, Yuna. Polis devletinde koyunlarız, artık kızım."

"Ama sen hep bana dersin ki... kimseyle böyle şeyleri konuşma dersin. Sen niye konuşuyorsun?"

"Biz kimse miyiz? Ana-kızız biz. Ama sen tedbiri sakın elden bırakma... Sakın, Yuna. Tecrübem bana kimseye güvenmemek gerektiğini öğretti."

"O engin tecrübenle söyle o halde, Tamur ya da Arike bu gece seni geri ararlar mı?"

"Ararlar, merak etme. Sen şimdi evine dön. Ben sonra uğrarım sana. Benim de gün boyu yapacaklarım var," dedi annem. "Ararlarsa sana mutlaka haber veririm, söz."

Ayrıldık annemle. Ben parkın içinde son derece huzursuz, yürümeye başladım. Huzursuzluğumun nedeni annemin söyledikleri değildi, bilirdik onun sivri dilini. Ama hem Tamur hem de Kutkar için fazlasıyla endişeliydim ve bu yüzden annemi bile tehlikeye atmıştım.

Derken, aklıma oğlum geldi. Evleneceğini bana bildirmeye gerek dahi görmeyen oğlum... Bana değer vermeyen... belki de beni hiç sevmeyen! Ve nihayet beni seven, sayan, düşünen biri karşıma çıktığında da onu, birlikte geçirdiğimiz ikinci günün sonunda kaybetmek üzereydim! Kaybedenlerin şampiyonu ben! Aslan kadın Yuna! Telefonum titreşti. Annemdi herhalde. Kim olduğuna bakmadan cevap verdim.

"Anneciğim, akşam evdeysen uğramak istiyorum. Sana verilecek bir müjdem var. Anneanneme de söyleyecektim ama ona ulaşamıyorum. Telefonu hep meşgul. Seni ararsa, söyle sana gelsin akşam, sizi yemeğe çıkaracağım," diyordu Regan.

"Regan! Oğlum! Kaçta geleceksin canım? Yalnız mı geleceksin?"

"Sana tanıştırmak istediğim biri var. Onunla geleceğim," dedi oğlum. "Yedi buçukta sende oluruz."

"Bekliyorum. Ben anneanneni bulurum," dedim. Kapattım telefonu, yakındaki banka gidip oturdum. Uyandığım andan beri, tüm yaşadıklarımı sindirebilmek için, bir süre sakin kalmaya ihtiyacım vardı ama şimdi, az öncesine göre kesinlikle daha mutlu ve umutluydum. Regan beni aramıştı... ama acaba annem mi söylemişti aramasını... Ne fesadım ben, be! Anneme ulaşamamış ya, çocuk! Neler düşündüm hemen... Oysa oğlum evlenmek üzereydi. Hayatım tam anlamıyla alt üst oluyordu. Bir düğün telaşı içine düşüp, koşturacaktım. Belki de yakında torunumu alırdım kollarıma, erken emekliliğimi isteyip, çocuğuma çalışan bir anne olarak veremediğim ilgiyi torunuma verirdim. Hatta annemin bana yaptığı gibi, çocuğun bakımını üstlenmeyi de teklif edebilirdim, gelinim okumak ya da çalışmak istediği takdirde. Bu iyiydi. Çok, çok iyiydi.

Sonra yine Tamur ve Kutkar takıldı aklıma. Bir başka yöne savruldu duygularım. İstemeden bulaşmış olsam da bu durumu görmezden gelemezdim. Benim burnumun dibinde bir adam kaybolabiliyorsa, ben buna sessiz kalamazdım. Oğlumun selametini düşünmek adına dahi, yapamazdım bunu! Ben nasıl düşmüştüm bu dibi gözükmeyen, derin ve karanlık kuyuya! Yüce Ram, elimden tut benim, sana çok ihtiyacım var bugünlerde. Çok ama çok ihtiyacım var...

Bir gölge düştü önüme, başımı kaldırdım; annem!

"Kendi kendine mi konuşuyorsun, Yuna?" dedi.

"Yoo, sadece düşünüyordum."

"Dudakların kıpır kıpırdı..."

"Dua ediyordum."

"Dua yetmez. Dikkatli olmalı, yanlış yapmamalısın."

"Anne sen gitmedin miydi? Niye döndün?" diye sordum biraz öfkeli.

"Konuşmamız lazım," dedi annem, "öteye git."

Ben öteye kaydım, annem yanıma yerleşti.

"Şimdi Yuna... yarın iş yerine gidecek, bana Kutkar ile ilgili tüm bilgileri öğrenip getireceksin, kızım. Odasındaki masanın üzerinde duran cam, ahşap veya metal eşyaları... parmak izinin bulunduğu şeyleri.."

"Ben onun odasına giremem ki!"

"Sana vereceğim çipli kartla her yere girebilirsin. Bu sana söylediklerimi toparlarken biri seni görürse, 'Üzerinde birlikte çalıştığımız tabletle ilgili bir çip arıyordum,' dersin, anladın mı? Nasıl girdin içeri derlerse, 'Kutkar'la birlikte geliştirdiğimiz proje için, odasına sık gelip gidiyordum, bu yüzden bana bir kart vermişti, kolayca gire...' "

"Anne! Madem ben mucidim, kendi yalanımı icat ederim. Sen niye istiyorsun, bana onu söyle!"

"Üzerindeki izlerden, terden, kokudan, o gün Kutkar'ın odasına kimin girdiğini anlamak için... Kızım, yüzüme niye öyle bakıyorsun? Ben senden küçük bir yardım istiyorum. Az evvel senin benden istediğin gibi. Korkma, başını belaya sokarsan, ben üstlenirim her şeyi."

"Kimsin sen, anne? Kimin için çalışıyorsun? Casus musun, nesin?"

Bir süre öylece hiçbir şey söylemeden, bu kez annem baktı bana, sonra içini çekti ve dedi ki:

"Ben de muhalifler ordusuna aitim, Yuna. İleri yaşımdan kaynaklanan bunaklığımdan dolayı, üstelik önemli bir elemanım..."

"Anne! Nasıl sakladın yıllarca bunu benden?"

"Senin selametin için sakladım. Her türlü selametin için."

"Ne değişti de vazgeçtin selametimden?"

"Ben seni yıllarca her türlü tehlikeden uzak tutmak istedim, ama sen Tamur yüzünden, bilmeden bulaşmışsın bu işlere. Şimdi, gerçeği öğren ki durumu ciddiye alıp kendini koruyabilesin. Ve madem öğrendin, bari bu arada bir işe yara. Senden asla istemezdim bunu ama son birkaç aydır, değerli pek çok insan kaybolmaya başladı. Tetikçiyi tespit edebilirsek..."

"Azmettirene ulaşabiliriz, diyorsun," diye atıldım.

"Azmettiren belli de, güçlü delil lazım."

"Azmettiren kim?"

"Emin olmadan söyleyemem. Sen ne kadar az bilirsen, o kadar emniyette olursun. Fazla kurcalama, Yuna."

"Öyle diyorsun ama beni Kutkar'ın odasına yolluyorsun, anne."

"Senin Kutkar'ın odasına girmen dikkat çekmez. Aynı kurumda çalışan iş arkadaşısınız neticede. Ama istemiyorsan, o başka elbette. Konuştuklarımızı unuturuz."

"Anne ne istersen yapacağım, karşılığında, sen de bana tek bir şey söyleyeceksin. Tamur beni bilerek mi bu işin içine soktu? Beni Gıda Bölümü'nde kullanmak için mi yakınlaştı bana?"

"Yuna, Tamur sana eskiden beri tutkundu. Baban da bilirdi bunu. 'Keşke bizim kızın gönlü o sersem kocası yerine bu çocuğa kaysaydı,' der dururdu."

"Hiç inandırıcı değil! Bir öğrenci hocasına nasıl söyleyebilir, kızına âşık olduğunu!"

"Elbette o söylemedi. Biz anlamıştık, babanla. Evimize ne zaman gelse, bir punduna getirip seni sorardı, resimlerinin önünde oyalanır, uzun uzun bakardı. Kameriye'ye gitmesinin sebebi de sendin bence, senden uzakta olmak, seni kafasından atmak istedi. Benim bildiğim Tamur, sana asla zarar vermek istemez."

Yaşlanan gözlerimi annem görmesin diye başımı öteye çevirdim.

"Bak bana Yuna," dedi annem, "sen âşık mı oldun Tamur'a yoksa?"

Sokuldum ona, başımı omuzuna dayadım. Duyulur duyulmaz bir sesle fısıldadım, "Evet."

Duydu beni annem! Kolunu omuzuma attı, beni kendine doğru çekti. Sığındım ona. Çok uzun bir zamandan beri ilk defa annemin sıcaklığına, şefkatine ihtiyaç duydum.

TEK BİR ÇÜRÜK ELMA TÜM SEPETİ
MAHVETMEYE YETER

Akşam, Regan tek başına geldi evime. Ne annem ne de kız yanındaydı. Onu yalnız görünce, yine Tamur'dan söz edeceğini sanarak biraz tedirgin oldum, ama oğlum o konuyu hiç açmadı. Açsaydı, ona, Araştırma Kurumu'ndaki meslektaşımın esrarengiz bir şekilde yok olmasından söz edecektim. Regan, bana az sonra tanıştıracağı kızı anlatırken o kadar heyecanlıydı ki, onu bozmayıp ilk defa duyuyormuş, çok şaşırmış gibi yaptım ve elbette çok sevindim. Hakkında sorular sordum.

Adı Ayserin'di, şehrin en iyi ilkokulunda öğretmenlik yapıyordu. Akıllıydı, güzeldi. Ayserin'den söz ederken gözleri parlıyordu oğlumun ve ben onun yüzündeki mutluluk ışığını, çok uzun yıllar sonra, belki de onu yatılı okula teslim edişimizden beri ilk kez yeniden görüyordum.

Dayanamadım, kalktım yerimden, yanına gidip yüzünü ellerimin arasına aldım ve dedim ki:

"Senin için o kadar seviniyorum ki, bilemezsin Regan. Tüm kalbimle mutlu olmanı diliyorum. Baban ve ben sana mutlu bir çocukluk yaşatamadık. Sana hak ettiğin mutluluğu Ayserin versin, oğlum." Sonra öptüm onu yanaklarından. Regan duygulandı, bir süre konuşamadı.

"Ben mutsuz değildim, anne," dedi sonra. "Biliyorum, sen kendini suçluyorsun beni yatılı okula yolladığın için. Ben çocuk aklımla evimden ayrılmak istememiştim ama karar mercii babamdı zaten, sen değildin. Bugün geriye bakıp düşündüğümde, iyi ki beni dinlemeyip göndermişler oraya, diyorum."

Ne iyi diye geçirdim içimden, bari birimiz mutlu olsun! Dilerim evlendiğine hiç pişman olmaz, hayatı boyunca. Çünkü ben mesela, babasıyla evliliğim konusunda, keşke diyordum annemle babam bana tavır koysalar, izin vermeselerdi. Önce üniversiteni bitir, deselerdi. Ama o zamanın ruhu, aynı bugünkü gibi, kızların erken yaşta evlenip çocuk sahibi olmasından yanaydı. Oysa bugün, aklı başında insanlar, çığ gibi çoğalan iyi eğitilememiş ve iş bulmakta zorlanan genç nüfusun nasıl büyük bir soruna dönüştüğünün farkındaydılar, açık etmeseler de...

Annem de fazla bekletmedi, az sonra, eli kolu dolu geldi. Bana yine bir yolunu bulup organik meyve sebze almıştı.

"Ayserin'i bekletmeyelim, çıkalım isterseniz," dedi Regan.

Yemeklerinin lezzeti ve robot garsonlarıyla ünlü lokantaya doğru yola koyulmak üzereyken, oğlumun tuvalete gitmesini fırsat bilip anneme heyecanla sordum:

"Arike'ye veya Tamur'a ulaşabildin mi?"

"Merak etme, her şey kontrol altında," dedi annem, "Tamur seni bir süre aramayacak."

"Hangisiyle konuştun?"

"Tamur'la. Arike'nin hiçbir şeyden haberi yok. Olmasın zaten."

"Kutkar'ın kaybolduğunu söyledin mi Tamur'a?"

"O iş..." Annem sustu, çünkü Regan yanımıza dönmüştü.

Çıktık, oğlumun arabasına binip, Ayserin'in bizi beklediği lokantaya doğru yola düzüldük. Annem de ben de heyecanlıydık, bir an önce kızla tanışmak istiyorduk. Ama arabamız hız kesmek zorunda kaldı, çünkü önümüzdeki ilk kavşakta bir yığılma oluşmuştu.

"Yine polis kontrolü var. Bıkkınlık verdi bu kontroller," dedi annem.

Regan, "Sizlerin esenliği için," gibisinden bir şeyler mırıldandı.

"Oğlum, senin imtiyazlı şerit hakkın olması lazım," dedi annem, "kullanmıyor musun sen bu hakkını?"

Yüksek bürokratların ve devletle iş yapan önemli kişilerin şehrin trafik akışında kullandığı özel şeridi kastediyordu annem.

"O şeridi sadece görev yaparken kullanıyorum anneanne, akşam eğlencesine giderken değil," dedi Regan.

"Gelinimizle tanışmaya gitmek, ciddi bir iş," diye laf yetiştirdim ben.

"Ben eğlenmeyi de umuyorum, anne," dedi oğlum.

"Annen için her iş, ciddi iştir. Eğlenmeyi bilmez, o."

153

Gece daha başlamadan gerginlik yaratmamak için yanıt vermedim anneme.

Art arda dizilmiş arabaların kuyruğuna takıldık. Neyse ki, sürücülerin kimlik çipleri tuşlandıkça, sakıncalılar yana kaçıyor, diğer arabalar hızla akmaya devam ediyorlardı. Biz de kolayca geçtik kontrol noktasından.

"Son günlerde bu kontrollerde artma var, neden acaba?" diye sordu annem.

"İş yerinde bizim çocuklar aralarında konuşlarken duydum, galiba uydu istasyonlarının birinde sızıntı, yani casusluk durumu var," dedim ben.

"Ne saçma!" dedi Regan, "casusları arabalarda mı arıyorlarmış! Yok öyle bir şey, anne. Muhaliflerin uydurmaları."

"Regan, bizim birimde muhalif yok!"

"Muhalif her yerde var," dedi annem, "ama kimse fikrini uluorta söyleyemiyor."

"Bence sen de söyleme anneanne. Bunaklık numarasını bir noktaya kadar yerler, sonra başın belaya girer, bak karışmam ha!"

"Aslanlar gibi torunum var benim. Gelir kurtarır beni!"

"Şöyle de olabilir; kaplanlar kadar saldırgan anneannem, bir bakmışız kendi başının yanında benim başımı da yiyivermiş!"

"Ramalar korusun!" dedi annem ve yol boyunca bir daha ağzını açmadı.

Lokantaya varana kadar başka kontrole takılmadık. Lokantanın önünde, arabamızı park etmesi için bir robota bıraktık. Bu ultra modern lokantaya daha önce sadece bir kere, başka kantonlardan gelen konukları ağırlamak üzere verilen davet vesilesiyle gelmiştim. İki yılda bir yapılan 'mucitler' toplantısından sonra mutlaka güzel bir yerde topluca yemek yenirdi. Bizim Başkan, diğer kantonların ikramının altında kalmamak uğruna, bu lüks lokantayı seçmişti. Kapıdan kişisel çip okutularak giriliyordu ve sadece üyelere açıktı.

Regan kolundaki bilekliği okuttu, açılan kapıdan loş mekâna girdik, birkaç basamak indik ve kristal sürahilere doldurulmuş vitaminli şerbetlerin dizildiği bara yöneldik. Bara yakın bir masada oturmakta olan uzun boylu, ince bir kız ayağa kalkıp bize doğru geldi.

"İşte, Ayserin," dedi Regan.

Kız iki eli göğsünde, bizi selamladı. Ben de aynını yaptım, annemse kızı kendine çekip, yanağına bir öpücük kondurdu.

Ayserin, oğlumun gözüne çok güzel görünmüş olabilir ama ilk bakışta benim için, eli yüzü düzgün, gösterişsiz bir kızdı. Zekâsı ve sevimliliği, gece ilerlerken konuştukça ortaya çıktı. Ailesinden çok okulundan ve öğrencilerinden söz ediyordu. Okulu da, şu işe bakın ki benim çalıştığım Araştırma Kurumu'na çok yakındı. Öğlen tatillerinde buluşup birlikte bir şeyler atıştırabilir, böylece birbirimizi tanıma fırsatı da bulurduk, öyle diyordu Ayserin. Ben de ailesini merak ediyordum ama daha ilk tanışmamızda, meraklı kaynana havası vermemek için, ona ailesi hakkında soru sormak istemedim. O bilgiyi Regan'dan nasılsa alırdım sonradan. Yine de sohbet esnasında iki erkek kardeşinin olduğunu öğrendim. Rejimin ısrarcı olduğu beş çocuğun altında kalıp, altın plaketi hak edememiş demek ki annesi, tıpkı benim gibi! Kızın ailesine sempatim arttı.

İki parlak mor robot, masamızın başına dikilip, ellerindeki elektronik menüleri uzattılar. Resimlere bakarak, yiyeceklerimizi seçtik ve düğmelerine bastık. Yemeğimizi beklerken, annem, "Nikâh için tarih düşündünüz mü?" diye sordu.

"Daha evlenmemize çok var," dedi kız.

"Neden bekliyorsunuz ki çocuklar? Regan'ın çok rahat edeceğiniz bir evi var. Ben hemen odamdaki dolabımı boşaltır Mordamlardan birine, temelli yerleşirim," dedi annem. "Hayatıma bir düzen vermemin zamanı geldi de geçiyor bile! Kâh orada kâh burada yaşamaktan iyice yoruldum."

"Biz nikâhı aceleye getirmek istemiyoruz anneanne," dedi Regan, "hele bir yüzük takalım aramızda..."

"Ay Regan, ne demode bir şey nişanlanmak," dedim ben ve söz ağzımdan çıktığı an, kızın yüzündeki ifadeyi görünce, pişman oldum.

"Sen de babamla nişanlanmışsın ama!" dedi Regan.

"Kaç yıl önceydi, oğlum. Hâlâ nişanlanıyor mu gençler?"

"Nişanlanabiliyorlar," dedi kız.

"İyi o zaman," dedim ben, deminki boş boğazlığımı tamir için, "bu arada biz de annenle ve babanla tanışırız, ne iyi olur."

Yemeklerimizi yine aynı mor robotlar getirdi ve her birimize teker teker servis etti.

"Ben bu robot şeyine bir türlü alışamadım," dedi annem. "Yığınla genç insan işsizken, metal parçalarının onların işlerini kapmaları..."

Regan atıldı, "Yapma anneanne, robotlar hayatımızın artık bir parçası oldu, bak başka ülkeler gezegen değiştirirken..."

Annemin yüzünde beliren ifadeyi gören Ayserin, Regan'ın lafını kesti:

"Bakın, tabaklarımız hiç yanlışsız önümüze kondu. Servisi yapan bir genç kız olaydı, sevgilisiyle arası bozuksa eğer, kesin benim yemeğimi sizin, sizinkini de benim önüne koyardı."

"Orası tamam da kızım, ya benim bir sorum varsa, mesela yemeğimde deniz tuzu mu, kaya tuzu mu kullanmışlar, bilmek istiyorsam ne olacak?" diye sordu annem.

"E ne duruyorsun, sorsana?" dedi Regan.

Ne olacağını bildiğimden, sırıtarak bekledim. Ne de olsa buraya daha önce gelmişliğim vardı. Annem sorusunu sordu ve yanında duran robottan mekanik bir ses geldi: "Kaya tuzu... kaya tuzu... kaya tuzu...kaya tuzu..."

"Aptal değiliz, anladık," dedi annem. Robot sustu. Başımızda birkaç saniye daha dikilip, gitti.

"Robotun kalbini kırdın anneanne," dedi Regan. "Bir sonraki yemeğinin içine tükürmesin!"

"Siz düşünün," dedi annem, "ben başka şey yemeyeceğim."

Hepimiz güldük. Sonra bir robotun tükürüğünde ne olabileceği konusunda, yarı bilimsel görüşler öne sürdük. Ana yemekten sonra tatlılarımız geldi. Başka bir şey yemeyeceğini beyan eden annem, benim tabağıma bir çatal attıktan sonra, kendine aynı tatlıyı ısmarlamakla kalmadı, benden arta kalanları da yemek istedi. Tabağımı önüne sürdüm. Benim tabağından aldığı ilk lokmasını ağzına koyduğu anda, bilekliğinden değişik bir titreşimle yanıp sönen yemyeşil bir ışık eşliğinde *kalori haddi doldu* uyarısı gelmeye başladı.

"Bu da nesi?" dedi annem, "bir bu eksikti."

"Anneanne, bu uygulama yaklaşık altı aydır var. Demek ki sen altı ay boyunca kalori haddini aşmamışsın. Aferin sana!"

"Doğrudur, iki tabak tatlı uzun zamandır yemedim, ama böyle bir işlem de yükletmedim ben bilekliğime."

"Anneciğim, uyarı otomatikman yüklendi bilekliklerimize," dedim ben. "Zamanında defalarca haberi verilmişti televizyonlarda. Sen unutmuşsun."

"Yani canımızın çektiği gibi yemek yemeyecek miyiz, bundan böyle?"

"Halk sağlığı için, anneanne. Gerekli kaloriyi aşınca, uyarılıyorsun. Fena mı, fazla kilo almıyoruz böylece."

"Ya uyarıya aldırmaz da yersem, ne olacak?"

"Ayda üç uyarıyı aştığın takdirde, karşında Sağlık Bakanlığı elemanlarını bulup onlara hesap verirsin."

"Şişman olma hakkım yok mu, oğlum."

"Var ama para karşılığında."

"Anlamadım?"

"Şöyle anneanne: ideal kilonun üzerinde aldığın her kilo için, belli bir vergi ödemek zorunda kalıyorsun."

"Çüş artık!" dedi annem.

"Anneanne!" Regan, böyle kaba bir sözü, Ayserin'in önünde ağzından kaçırdığı için, gözünde şimşekler çakarak baktı anneme.

"Anneannenin hakkı var, Regan," dedi Ayserin, "benim duygularıma da tercüman oldu."

Ayserin, annemin kalbini, işte o an kazandı! Annem kendine bir destekçi bulmanın güveniyle, kolunda çakıp duran şimşeklere rağmen, ikinci tatlısını silip süpürürken, Regan dedi ki:

"Bu uygulamanın nedeni, sadece hanımların kilosunu gözetmek değil, insanların gereksiz yere tıkınmasını da önlemek. Çünkü biliyorsunuz, artık dünyadaki mahsul, dünyamızın nüfusuna yetişmiyor."

"Altın plaketlerle doğumu özendireceklerine, insanların tavşan gibi üremesine mani olsunlar, o halde," dedi annem.

"Bunu yapan pek çok devlet var," dedi Ayserin. "Neyse ki dünya Ramanis Cumhuriyeti'nden ibaret değil."

"Siz ikiniz ne kadar iyi anlaştınız," dedi Regan, "evlendikten sonra, ara sıra yine gelir kalırsın bizimle diye düşünüyordum ama ben ikinizle birden başa çıkamam, anneanne."

"Boşuna düşünme, torunum! Gençler tek başlarına yaşamalı. Bu devletin yaptığı tek hayırlı iş, yaşlıları gençlerin sırtından alıp, Mordamlara yerleştirmek oldu."

"Başka hayırlı işi yok mu sence?"

"Yok," dedi annem.

"Beni en mükemmel şekilde eğitmesi, mesela?"

"Gençlerini eğitmek her devletin görevidir, oğlum."

Ben çaresizlikle omuzlarımı kaldırarak, "Sen anneme bakma, Ayserin, yaşlanınca çenesine vurdu," dedim.

Kız, anarşik ruhunu kendine benzettiğinden olmalı, anneme gözlerinin içi gülerek bakıyordu. Bense, oğlum için biraz endişeliydim. Sivri fikirli eşleri kaldıramayabilirdi, üstlendiği görev...

Dönüş yolunda Regan, Ayserin'i yanına oturttu. Annemle ben arkaya geçtik. Devriye gezen polislere ya da Rama zabıtalarına takılmadan, önce kızın evinin önüne geldik. Regan, Ayserin'e, herhalde bir veda öpücüğü vermek için kapısına kadar eşlik ettiğinde, annem fırsat bu fırsat,

"Pek sıcakkanlı, pek şeker bir kızmış. Ben çok sevdim. Sen nasıl buldun?" diye sordu.

Benim aklım bambaşka yerlerdeydi.

"Kutkar'a ne olduğunu Regan dönmeden söylesene," diye sıkıştırdım annemi. Ama o beni duymadı bile, kafayı kıza takmıştı.

"Neden evlenmek için illa altı ay beklemek zorundalar, acaba?" diye söylendi.

Yanıtı, o sırada arabasına geri dönen Regan verdi.

"Çünkü anneanne, Ayserin evlenirken babasının da nikâhta bulunmasını istiyor!"

"Nerede ki babası?" dedim ben.

"Ev hapsinde."

İstemeden yükseldi sesim:

"Babası ev hapsinde mi?"

"Evet," dedi Regan, sakin sakin.

"Neden?"

"Bir komploya kurban gitmiş."

"Aaa!"

"Niye şaştın kızım, pek sık rastlanan bir şey değil mi, ülkemizde?" dedi annem.

"Adam aşırı muhaliflerden miymiş, yoksa?"

"Hayır. Ayserin'in babası bir hekim. Önemli bir siyasetçinin istediği sahte raporu vermeyi kabul etmediği için, hakkında sahte belge düzenlemişler," dedi Regan.

Bir sessizlik çöktü arabanın içine.

"Emin misin?" diye sordum.

"Eminim, çünkü raporun sahteliğini ispat eden kurumla ben muhatap oldum."

"Senin bağlı olduğun birim içişlerindeki bu tip kumpaslarla da mı ilgileniyor?"

"Geçen sene oldu bu hadise. Ben birim yöneticiliğine terfi etmeden önce. Zaten Ayserin'le de bu vesileyle tanıştık. Babasının masumiyetini ispat etmek için çırpınıyordu, kızcağız."

"Madem ispat edildi belgenin sahteliği, adam niye hâlâ ev hapsinde?"

"Çünkü burası Ramanis Cumhuriyeti, anne," dedi Regan. "Düzmece raporlarla içeri tıkılmış o kadar çok kişi var ki, birini çıkarırlarsa, hepsine örnek teşkil eder diye korkuyorlar. Ayrıca, benim müstakbel kayınpederin haklılığı, ona iftira atan siyasetçiyi halkın gözünde haksız duruma düşürür. Bunu da hiç istemiyorlar."

"Seni bu yüzden mi terfi ettirdiler acaba, sus payı olarak?" diye sordu kurnaz tilki annem.

"Beni terfi ettirmediler, sadece dış ilişkilerin başına getirdiler, anneanne," dedi Regan.

"Olur mu hiç! Maaşın da arttığına göre, mevkiin de yükselmiş olmalı."

"Ben artık dış ülkelerle muhatap oluyorum, rütbem bu yüzden yükseldi."

"Bırakın Regan'ın rütbesini... Şimdi ne olacak, Ayserin'in babasına?" diye sordum ben,

"İyi halden ya da sağlık sorunlarından dolayı erken tahliye gibi çareler var. Fakat Dr. Hiray direniyor. Maskaralık değil, adalet istiyormuş."

"Yani hâlâ birkaç onurlu kişi kalmış bu ülkede," dedi annem.

Ben, ne düşüneceğimi şaşırmış haldeydim. Bir gece önce, annesini adeta tehdit eden Regan mıydı, bunları söyleyen demeye kalmadı, "Yapma anneanne, o kadar da değil," dedi Regan, "birkaç çürük elma her sepette vardır."

Annem pes etmedi, "Oğlum, tek bir çürük elma, tüm sepeti mahvetmeye yeter!"

Regan sessiz kaldı. Bir süre hiçbirimiz konuşmadan yol aldık. Sonra annem şöyle sordu:

"Kızı babana ne zaman tanıştırmayı düşünüyorsun? Bence, hemen evlenmeyecekseniz, acele etme. Bekle babasının... şeyi... bitsin, sonra tanıştır. Yoksa benim bildiğim Zogar'ın çenesi hiç durmaz, canını sıkar."

"Babam canımı yeterince sıkıyor zaten, anneanne," dedi Regan, "biliyorsun, tutturdu Hilami'yi işe al diye. Gizli Servis'e girmek için, Saray Akademisi'nden mezun olmak dahi yetmiyor artık, ağzınla kuş tutman lazım. Bunu babama anlatamıyorum, bir türlü. Yok elinden tutmuyormuşum kardeşimin, yok istesem yaparmışım..."

"Görüyorum ki bunca yıl içinde ufacık bir gelişme olmamış eski damadımda," dedi annem. "Hayatta tek yaptığı doğru dürüst şey, sensin galiba, Regan."

"Onu ben yaptım," dedim.

"Tek başına mı?" diye sordu Regan.

"Elbette! Tohumu toprağa atıyor diye, mahsulü bahçıvan mı yapmış oluyor, toprak ana mı?"

Biz böyle saçma sapan konuşarak yol alırken, birden gözlerimizde bir ışıldak, kulaklarımızda ise DUR emri patladı. Regan arabayı kenara çekti. Karanlıkta biri cama doğru eğilirken, annem, "Bu kez hangisi?" diye fısıldadı.

"Bu seferki Rama zabıtası," dedi Regan.

"Nereden geliyor, nereye gidiyorsun? Yanındaki kadınlar kim?" diye soran sesini duyduk, cüppeli zabıtanın.

"Annem ve anneannemle evimize dönüyoruz, efendim," dedi Regan, uslu bir çocuk gibi. Arabanın içi zaten aydınlıktı ama Ramalar gece gezen insanlardan pek hoşlanmadıkları için, zabıtanın elindeki aygıt gündüz gibi yaptı içerisini. Annem, "Madem karanlığı aydınlatmayı beceriyorsunuz, günlerimizi de aydınlatsanıza," diye söylenmeye başlarken, Regan, aceleyle camı açıp bilekliğinden kimliğini okuttu.

"Buyurun, gidebilirsiniz," dedi zabıta, saygıyla geri çekilerek. Regan, teşekkür edip, hızlandı.

"Ben iç savaş görmüş insanım," dedi annem, "o zaman bile böyle olur olmaz kontrol yapılmıyordu, şehrin ortasında. Ne bu be! Durdurulmadan bir yere gidemeyecek miyiz?"

"Bütün bunlar, bir iç savaş daha yaşamamak için," dedi, siyasi rengini ve ne düşündüğünü artık hiç çözemez olduğum oğlum.

Evime yaklaşıyorduk. "Gel bu akşam bende kal," dedim anneme.

"Bu gece olmaz Yuna, yarın sabah erkenden bizim kızlarla programım var," dedi annem.

Annemin bu gece bende kalmamasının nedeni, benimle konuşmak istemediği konularda ısrar etmemden kaçmaktı herhalde. Kutkar'ın başına geleni eminim biliyor ama benden saklıyordu. Ayrıca, gizli faaliyetleri hakkında soru sormamı da istemiyordu. Oysa gelecek olaydı, ben onunla sadece Ayserin'i konuşacaktım. Bir anne olarak, endişelerim, kuşkularım vardı, sadece annemle paylaşabileceğim. Kızın babasının ev hapsinde olması, oğlumun kariyerini etkiler miydi? Daha da önemlisi, onun hayata bakışını etkiler miydi ki, daha şimdiden, oğlumun siyasi duruşunda bir değişiklik sezmiştim. Rejimden soğuduysa, bunca emeğine yazık olmaz mıydı? Rejimden dışlananlara hayat hakkı yoktu çünkü, bu kadarını ben bile biliyordum ve bütün bunları annemle konuşmak istiyordum. Ama inadı tutmuştu, gelmiyordu işte!

Beni evimin önünde bırakıp gittiler. Düşünceler içinde içeri girdim.

Soyundum, geceliğimi giydim, yatağıma yatmak üzere tam akıllı bilekliğimi çıkarıyordum ki, telefonun titreşimini hissettim, bastım tuşuna, yatak odamdaki ekranda Odelya'nın yaşlar içinde, ağlak yüzünü gördüm.

"Odelya! Ne oldu? Niye arıyorsun bu saatte? Yine dayak mı yedin? Gelip alayım mı seni?"

Burnunu çeke çeke konuştu,

"Yuna, Hanor telefonumu karıştırırken, senin için aradığımız numarayı buldu, kim bu diye tutturdu. Elimi büktü, büktü... bileğimi kırıyordu az daha."

Odelya'nın ekrana uzattığı morarmış bileğini görebiliyordum. Odelya devam etti:

"Telefonu senin kullandığını söylemek zorunda kaldım... Çok üzgünüm, Yuna."

"Ne diye kurcalattın telefonunu?"

"Bana soran mı var!"

"Odelya, ben mesajımı attıktan sonra silmiştim... eminim sildiğime."

"Silinen mesajlara ulaşmanın bir yolunu bulmuş işte..."

"Niye? Şüpheleniyor mu senden?"

"Benim kocam kavga etmek için bahane arıyor Yuna, çünkü işinde çok mutsuz. Başarısızlığının hıncını benden çıkarıyor. Kızacak bir şey bulamazsa, gereksiz kıskançlık krizlerine giriyor. Burama geldi, artık! Dayanamıyorum, anlıyor musun?.."

Odelya, konuşup duruyordu ama benim aklım bambaşka yerlerdeydi.

"Aradığım numarayı bulmuş mu?" diye sordum, konuşmasını bölerek.

"Bulmuş. Aramış da üstelik. Bir erkek sesi yanıtlamış. Tutturdu kim bu diye... söylemedim önce ama baktım ki bileğim kırılmak üzere... canım çok yanıyor... mecbur oldum söylemeye."

Ya bu Hanor delisi Tamur'u bulmaya kalkışırsa... Endişemi sesime yansıtmamaya gayret ederek,

"Telefonunu kullandığıma bin kere pişmanım Odelya. Hanor evdeyse, ver de konuşayım onunla, gerçeği anlatayım," dedim.

"Kapıyı vurdu, çıktı. Belki sana gelir, hesap sormaya. Haberin olsun diye aradım."

"Numarasını söyle de ben onu arayayım."

"Olmaz. Büsbütün şüphelenir. Sana ben söyletiyorum, zanneder. Ne delidir o, bilemezsin. Bırak kendi gelsin, sorsun."

"Keşke gelse, hem kendi rahat eder, hem seni rahat bırakırdı."

Kestik iletişimi. Ben evin genel iletişimini de kapatmak üzereyken, Hanor'un beni arama ihtimaline karşı ekranı karartmadım. Uzun zamandan beri ilk defa, kolumda bilekliğimle girdim yatağa.

Uyuyamadım yine.

Onlarca soruyla boğuşurken, uyuyabilmek mümkün müydü? Hanor, Tamur'un numarasına eriştiyse, adresini tespit edip, acaba onu bulmaya mı gitmişti? Yok, olamaz, sebep göstermeden kanton dışına çıkamazdı. Ama ya bir yolunu bulduysa?.. Her ihtimale karşı, Tamur'u arayıp, ona bir deli tarafından rahatsız edilebileceğini haber vermek istiyordum ama Regan'ın sözleri de kulağımda çın çın ötüyordu. Dinleniyorsam, Tamur'u bir süre unutmalıydım. Yoksa sadece iletişim aygıtlarımı dinlemekle kalmaz, bizzat beni de izlerlerdi ve işte o zaman Kutkar'ın gizemli kayboluşunu hakkıyla araştıramazdım. Elim kolum bağlı kalmıştı. Hanor kapıma dayanır mı dayanmaz mı diye beklerken, dışarda sıfırın altına inme ihtimali olan havanın uyarısı verilmeye başladı yine:

"Don ihtimali yüksek! Sokaklarda kimse kalmasın! Herkes evine ya da en yakınındaki kapalı kamu alanına gitsin!"

Uyarı, hem iyiye hem kötüye işaretti. Hanor don ihtimali karşısında, bir an önce evine dönerdi ama hoparlörler yirmi dakikada bir çığırırdı artık, kim bilir kaça kadar. İşte bana gözümü kırpamadan sabahlayacağım bir gece daha, diye düşündüm. Ben nasıl dayanacaktım bu uykusuzluğa, Yüce Ram!

KUTKAR'IN ODASINDA

Ertesi sabah, Araştırma Kurumu'na gider gitmez, yolunu yordamını artık iyi bildiğim beşinci kata çıkıp Gıda Bölümü'nün kapısını kartımla açtım, içeri sessizce girip zavallı Kutkar'ın koridorun sonundaki odasına, emin adımlarla, dimdik, hiç acele etmeden yürüdüm ki, koridor gözetleniyorsa eğer, suçluymuşum görüntüsü vermeyeyim. Omuzumda içinde çeşitli elektronik aletlerimin, tabletimin ve lenslerimin olduğu büyükçe bir çanta asılıydı. Biri nereye gittiğimi soracak olursa, işine koşturan bir profesyonel görüntüsündeydim.

Kutkar'ın kapsının önündeki izin noktasına, yine gözetlenme ihtimaline karşı, kolumdaki bilekliği okutur gibi yapıp avucumun içine gizlediğim çipi okuttum. Bir an sonra içerdeydim. Oda ben girince, otomatik olarak aydınlandı. İlk işim, odanın içinde salınır gibi yapıp tavanda ve duvarlarda, lambaların ardına saklanmış gözetleme aygıtlarını aramak oldu. Şüphemi uyandıran bir şey görmedim. Daha da emin olmak için annemin verdiği dudak ruju görüntüsündeki aleti dolaştırdım odada. Sinyal, kasanın bulunduğu yönden geldi. Demek kasayı kurcalayacak olanları tespit etmek üzere ayarlanmıştı. Benim kasayla işim yoktu. Gönül rahatlığı içinde, Kutkar'ın masasının üzerinde duran ufak tefek eşyaları topladım. Annem özellikle metal malzemeleri istemişti. Laboratuvarlarda bir hafta öncesine ait görüntüleri çözebiliyorlardı, yansıtma yapan eşyalardan. Gümüşe benzeyen kutuyu, hemen yanı başındaki cımbızı (ne yapar ki bir adam cımbızla, pul koleksiyoncusu değilse?) torbama attım.

Masadan toparladığım yansıtıcı eşyaların tümünü torbama koyduktan sonra, çekmeceleri kurcaladım. Bazıları kilitliydi. Açabildiklerim boştu. Odaya açılan tuvalete baktım. Aynanın önünde bir saç fırçası... hemen aldım. Tam tuvaletten çıkmak üzereydim ki, kapının açıldığını duydum. Duşun içine dar attım kendimi, duşun cam kapısını çekip kapattım ve çömeldim. Ben duşa girip kapıyı çekince banyonun ışığı söndü. Suyu akıtmadığım için, duşun ışığı yanmadı. Yüzümü elimdeki torbaya gömüp, nefes almaya korkarak, bekledim. Odadakilerin konuştuklarını duyuyor ama ne dediklerini anlayamıyordum. Ne kadar büyük bir gürültü çıkarıyordu kalp atışlarım, Tık... tık...tık...tıktık...Olamaz! Aritmi var bende! Kalp atışlarım düzgün değil! Şuracıkta kalp krizi geçirip öleceğim, Kutkar'la birlikte, silinip gideceğim bu dünyadan. Oğlumun mürüvvetini göremeden, Tamur'la kısacık da olsa bir mutluluk yaşayamadan, hatta üzerinde çalıştığım işi, hayatımda ilk kez yarım bırakarak... Cesedimi bile uzun süre bulamayacaklar, kullanılmayan odanın duş kabininde...

O da ne! Ayak sesleri... hem de çok yakınımda... ben ağaç arkasına gizlenmiş ürkek tavşan gibi, yüzümü gömdüğüm torbamdan başımı kaldırdığımda, biri kafasını uzatıp banyoya bakmış olmalı, ışık bir yandı bir söndü banyoda. O kısacık anda, duşun camında gözüme bir şey çarptı. Bir yazı... bir formül belki de. Kıpırdamadan, nefes almadan bekledim yine, sadece kalp atışlarımı duyarak ve artık aritmik olup olmadıklarına hiç aldırmadan. Odadaki konuşmalar bir süre devam etti... sonra uzaklaşan ayak sesleri... ve hızla çarpılan kapı... ardından gelen sessizlik... bekledim... bekledim...

Mucize! Beni duşun içinde bulamadan çekip gittiler! Çok yavaş hareketlerle doğruldum, bacaklarım tutulmuş çömelmekten. Hafifçe topallayarak çıktım duştan, banyonun ışığını sabitledim tekrar duşa girdim, evet yanılmamışım, duşun camında bir şey yazıyordu. Duşun ışığı da yansın diye suyu akıttım. Mümkün mertebe kenara kaçtım ama su üzerime sıçrıyordu. Hiç aldırmadım, bilekliğimi ayarlayıp birkaç kez resmini çektim camda yazılanın. Sonra suyu kapattım ve torbamı alıp odaya geçtim. Ne olur ne olmaz, hafızama da kazınsın diye, avucuma da yazdım şifreyi, bilekliğime bakarak. Eldivenlerimi giyip, kapıyı yavaşça araladım ve koridora baktım. Kimse gözükmüyordu. Yine başım dik, hiç telaşlanmadan yürüdüm koridorda, asansörün önüne geldim. Çağırmak için elimi asansörün camına dayadım, birkaç saniye sonra asansör önümde durdu. Eyvah! Asansörde iki kişi vardı. Birini tanıyordum.

"Yukarı mı çıkıyorsunuz, beyler?" diye sordum, sakin görünmeye çalışarak.

"Prof. Otis! Sizin bu katta ne işiniz var?" dedi binanın emniyetinden sorumlu müdür.

"Yukarı kata, kafeteryaya çıkıyordum, belki Kutkar Zora işe dönmüştür, bir bakayım dedim."

"Dönmüş mü?"

"Sanmıyorum. Kapısını tıklattım ama ne ses ne nefes! Tatile mi çıktı acaba, siz biliyor musunuz?"

"Bir bilgim yok. Profesör Otis, sizin üstünüz ıslanmış..."

"Nasıl? Haa! Şey... bir deney yapıyordum laboratuvarda, suyu devirdim üstüme, sakarlık işte," diye gülümsedim. "Biz âlimler hep dalgın oluruz ya... neyse, kurur birazdan. Müdürüm, Kutkar'ın işe ne zaman döneceğini kim bilebilir acaba? Yeni bir çalışmam var, tarım giysileriyle ilgili de, bana yardımcı oluyordu, malum gıda onun branşı..."

"Personel Bölümü'ne sorun, onlar bilir. Biz katımıza geldik Profesör, iyi günler size."

İndiler. Ben kafeteryanın bulunduğu teras katına çıktım. Tek başıma bir masaya iliştim ve ilk işim, masanın üzerinde duran sürahiye yapışıp, bardağa su koyarmış gibi yaparken, suyu üzerime dökmek oldu. Böylece artık eteğimin ve sağ kolumun neden ıslak olduğunu çok rahat izah edebilirdim. Kafeterya ve lokantaların masalarında her zaman bir sürahi su bulunması mecburiyeti kimin fikriyse, elleri dert görmesin! Sonra otomattan hiç içmek istemediğim bir şişe dut şurubu alıp, diktim kafama. Dudaklarıma kıpkırmızı şurubun bulaştığına emindim, ama ağzımı silmedim ki böylece beni görenlerin aklında iyice yer edeyim.

Pencerenin tam önündeki masada oturmuş, gri bulutlara bakarken, Kutkar'ı düşünüyordum. Odalarımız ayrı katlarda olduğu için, toplantıların dışında en çok karşılaştığımız yer asansör olurdu hep. Bir asansörde ne kadar konuşabilirdi ki

170

iki insan. İki kelimecik: Merhaba ve İyi günler! Oysa, fıkra anlatmayı severmiş, öyle demişti Tamur. Onu daha fazla tanımaya gayret göstermediğim için tuhaf bir suçluluk duygusu vardı içimde. Tamur'un yakın dostu olduğuna göre, acaba birllikte nehir kıyısındaki salaş meyhanede taze balık yemiş, mıza içmişler miydi? Bundan böyle birlikte hiçbir şey yapamayacaklarından, belki Tamur'un haberi bile yoktu henüz! Bense, Kutkar'ın odasında ne aradığım soruşturulacak olursa, üzerime su boca ederek, aslında maksadımın Kutkar'ın odasına girmek değil kafeteryada bir şeyler içmek olduğunu kanıtlayacak deliller bulmanın peşindeydim.

Saçmaladığım farkındaydım ama şüpheleri üzerime çekmekten korkuyordum; yakalandığım takdirde kaybedecek çok şeyim vardı. Ne var ki bu korku dahi, Kutkar'ı kimin yok ettiğini öğrenme arzuma mani olamıyordu. Tamur hayatıma girmeseydi, az tanıdığım Kutkar'ın odasında delil topluyor olur muydum, acaba? Yok, sırf Tamur'un hatırına yapmıyordum bunları! Gözlerimin önünde bir adam kaybolmuştu!

Bir adam resmen kaybolmuştu!..

Birkaç gündür yaşadıklarımı yeni baştan hatırlamaya çalıştım.

Ancak bir karabasan böylesine ürkünç olabilirdi. Daha önce aklıma hiç gelmeyen şeyler, yeni dank ediyordu kafama! Merkezi aşırı baskıcı bulanları kınayıp, küçümseyen, onları göz çapakları kadar önemsiz bulan, ben değilmişim gibi, "Ne biçim bir ülkede yaşıyorum ben, yahu!" diyebiliyordum!

Dut şurubunun kalanını da içtim.

Yok, yok, yok! Olamaz! Sağlıklı düşünmüyordum!

Bütün bunları kafamdan silip atmalıydım. Bu karanlık, dibi gözükmeyen denizde asla yüzmemeliydim. Hayatımın tüm kazanımlarını, iyi tanımadığım bir adam yüzünden tehlikeye atmamalıydım. Bir hafta önceki Yuna olmalıydım tekrardan. Ama ancak, annemin benden istediklerini ona hayırlısıyla devrettikten sonra.

Bilekliğimden annemi aradım. Telefonu açılmayınca, sesli mesaj bıraktım, kelimeleri dikkatle seçerek. "Anne, ısmarladıklarını almaya markete gidiyorum. Akşamüstü bana uğra da vereyim sebzelerini," diye konuştum bilekliğime. Ve kereviz yaprağı, meyan kökü, ebegümeci almak üzere, daha önce hiç gitmediğim organik pazara doğru yola koyuldum.

Nihayet evime döndüğümde çoktan öğlen olmuştu. Dinlenmeye karşı tedbir olarak bilekliğim dâhil evimin tüm aygıtlarını ulaşım dışı bırakmış, mutfakta Kutkar'ın odasından topladıklarımı, torbamdaki sebzelerden ayırıp bir poşete koyuyordum ki, annem geldi. Ona sarıldığımda, kulağına fısıldayarak dedim ki:

"Tamur'la konuşabildin mi?"

Başını evet anlamında salladı ve yüksek sesle sordu annem:

"Aldın mı ısmarladıklarımı?"

"Sana bıraktığım mesajı dinlemedin mi? Pazardan ne istedinse hepsini aldım."

"Aferin kızım. Haydi anlat. Meraktan ölüyorum."

"İstersen daha önce parkta biraz yürüyelim. Hava alırız."

"Hava almalara doyamıyorsun. Organik pazarda hava almadın mı?"

Elimi dudaklarıma götürüp, sus işareti yaptım.

"Biraz başım ağrıyor. Temiz hava iyi gelir."

"Havamız çok temiz de sanki," dedi annem.

"Benim sana bir sürprizim var, anne."

"Neymiş o?"

"Yola çıkalım, söyleyeceğim."

Başlıklarımızı taktık, paltolarımızı giyip, çıktık. Kol kola yürürken, sol avucuma yazdığım formülü gösterdim anneme.

"Nedir bu? Yeni buluşunun formülü mü?"

"Bu sana sürprizim, işte! Kutkar'ın banyosunda bulduğum bir formül. Cama yazmıştı. Resmini de çektim."

"Sonra sildin değil mi?"

"Silinmek üzereydi zaten. Zar zor okunuyordu. Sence ne olabilir bu, anne? Bu formül yüzünden mi öldürdüler onu?"

"Öldüğünü bilmiyoruz Yuna. Belki de hâlâ hayattadır. Formülün ne olduğuna gelince, onu ben değil sen anlarsın. Sen söyle ne olabileceğini."

"Nereden bileyim, anne."

"En azından neyle ilgili olduğunu bilebilir misin? Mesela, hayatımızı karartan Gökcisim'le bir ilgisi olabilir mi?"

Avucumu açıp, bir süre baktım. "Sanmıyorum. Buradaki sayılar uzayla ilgili bir şifreye benzemiyor... Ne olduğunu bilmiyorum ama oraya yazdığına göre, birilerine ulaştırmak istediği kesin. Tesadüfen ben buldum. Belki başka biri benden önce görmüştür."

"Sanmam, biri senden önce bulsa, silerdi."

Annem kendi bilekliğinin değişik yerlerine avucumdaki formülü paça parça özenle not etti.

"Ne yapacaksın bu formülü?"

"Neyle alakalı olduğunu öğrenmeye çalışacağım. Şifrelerle çalışan ekip anlayabilir belki."

"Tahminimden çok daha örgütlüsünüz siz, anne!"

Yanıtlamadı beni. Araştırma Kurumu'na girdiğim andan itibaren yaptıklarımı kelimesi kelimesine anlattırdı. O heyecanı bir kere daha yaşadım ve sonunda dedim ki:

"Bak anne, istediğini yaptım, mesleğimi, itibarımı hatta kariyerimi tehlikeye atarak, Kutkar'ın odasından istediklerini getirdim. Şimdi sen de bana istediğimi ver."

"Neymiş o?"

"Tamur hakkında bilgi! Onu neden arayamadığımı anlattın mı Tamur'a? Dinlendiğinden ve Kutkar'dan haberi var mı? Tehlikede mi? Onu bir daha ne zaman göreceğim?"

"Yuna, Tamur'la görüştüm. Söyleyeceklerimi iyi dinle. Sana zarar gelmemesi için, bir iki ay hiç temas etmeyeceksiniz. Arada Arike ile görüşecek olursan, Tamur'dan sakın söz etme, bu adamla hiç ilgilenmiyormuş gibi yap. Tamur, dinlendiğini, gözlendiğini biliyor ve çok dikkatli davranıyor. Bir süre hepimizin çok dikkatli olması lazım. Kutkar'ın başına gelenleri de anlattım ona. Zaten haberi vardı."

"Yaa!"

"Sen her zamanki normal yaşamına dön. Bu yılı böyle sonlandıralım, sonra..."

"Sonra, gün doğmadan neler doğar, değil mi anne?" dedim, öyle söyleyeceğini tahmin ederek.

"Sonrasını ancak Yüce Ram bilir," diye yanıtladı, beni hep ters köşeye yatıran annem.

Parka girdik, her zaman oturduğumuz, ulu çınarın altındaki banka doğru ilerledik.

"Eskiden bu çınarın her biri avucum büyüklüğünde yemyeşil yaprakları vardı," dedi annem.

"Eskiden Regan da sadece bize aitti anne. Şimdi Ayserin adında bir kız, pabuçlarımızı dama attı. Hayatta her şey değişiyor."

"Ne o, oğlunu mu kıskandın?"

"Yok, kıskanmadım da, kızın babasının ev hapsinde olması, Regan'a zor durumda bırakır mı acaba diye düşündüm."

"Sanmıyorum. Çok değerli bir eleman, Regan."

"Kime çekmiş?" Sana demesini bekliyordum.

"Babana," dedi.

"Hatırası tüllere sarılı babam benim... Baban nasıl öldü, anne?"

"Bilmiyor gibi soruyorsun, Yuna! Kalp krizi işte!"

"Neden?"

"Kalp krizinin nedeni olmaz, kızım. Bugün dahi önlenemeyebiliyor, ne yazık ki."

"Sen yanında mıydın?"

"Ben evdeydim, sen okuldaydın, baban işteydi. Kaç kere konuştuk bunları, açma yine o defterleri. Beni de kendini de boşuna üzme."

"Anne, kafamı çok meşgul ediyor bu mesele. Şu Sorgen'in uyku seanslarına katlanma nedenimin yarısı uykularım içinse, yarısı da hatırlayamadığım anılarıma kavuşmak için."

"Bence sen boş ver bu seanslara, Yuna. Kaç zamandır gidiyorsun, uykuların düzeldi mi? Yoo! Orada harcadığın zamanı şu parkta açık havada geçirsen, uykularına daha iyi gelir."

"Ben bu sözleri daha önce de duydum senden ve..."

Bir patlama sesiyle, lafımı bitiremeden sustum. Gürültüler Park'ın güney kapısından geliyordu.

"Yine gösteri var galiba," dedi annem.

Park'ın güney kapısına doğru koşuşan robotları gördük. Her attıkları adımda, o tuhaf çakıl çukul sesi çıkararak, hızlı ilerliyorlardı.

"Robotlar devreye girdiyse, birazdan gösteri yapacak kimse kalmaz ortada. Herkes kaçışır," dedim, "su da fışkırtıyorlar, üşüyor insanlar."

"Çok önemli bir gösteri değil herhalde," dedi annem, "baksana bunlar benim gibi, geçkin robotlar. Son modellerin süspansiyonlu tekerlekleri var, hem çok hızlılar hem gürültü yapmıyorlar böyle."

"Sen sakın gösteriye filan katılmaya kalkışma, anne. Ezilirsin bak, söylemedi deme, sonra!"

"Merak etme robotları görür görmez, dörtnala kaçıyorum."

Annemin doğru söylüyor olmasını diledim, çünkü robotlar ıslatmakla kalmayıp, birkaç saatlik hafıza kaybı veya felç durumu yaratacak şekilde elektrikle şok da veriyorlardı. Bu yüzden, muhalifler bir süredir öyle her bahaneyle yürümez olmuşlardı.

"Anne, biliyor musun ne üzerinde çalışıyorum... hatta sonuca çok yaklaştım. Elektrik şokuna dayanıklı ve kurusıkı kurşunları anında geri tepecek bir kumaş cinsi... Anne! Anne, neyin var? İyi misin?"

Annem hafifçe öne eğilmişti ve yüzünde acı çekiyormuş gibi bir ifade vardı.

"İyiyim, merak etme. Bazen bir gaz giriyor şurama... geçti şimdi."

"Gaz yapacak şeyler yemezsin sen... bir doktora danışsana."

"Boş ver. Gaz için doktora gidilmez... Sen bana o kumaşı anlat."

"İşte, ne su, ne elektrik, ne kurşun geçiriyor... Tam muhaliflere göre... Şahane bir buluş da, patentine izin verirler mi, pek emin değilim."

"Verirler ama burada kullanılsın diye değil, komşu ülkelere satmak için. Para sesi duydular mı, akan sular duruyor, biliyorsun," dedi annem. Ben nereden bileyim, diye geçirdim içimden, bütün bunları bilen sensin. Ben yürümeyi yeni öğrenen çocuk gibi, ancak emekliyorum, benden hep sakladığın gizlediğin bu alanlarda.

Robotların gürültüsünden iyice rahatsız olunca, kalktık, oturduğumuz banktan, gösterinin yapıldığı yerin ters yönüne doğru yürümeye başladık, kol kola.

"Hızlı yürüme, Yuna... yavaşla kızım," dedi annem. Hayret, annem yavaşlamak istiyordu, demek ki gerçekten yaşlanmış ben fark etmeden.

Ağır ağır yürüyerek parkın sakin ucuna doğru gittik. Uzun zamandan beri ilk defa, fikir tartışması yapmadan, birbirimizin söylediklerine itiraz etmeden, keyifli bir sohbete girmiştik. Biraz siyasi dedikodu, biraz Mordamlardan komik hikâyeler, en çok da Ayserin üzerine çeşitlemeler. Ne zamandır annemle böyle baş başa vakit geçirmemişiz. İkimize de iyi gelmişti, parktaki gezinti.

"Karnım açıktı," dedim, "eve dönüp bir şeyler atıştıralım. Sonra malum odadan topladığım nesneleri alır, şey yaparsın işte..."

Evime en yakın çıkış kapısına yöneldik ki bir şey oldu.

"Kenara çekil," diye bağırdı annem, beni kolumdan tutup, hızla ağacın arkasına doğru çekti. Üçer üçer sıralanmış, on iki adet robot daha koşuyordu, güney kapısına doğru. Bizi teğet geçip gittiler.

"Ezeceklerdi bizi ayol! Hiç mi akıl, izan yok bunlarda?"

"Anne onlar robot," dedim, "elbette akılları yok. Neye programlandılarsa onu yapıyorlar. Ama umudunu kesme, çok yakında insan beyni hücresi kullanacaklar çiplerinde. Bizim kurumda, son sanal deneyleri yapılıyor, şu anda."

"İnsanlar sanki çok düşünüyor da!"

"Yine de bir an geliyor, sorgulayıveriyor insanoğlu."

"İşte o yüzden, bu üretime hiç geçmeyeceklerdir. Bizimkilere asla sorgulamayan emir kulları lazım. Kızım, senin katkın yok değil mi bu robot üretimine?"

"Ben insanlık için daha yararlı ve değerli şeylere kafa yoruyorum, anne," dedim, "şimdilik robot dediğin, alt tarafı bir yapay gövde... onları herkes yapar... Hanor bile."

"Hanor da kim?"

"O da bir çeşit robot diyelim, akılsız, duygusuz, sevgisiz bir adam."

"Nereden bulursun öyle adamları?" dedi annem.

Hanor'u bulan ben değildim ama ben de az değildim, bir hafta öncesine kadar, benim de bir robottan farkım yoktu. Ne var ki, yavaştan uyamaya, etrafımda dönen oyunları görmeye başlamıştım...

Geç de olsa!..

II. BÖLÜM

UYANIŞ

"Düşünce saksıda büyüyen bitki gibidir, kökleri
hiçbir zaman saksının elverdiğinden fazla gelişmez."

Simón Bolivar

RAMANİS CUMHURİYETİ'NİN KURULUŞ KUTLAMASINDA

Selamlaşma kuyruğu Saray bahçesinin Protokol Avlusu dediğimiz geniş sahasını beş kez dönerek dolanıyordu. Fezadan kuş bakışı resmi çekilecek olsa, önümdeki kalabalık, avluya çöreklenmiş rengârenk, uzun bir yılana benzetilebilirdi. O yılanın kuyruk tarafına yakın, minicik bir parçasıydım ben de. Mor ve nefti renkli merasim kıyafetimin üzerine aldığım, yine aynı renklerden yerlere kadar bir pelerinim vardı omuzlarımda. Kendi buluşum olan özel kumaştan dikildiği için, üşümüyordum.

Ramanis Cumhuriyeti'nin kuruluş yıldönümü, tüm ülkenin her yerinde, her zaman büyük bir tantanayla kutlanan tek resmi bayramdı. Ama en görkemli kutlama, elbette Merkez'deki Büyük Saray'da verilen davet olurdu. Benim iki kademe altımdaki renkleri taşıyanlarından başlayarak yukarıya doğru her Merkez memuru, eşleri ve en büyük oğullarıyla birlikte törene katılmak mecburiyetindeydi. Diğer kantonların ise, sadece en üst düzey yöneticileri katılıyordu.

Büyük Saray'daki kutlama şöleni, tam bir hafta boyunca, evlerimizde ve iş yerlerimizdeki televizyonlarda, dahası, sokaklara kurulan gösteri ekranlarında sabahın sekizinden akşamın sekizine kadar gösterilirdi. Böylece kutlamaya çağrılmayanlar da katılmış kadar olurdu.

Her yıl aylarca öncesinden hazırlanmaya başlanan bu önemli tören, eskiden bir konserle sona ererdi. Gelgelelim Uluhan'ın vefatı sonrasında ilan edilen on yıllık yas sürecinin bitimine kadar, umuma açık yerlerde müzik çalmak, Ramalar tarafından yasak edilmişti. Tören, bu yüzden bir saat erken bitmeye başlamış, çok da iyi olmuştu. Evlerimize daha erken dönebiliyorduk, artık.

Selamlama kuyruğu çok ağır ilerliyor, bana hafakanlar basıyordu, ama yine de şükretsem yeriydi, bugün en azından yağmur veya kar yağmıyordu.

Oğulhan'la ailesini selamladıktan sonra, bir sonraki salona geçecek, Yüce Ram'ın rahmetine kavuşmuş Uluhanımız'ın devasa resmi önünde, ellerimizi göğüs hizasında kavuşturup, çenelerimizi boynumuza değdirecek ve dizlerimize kadar eğilerek saygı selamı verecektik. Selamlama tamamlandıktan sonra da bir üst kata çıkıp, kapalı salonda kümeler halinde sohbet ederek vakit geçirecek ve sadece kuş sütünün eksik olduğu ikramı bekleyecektik.

Benim de dâhil olduğum grup, yavaşça yaklaşıyorduk, Oğulhan'ın makamına. Diğer kantonların temsilcileri de kuyruğun gerisinde, bizi takip ediyorlardı. Kuyruk kıvrılınca, Kuzey Kantonu'nun hemen arkasında, Batı Kıyı'nın türkuaz renkli flaması çarptı gözüme. Flamanın ardında, en önde bölge Ramaları, sonra idareciler, onların gerisinde yüksek rütbeli devlet memurları, yargıçlar, profesörler, ilim ve bilim adamları dizilmişlerdi. Yüreğim bir an için hop etti! Acaba Tamur da burada mıydı? Gözlerimi gruptan kaçırıp, önüme baktım. Eğer burada ise, asla yan yana gelmemeliydik. Regan, benim epey önümde, İstihbarat Bakanlığı mensuplarının arasındaydı. Başka kimsenin gözüne çarpamayabilirdim ama oğlum eminim atmaca gibi gözlüyor olacaktı beni.

Ben bunları düşünürken, ana kapının girişine kurulmuş, yüksek makama kadar gelmiştik. Önce, çift sırmalı merasim giysisi içindeki Oğulhan'ın önünde eğildim, sonra eşini, oğullarını, kardeşlerini, kardeş eşlerini ve her yaştan çocuklarını (üç yaşlarındaki küçük oğlan burnunu karıştırıyor ve mızmızlanıyordu) ellerim göğsümün hizasında, başımla selamladım. İlerledim, diğer salona geçtim, ikinci kuyruğun ucuna takılıp sıramı bekledim. Sıram geldi. Uluhan'ın devasa resmi önünde, dizlerime kadar eğildim, doğruldum, birkaç adım daha attım ve tam arkamdaki adamın, eğilirken belinden gelen sesi duydum... yoksa bir boğuk inilti miydi, duyduğum. Dönüp baktım. Yaşlı bir adamcağız, eğildiği pozisyondan doğrulamıyordu. Bir an ne yapacağımı bilemeden, durup bekledim. Sonra, yanına gittim ve adamın kulağına fısıldadım:

"İyi misiniz?"

"Belime bir şey oldu," dedi.

Az evvel burnunu karıştıran velet, yanımıza gelmiş, adamın bacaklarının arasında dolanıyor, orasını burasını çekiştiriyordu.

"Sakın zorlamayın, doğrulmaya çalışmayın. Koluma girin, uzaklaşalım buradan... beliniz kaymış olmalı..."

Koluma tutundu yaşlı adam. Onu rahatsız edip duran çocuğu, bir köpek yavrusunu uzaklaştırır gibi ayağımla hafifçe itelemek geldi içimden ama tuttum kendimi.

"Yapma yavrum, haydi annenle babanın yanına dön sen," dedim sadece.

Çocuk şımarık sesler çıkartarak ağlamaya başladı.

"Ne oluyor orada?" diye seslendi, Oğulhan'ın şişman karısı. Kadının göbeği mi büyüktü, yoksa yedinci çocuğuna mı hamileydi, bilmiyordum.

"Hey, Velihan, hemen yanıma gel bakayım. Gel dedim sana, Velihan! Bağırtma beni!"

Üniformalı bir dadı koşturarak yanımıza gelip mızmızlanan çocuğu kucakladı. Onlar uzaklaşırken nereden çıktıklarını bilmediğim, beş adet lazer-tabancalı saray muhafızı bitti yanımızda, bizi çevrelediler, adeta ablukaya aldılar.

"Beyefendinin beli kaydı," dedim ben.

"İçeriye sorgu odasına geleceksiniz," dedi muhafızlardan biri.

"Nedenmiş o?"

"Kimlik kontrolü yapacağız."

"Kontrol Saray Bahçesi'ne girmeden yapıldı! Önce beyefendinin acısını hafifletelim."

"Önce emniyeti sağlamamız gerekiyor," dedi, diğer muhafız.

İki büklüm olmuş adamı iteliyorlardı. Arkama dönüp girişe baktım. Oğulhan ikinci salonda, selamlaşmasını sürdürüyordu kuyruktakilerle. Yaşlı adam ise koluma daha fazla asılıyordu. Belli ki dayanılmaz bir acı içindeydi.

"Siz şöyle geçin," diye emir buyurdu muhafız, yaşlı adama.

"Beli kaydı diyorum size. Şu anda muhafıza değil bir doktora ihtiyacı var! Sarayın mutlaka doktoru, sağlıkçısı, hemşireleri vardır, bir an önce çağırın birini."

"Siz bana emir mi veriyorsunuz?"

"Sadece insaniyete davet ediyorum."

"Kimsiniz ki... siz?"

"Ben Prof. Yuna Otis'im," dedim, "Regan Otis'in de annesiyim. Taşıdığım renkleri görmüyor musunuz?"

"Ben Saray'ın ve ailenin güvenliğinden sorumluyum. Gerisi beni ilgilendirmez."

"Gizli Servis'ten önemli birinin annesine yaptığınız saygısızlığın sonucuna katlanmanız da, birazdan beni hiç ilgilendirmeyecek! Regaaan! Regaaaan!"

Cırtlak sesim, kendi kulağıma çarpınca utandım, ama protokol sırasında epeyce önümde olan oğlum, çoktan salonun kalabalığına karışmış olduğu için haykırdığımı duyamadı.

Ama meğer başka biri duymuştu beni!..

"Prof. Otis, nasıl yardımcı olabilirim size? Oğlunuzu tanıyorum, bulup getireyim mi?"

"Ta...Ta...Tamur Resom! Siz de mi buradaydınız?"

"Beyefendi, siz karışmayın lütfen. Bir de sizinle uğraşmayalım," dedi Saray Muhafızı.

Tamur hiç oralı olmadı, yaşlı adamın diğer koluna girdi ve birlikte çok yavaş adımlarla ilerlemeye başladık, salonun ucuna doğru. Muhafızlar da bizimle geliyorlardı.

"Üzerinizi arayacağız," dedi biri yine, "bu bir tuzak olabilir. Her ihtimale karşı silah ya da bomba taşımadığınızdan emin olmalıyız."

"Annem, bunlar gölgelerinden bile korkar, derdi de inanmazdım," diye fısıldadım Tamur'a.

"Siz, konuşmayın aranızda," dedi Muhafız.

Tamur duymazlığa geldi ve yaşlı adama, "İzin verin de bilekliğinizden sağlık durumunuzla ilgili verilere bakalım," dedi.

"Görünüşe bakılırsa belinizde bir sorun yok," dedi Tamur, benim ona doğru tuttuğum bilekliğin ekranına bakarak.

"Ama tansiyonunuz fırlamış. Mutlaka bir doktor ya da sağlık görevlisinin sizi görmesi lazım, efendim," dedim ben.

"İsterseniz ben sizi..." diye lafa başlayan Tamur'un hemen sözünü kestim:

"Tamur Resom, siz lütfen işinize bakın. Ben oğluma mesaj attım, az sonra yanımızda olur," başımla, gözlerimle ve mümkün olan tüm vücut dilimle uzaklaşmasını işaret ettim, Tamur'a. Ve ekledim: "Rica ediyorum, gidin siz."

"Pekâlâ, ama gözüm üstünüzde olacak, Profesör."

Bu arada duvarın yanına kadar gelmiştik. Tamur yaşlı adamı duvara yasladı, benim elime usulca dokunup, gözlerimin içine bir şey söylemek ister gibi baktı ve gitti. Regan'ın telefonunu bir kere de acil koduyla çaldırdım. Açmadı. Niye beni duymuyordu, bu çocuk!

Duymuş meğer. Regan, muhafızlar adamın ceplerini boşaltırlarken geldi, nihayet.

"Ne oluyor burada?" diye sordu, "Anne, hayrola?"

Regan'ın sırmalı mavi ceketini gören muhafızların beti benzi atmıştı. Durumu oğluma özetledim.

"Biz buranın güvenliğinden sorumluyuz. Bir komplo hazırlanıyor olabilirdi," diye kendilerini savunmaya çalıştı bir muhafız.

186

"Bırakın boş lafları da ambulans çağırın, yan kapıya yanaşsın," diye sert bir sesle onu susturdu Regan ve ekledi: "Saray Sağlık ekibinden de birileri gelsin hemen."

Bir muhafız fırladı gitti. Bir diğeri adamın cebinden çıkardıkları ıvır zıvırı gerisin geriye tıkıştırdı. Diğer ikisi, ne yapacaklarını bilemeden dikiliyorlardı yanımızda.

"Beyefendiye yardımcı olun, yan kapıya kadar yürütün onu hırpalamadan. Haydi! Ne bakıyorsunuz öyle?"

Yaşlı adama yaklaşıp, "Sizinle gelmemi ister misiniz?" diye sordum.

"Sakın zahmet etmeyin."

"Haber vermek istediğiniz biri var mı?"

"Mordam'daki arkadaşlardan birine haber yollatacağım. Size yük oldum. Bağışlayın."

"Ne demek, efendim. İnsanlık hali. Hepimizin başına gelebilir."

"Adınızı lütfedin de size teşekkür edeyim," dedi adamcağız. Hâlâ iki büklümdü.

"Adım Yuna. Yuna Otis."

"Ah, ünlü mucit! Şeref duydum. Bendeniz de Saray Bandosu'nun emekli şefiyim. Anlaşılıyor ki, törenlere katılmaktan da emekli olma yaşım gelmiş."

"Yüce Ram! Siz Atok Garya'sınız! Nasıl tanımam, sizi! Hayatımın ilk sahne starı. Her Pazar konser verirdiniz Büyük Park'ta. Annemle babam bandonuzu dinlemeye getirirlerdi beni. Bak Regan," dedim, onu kolundan tutarak, "küçükken ben de seni götürmüştüm birkaç kere, hatırlıyor musun?"

"Anneciğim, beyefendiyi meşgul etmeyelim, belli ki canı yanıyor. Buyurun efendim... size kapıya kadar refakat edeyim," dedi Regan.

Onlar uzaklaşırken, nemlenen gözlerle baktım arkalarından. Hem oğlumun gösterdiği hassasiyetten gurur duymuştum hem de yaşlı adam, beni zaman tüneline sokmuş, bana mutlu çocukluğumu hatırlatmıştı.

Regan az sonra yanıma geldi.

"Böyle garip işler hep anneannemle seni bulur ya neyse," dedi.

"Sen dua et, anneannen de Atok Garya gibi iki büklüm kalmasın, olmadık bir yerde," dedim ben, "çünkü onu da böyle ani ağrılar yokluyor artık."

"Ona bir şey olmaz! Gel biz büfeye geçelim," dedi oğlum. Salonun derinlerine ilerledik. Garsonların dolaştırdığı tepsilerden birer şerbet aldık.

"A ah, anne bak kim var burada?" dedi Regan, az ötedeki gruba doğru ilerlerken, "Malek Amca!"

Sakallarındaki aklar yüzünden, estetik müdahaleye rağmen yaşlı sayılabilecek bir adamın karşısında, saygılı bir ifadeyle, "Ekselansları," diyerek eğildi oğlum, "Afiyettesiniz umarım."

Malek Amca ya da ekselanslarının, yaka sırmalarından çok üst seviyelerde bir yönetici olduğunu anladım. Yüzü hiç yabancı gelmiyordu, ama bir türlü çıkartamıyordum. Alnının ortasında tuhaf bir çöküntü mü vardı, yoksa ışığın oyunu muydu?.. Yok, tanımıyordum bu adamı, yoksa hatırlardım, keskin bakışlı gözleri, girintili alnıyla unutulacak bir yüz değildi, çünkü.

Regan kulağıma eğildi, "Prof. Tulup, yani Malek Amca hukuk profesörüymüş, sonra yıllarca yurt dışında büyükelçilik yapmış. Dedemin de yakın arkadaşıymış anne, nasıl tanımazsın? Benim terfiime de katkısı oldu."

"Çıkartamadım, Regan."

"Neyse, bari belli etme tanımadığını, ayıp olmasın. Şu anda, Oğulhan'a Gizli Servis alanında danışmanlık yapıyor."

"Nasılsınız Sayın Profesör," dedi bana adam.

Başımla selamladım. Bu sesi nerede duymuş olabilirdim? Tuhaf bir his yokladı beni... şeytan geçmiş gibi derler ya, aynen öyle. Ürperdim nedense.

"Üzerinde çalıştığınız yeni buluşlarınız var mı?"

"Henüz çalışma evresindeyiz, efendim."

"Siz her zaman çalışkandınız." Regan'a döndü, "Müstesna bir anneniz var Regan, hem akıllı hem güzel."

"Gençken, demek istediniz herhalde," dedim ben.

"Yo, her zaman güzel."

Adamın bakışlarındaki ısrardan rahatsız oldum.

"Regan, ben şu tarafta bizim bölümden arkadaşları gördüm... onlara selam vereyim."

"Ben seni bulurum anne, sen keyfine bak," dedi Regan.

Aslında bizim bölümden kimseyi görmüş değildim. Sadece o kırçıl sakallı adamın yanından uzaklaşmak istemiştim. Yoksa, Tamur'u mu aramak istemiştim, konuşamayacağımızı bildiğim halde?

Salonda, elimde şerbetim, salınarak dolandım. Büfe açılmıştı. Önünde upuzun bir kuyruk vardı. Ben de kuyruğa girdim, yavaş yavaş ilerlemeye başladım güzel kokular gelen sofraya doğru.

"Merkez'in Saray böreği pek meşhurmuş. Tavsiye ediyor musunuz?" diye sordu, hemen arkamda sıraya giren adam. Bu ses... Tamur'du! Dönüp, göz göze gelmeye korktum. Ya Regan görürse!

"Ben hamur işi pek sevmem," diyebildim, titrek bir sesle.

"Siz balık seversiniz, değil mi?"

Masanın önüne gelmiştik. Salatalar bölümüne... Yan gözle baktım, arkamdaki Tamur'a,

"Salataları görünce... şey... Kutkar'ı... duydun mu?"

"Biliyorum," dedi Tamur.

"Onu kaçırdılar herhalde... ama formülü buldum ben..."

"Onu da biliyorum."

"Şey... emin ellerde formül."

"Aferin sana."

"Kutkar hayatta mı, onu öldürdüler mi yoksa? Çok üzülüyorum, biliyor musun... ben hep kabuslar gö..."

Yanıt gelmeyince, sustum, arkama baktım. Tamur'un yanına tanımadığım biri gelmişti, kulağına bir şeyler fısıldıyordu. Tamur, cebinden ne olduğunu göremediğim küçük bir şey çıkarıp verdi, adam da uzaklaştı.

"Haydi, tabağını doldur da, balkona çıkalım," dedi Tamur.

"Oğlum bizi görmemeli," dedim önüme dönerken. "Annem söylemiştir sana."

"Evet, söyledi."

"Git o halde. Durma arkamda."

"Seni özledim Yuna. Bu akşam son uçakla Kuzey'e gidiyorum. Gitmeden önce..."

"Mümkün değil!"

"Pekâlâ! Dönünce ararım seni."

"Sakın arama. Her ikimizi de tehlikeye atarsın."

"Merak etme, seni tehlikeye atmadan sana ulaşmanın bir yolunu bulacağım..."

Kolumu sıkıca tuttu bir an ve bıraktı.

Tamur, bunu hep yapıyordu, demek ki bana dokunmayı seviyordu.

Hiçbir şey içmediğim halde sarhoş gibiydim. Hafifçe başım dönüyordu. Tabağımı roka, domates ve diğer otlarla doldurdum, biraz ilerleyip peynir de aldım ve arkama dönmeden konuştum:

"Sen de tehlikedesin, bunu sakın unutma, emi."

"Yo, ben tehlikede filan değilim," dedi Regan.

Az kaldı tabağımı düşürüyordum elimden. Döndüm, tam arkamda duruyordu, Tamur'un olması gereken yerde.

"Sen ne zaman geldin de girdin sıraya... hem de arkama? Hiç fark etmedim," dedim.

"Kiminle konuşuyordun, anne?"

"Kendi kendime."

"Yaa!"

"Daha doğrusu anneannenle. O da bu yaşlı adam gibi kalıverecek bir gün, bir yerde diye korkuyorum. Yaşlandığını kabul etmiyor. Biraz yavaşlaması lazım."

"Anneannemin hayalinle konuşmaya başladınsa, bence sen de yavaşlamalısın."

"Ben zaten düşük vitesteyim bir aydır, uykusuzluğum yüzünden... biliyorsun."

"Börek de alsana, anne."

Bir şey mi ima ediyordu bana?

"Ne demek istiyorsun?" dedim.

"Börek işte..." Börek çeşitlerinin önüne geldiğimizi fark ettim.

"İstemem, teşekkürler."

"Aksiliğin üstünde senin anne. Demin de kaçtın yanımızdan, biraz ayıp oldu Malek Amca'ya."

"Nerden amcan oluyormuş senin? Babanın kardeşi değil ki o?"

"Dedemin yakın arkadaşıymış, dedim ya. Aynı ekipte çalışmışlar yıllarca. Sonra o siyasete atılmış."

"Bana ne," dedim, omuz silkerek.

"Senin Malek Tulup'la bir alıp veremediğin mi var?"

"Siyasetçileri sevmem ben."

Söylediğim doğru değildi ama ne deseydim oğluma, tanımadığım bu adamdan, hem de sebepsiz yere hiç hoşlanmadım diyecek halim yoktu Konuyu değiştirmek için, ona "Ayseren'i niye getirmedin?" diye sordum.

"Nişanımız henüz resmileşmedi. Gelmesi doğru olmazdı."

"Laf! Kimseye hesap vermek zorunda değilsin ki!"

"Bölüm başkanına vermek zorundayım. Resmi davetlere, resmi nikâhlı eşlerimizden başkasını getiremiyoruz. Zaten bu törenler pek Ayserin'e göre değil."

"Alışsa iyi olur, senin işinin bir parçası," dedim, dilimi tutamayıp.

Tam o sırada, Oğulhan konuşmasını yapmak üzere, çiçeklerle süslenmiş sahneye çıkıyordu. Her ikimiz de sustuk. Ben dört bir yanıma bakınarak Tamur'u arandım ama göremedim. Herhalde gitmişti. Sonra, sanki biri gözlerini bana dikmiş de beni gözetliyormuş gibi, tuhaf bir hisse kapıldım. Ve dönüp bakınınca, oğlumun az evvel konuştuğu Malek Tulup'un, az ilerde, gözlerini ayırmadan bana baktığını gördüm.

Regan'ın kulağına eğildim,

"Çaktırmadan balkona kaçıyorum ben. Bu sıkıcı konuşmaları ezber ettim artık. Bir yenisini dinlemeye niyetim yok."

"Tamam anne, sonra bulurum ben seni."

"Bulamazsan telaş yapma. Punduna getirebilirsem, evime döneceğim. Nasılsa girişte deftere imzamı attım, nereden bilecekler ne zaman ayrıldığımı."

"Sonuna kadar kalsan, iyi olurdu."

"Kalayım o halde... sırf senin hatırın için, bak! Konuşmalar bitince, terasın ana kapısında bul beni." Elimle kapıyı işaret ettim Regan'a ve o kalabalıkta, akıntıya karşı yüzen balıklar gibi zorlanarak, insanları göğüsleyerek, kocaman tepsilerin arasından sıyrılarak, terasa açılan orta kapıya doğru yürümeye çalıştım.

Oh, nihayet, terastaydım! Şehir ayaklarımın altında, tüm güzellikleri ve çirkinlikleriyle uzanıyordu. Gündüz saatlerinde sarı benizli, hasta bir insan yüzü gibi duran güneş, gün batımında sanki pembeleşmiş gibiydi. Ama gökyüzünün Güney Kıyı'daki rengini burada yakalamak imkânsızdı. Oysa ne güzel şafaklar ve günbatımları olurdu, çocukluğumda, hatta gençliğimde de... Bugünün çocukları bilmezler, bir zamanların o muhteşem renk armonisini.

Duvar kenarlarına yerleştirilmiş bankolarından birine iliştim. Devasa terasta sıkıcı konuşmalardan kaçmış birkaç kişi daha vardı, ama benden epey uzaklardaydılar. Ben bulunduğum yerden, şehrin en önemli binalarını tepeden görebiliyordum. Her biri bugünün şerefine, itina ile aydınlatılmıştı. Ana Tapınak ve sırasıyla diğerleri, yani Merkez Bankası, bakanlıklar, borsa binası, gökdelenler, oteller, hastaneler, okullar... Tüm binalar, eskinin yaz akşamlarında gökyüzünde teker teker beliren yıldızlar gibi, hava karardıkça birer ikişer ışıklanıyorlardı. Hatta şehrin ortasında bir süs nesnesi gibi duran şehir müzesine çevrilmiş eski parlamento binası dahi ışıklar içindeydi, bu akşam. Bir zamanlar ülke oradan yönetilirmiş. Aman aman, istemez! Parlamenter rejimin son günlerinde, korkunç bir iç savaş olmuştu, çünkü! Savaşı ben ne gördüm ne de yaşadım ama o döneme ait korkunç şeyler dinlemiş, çok da kitap okumuştum. Gerçi Tamur, onun evinde geçirdiğim o pazar günü, uzun sohbetlerimiz esnasında okullarda bize okutulan kitapların yalanlarla dolu olduğunu iddia etmişti, ama yine de ona kulak asmamıştım, âşık olsam bile!

Şehri uzun süre seyrettim, oturduğum yerden. Gözlerimi kısmış, pür dikkat evimin bulunduğu mahalleyi saptamaya çalışıyor olmalıydım ki duymadım yanıma yaklaşan ayak seslerini...

"Neden beni tanımazdan geliyorsun, Yuna?" diye sordu bir erkek sesi.

Başımı çevirip baktım, o adam!

"Onca zaman geçti... amma da kindarmışsın sen!"

Elini uzattı bana, Malek Tulup. Yanıma ilişmeye yeltenince öteye kaçarak, "Çekin elinizi... sakın," diye bağırdım ve kendi sesimden kendim korktum. Adamın bir şey yaptığı yoktu bana, sadece elini uzatıyordu, herhalde eski usul tokalaşmak için. Ne de olsa bir önceki kuşağın insanıydı.

"Tamam, tamam! Dokunmuyorum. Bağırma lütfen. Evet, ben suçluydum ama sen de az değildin."

"Ben... neydim?" dedim. Bu adamın benimle ilgili bildiği bir şeyi ben bilmiyordum herhalde, ama aklımı kullanırsam, öğrenebileceğimi hissettim.

Gülümsedi ve hiç utanmadan, "Acımasız ve vahşiydin," dedi.

"Acımasız?.. Vahşi?.."

"Öldürüyordun az daha beni!"

Ne diyordu bu adam, yahu! Yanlış anlamıştım herhalde, Regan, dedemin arkadaşıymış dememiş miydi yoksa? Babam yaşında, sakalları kırlaşmış adam, neler söylüyordu bana!

"Bunca yıl geçti, Yuna, barışma vakti gelmedi mi, sence?"

Oturduğumuz bankın üzerinde, kolunu omuzuma atmak için bir hamle yaptı.

"Dokunmayın! Yoksa bağırırım, rezil olursunuz!"

Neden böyle davrandığımı bilmiyordum, içime bir şeytan girmişti sanki.

"Olduk olacağımız kadar, zaten. Şimdi artık bana vız gelir de, senin üzülmeni istemem. Ben... yani bir anlık şeydi... kendimi kaptırmışım... Bana surat asma Yuna, çok vicdan azabı çektim. Sonradan iyi olasınız diye elimden geleni yaptım ben. Sen bunları bilmezsin, annen anlatmamıştır sana. Yıllarca kol kanat gerdim size. Oğlunun önünü açtım, sana da..."

"Sakın!" dedim panikle, dudaklarıma parmağımla sus işareti yaparak. "Sakın ha konuşmayın! Ben ne kazandımsa bu hayatta, kendim arı gibi çalışarak kazandım, Bay Tulup. Bana kimse ne kanat gerdi, ne arka çıktı."

"Pekâlâ. Öyle diyorsan öyle olsun."

"Niye peşimden geldiniz? Ne istiyorsunuz benden?"

"Ben artık sadece dost olmak istiyorum. Bu nefreti arkamızda bırakalım. Özür diliyorum işte... Pişmanım diyorum. Daha ne yapayım Yuna?"

"Bir özür, bana yaptıklarınızın bedelini öder mi?" diye sordum, onu konuşturmak için.

"Ben sana ne yaptım ki? Şikâyet etmediğim bir yana, hayatınızı kolaylaştıran her şeyde benim parmağım vardı. Sen üniversiteye gidesin diye Samira'ya çocuk bakımı için verilen izin, nasıl öyle kolayca çıktı sanıyorsun? Sonra Regan, nasıl korudu sırasını Saray Akademisi'nin aday listesinde?"

"Oğlum üstün zekâlı bir çocuk olmasaydı, değil parmağınız, omuzunuza kadar kolunuz bir işe yaramazdı, Malek Tulup! Beni kandıramazsın!"

"Bak, bana sen demeye başladın. Bu, aramızdaki buzların erimeye başladığına bir işaret!"

"Konuyu dağıtmayın."

"Pekâlâ, konuya döneyim; Regan zeki bir çocuktu ama nice üstün zekâlı çocuk, bir kollayanı yoksa gözden kaçabiliyor, bundan haberin var mı?"

"Var elbette. Onların haklarının, yöneticilerin ve yandaşların budala çocuklarına peşkeş çekildiğini biliyorum."

"Ne önyargı ama! Biri yönetici kadrodaysa çocuğu illa budala olacak, öyle mi? Samira iyi yıkamış senin beynini."

"Annemi karıştırmayalım."

"Yo, karıştıralım. Herkes sadece yerleştirildiği ve kayıtlı olduğu Mordam'da yaşarken, o canının istediğinde nasıl kalabiliyor, hiç merak etmedin mi?"

"O da mı sizin marifetiniz? Pekâlâ, söyleyin bakalım, bizim aileye niye böyle kıyaklar yaptınız?"

Yüzüme önce hayretle baktı, sonra gözlerini havadaki gri bulutlara çevirdi ve sustu. Bir çuval inciri berbat ettim! Ağzından laf alacakken, bazı şeyleri bilmediğimi açık ettim! Ah nasıl yaptım bunu! Son bir kez şansımı denedim:

"Vicdanımın sesini ancak böyle ufak tefek lütuflarla bastırırım, demiş olmalısınız."

"Haklısın, ama o günler çok geride kaldı. Seninle barışalım artık, bitsin bu aramızdaki kin."

"Ben kin duymuyorum size."

"Sahi mi?"

"Hiçbir şey duymuyorum. O yüzden barışmamızın bir anlamı olmaz. Benim için yoksunuz, zaten."

Yüzünde çok tuhaf bir ifade vardı... Kızgın mıydı, üzgün müydü çıkaramadım.

"Size iyi günler," dedim ayağa kalkarak. "Üşüdüm ben, içeri geçiyorum."

Yanıtlamadı beni. Ayağa dahi kalkmadı. Seri adımlarla terasın sonuna kadar yürüdüm, mermer merdivenlerini indim ve bahçede çıkışa doğru gittim; Regan'ı memnun etmek için biraz daha kalmak filan, umurumda değildi. Bir an önce anneme ulaşmak ve Malek Tulup'un kim olduğunu, bana ya da bize ne yaptığını öğrenmek istiyordum.

Bahçeden çıkmadan annemi aradım.

"Neredesin? Mordam'damısın, Regan'da mı?"

"Sana da iyi akşamlar kızım. Ne var, ne oldu? Anneni mi özledin?"

"Anne, neredesin dedim sana. Çok acele konuşmamız lazım."

"Ne hakkında."

"Anlatırım. Nereye geleyim?"

"Bir kerecik olsun, beni özlediğin için arasan..."

"Daha iki gün önce beraber değil miydik? Anne, beni papağan ettin, nereye geleyim."

"Regan'a gel."

Sevindim. Regan'ın evi yakındı. Bize kulak misafiri olabilecek kimse de bulunmazdı orada. Büyük Saray'ın çıkış kapısı önünde bekleşen uçan taksilerden birine atlayıp adresi verdim.

MALEK TULUP KİM?

"Malek Tulup kim?" dedim anneme.

"Malek Tulup mu! Nerden çıktı şimdi, Malek Tulup?"

"Gevelemeden söyle, lütfen!"

"Şey işte... babanın arkadaşıydı."

"Hayatımızda ne işi var, bu adamın."

"Hayatımızda ne işi olsun ki? Yıllar var, görüşmedik."

"Duyduklarım öyle değil ama. Görünen o ki eli hep ailemizin üzerindeymiş."

"Yuna, nerde karşılaştın sen Malek'le?"

"Törende. Regan tanıştırdı."

"Ha!.. Babanla yakın dosttular. Onun ölümünden sonra bizlerden ilgisini esirgemedi, tabii ki."

"Nasıl bir ilgiydi bu?"

"Babanı kaybedince, oturduğumuz üniversite lojmanından çıkmak zorunda kalmıştık. Malek, itibarlı bir muhitte, iyi bir eve geçmemize yardımcı olmuştu."

"Başka?"

"Hepsi bu!"

Annem geceliğinin içinde, her zamankinden daha yaşlı ve kırılgan görünüyordu. Mutfakta, yemek masası olarak da kullanılan tezgâhın uzantısında, karşılıklı oturuyorduk. Kapıdan içeriye fırtına gibi girdiğimi, üstümdekileri döke saç çıkardığımı görünce, Tamur hakkında konuşacağımı sanmıştı herhalde. Orada bir ekran olmadığı için mutfağa çekiştirmişti beni. Onu hırpalamak istemiyordum, ama kafamda yankılanıp duran sorunların yanıtını mutlaka almalıydım.

"Regan'ın Saray Akademisi'ne yazılmasına o mu... şey yaptı?" diye üsteledim.

"Kimse bir şey yapmadı Yuna. Regan giriş sınavında en yüksek notlardan birini aldı, unuttun mu? İkinci oldu, ikinci!"

"O halde bana niye öyle imalarda bulundu, Malek?"

"Nasıl imalarda?

"Onun torpili olmasaymış Reagan akademiye sen de Mordamlara öyle keyfince girip çıkamazmışsın gibisinden bir şeyler söyledi."

"Ne diyorsun sen, ya! Benim kızım mor-nefti renk sahibi, torunumsa Gizli Servis'te üst düzey devlet memuru... Benim Malek'e ihtiyacım mı var Mordam'a girmek için?"

"Ama senden başka kimse böyle..."

"Mordamlarda öncelik kullanabilen benim gibi kaç kişi daha var biliyor musun?" diye sözümü kesti annem, "İktidar yakınlarının anaları, teyzeleri, yengeleri... söyletme beni şimdi daha neleri. Ben kimsenin yakîni olduğum için değil, sadece yetenekli çocuklarım sayesinde göğsümü gererek giriyorum, istediğim Mordam'ın kapısından. Bitti mi?"

"Bitmedi. Ben niye hatırlamıyorum bu adamı?"

"Yuna, kızım, babanı dahi net hatırlayamadığını söyleyen sen değil misin? Bak, kaç kere söyledim sana, onu kaybettiğimiz de sen bir tedavi gördün ve..."

"Malek'i daha önceden de hatırlamıyorum ama," diye sözünü kestim.

"Malek'i hatırlayamadığına mı üzülüyorsun, Rama aşkına?" dedi annem iki elini yanlara açarak. "Eskiden sakalı yoktu, yıllardır da görmedin, ondandır."

"Anne, tanıyamadım demedim ki, hatırlamıyorum, dedim. Evimize sık gelir gider miydi?"

"Eh, gelirdi," dedi annem sonunda, ıkına sıkına. "Çok eskiden..."

"Evli miydi, çocukları var mıydı?"

"Bir karısı vardı, ama sonra terk etti onu. Bir daha evlenmedi Malek."

"Siz görüşmeye devam etmişsiniz ama..."

"Ettik elbette. Babanla birlikte büyümüşler, seni de çocukken kendi kızı gibi severdi."

"Hayret! Bana söylediklerinden tam tersini anladım ben."

Kıpkırmızı oldu annemin yüzü, tansiyonu fırladı herhalde. Bir an, ona bir şey olacak diye korktum. Oturduğu tabureden kalktı annem, tezgâhın üzerinden bana doğru uzandı.

"Ne dedi sana o...o... adam?"

Bana, vahşi dediğini filan söyleyemedim anneme, yuttum dilimin ucuna gelenleri:

"Hani, onun torpili olmasaymış filan..."

Rahatladı sanki bunu duyunca.

"Gözden düştü kızım, Malek. Eskiden çok itibarlıydı. Her dediğinin emir sayıldığı bir zaman vardı. Yaşlandı, emekli edildi, danışman yapıldı. Kimse takmıyor artık onu, kendini sana hâlâ itibarlı göstermek istemiş. Haydi, git evine de uyu."

Kavgaya hazır bir horoz gibi gelmiştim buraya ama kuyruğunu bacaklarının arasına sıkıştırmış bir köpek yavrusu gibi ayrıldım, annemin yanından. Sorularım yanıtsızdı hâlâ. Evime varınca, kim olduğunu iyice araştıracaktım bu Malek'in. Asansörü beklerken, atkımın boynumda olmadığını fark ettim. Çantama baktım, orada da değildi. Gerisin geriye apartman kapısına yürüdüm, tam zili çalacakken, annemin sesini duydum içerden. Biriyle bağıra çağıra telefonda konuşuyor, "Kafamı kızdırma, seni rezil ederim," diyordu. Dayanamadım, bana hiç yakışmayan bir şey yaptım, kulağımı kapıya dayayıp, konuşulanları dinledim.

"Seni mahvederim, bütün pisliklerini ortaya dökerim, rezil olursun. Kızımı rahat bırak. Yuna'nın yanına yaklaşmayacaksın. Onunla konuşmayacaksın. Anladın mı Malek!"

Donup kaldım. Annemi suç üstü, Malek'le benim hakkımda konuşurken yakalamıştım. Artık mecburdu bana her şeyi anlatmaya.

Tam kapıyı çalmak üzereydim ki asansörden Regan çıktı, beni görünce şaşırdı.

"Anne, nereye kayboldun, hani buluşacaktık seninle?"

"Ben sıkıldım da biraz erken ayrıldım," dedim. "Hani şu senin Malek Amca dediğin adam var ya, onunla takıldık Terasta... Söylesene, ne iş yapar o?"

"Söyledim ya sana, Büyük Saray'da danışman."

"Seninle yakınlığı nereden? Niye amca diyorsun ona?"

"Ben Saray Akademisi'ndeyken kendi gelip bulmuştu beni, bir derdim sıkıntım olursa, ona haber vermemi söylemişti. Hiçbir derdim olmadı gerçi, ama o hâlâ ara sıra arar, sorar. Çok iyi biridir. Sanırım Gizli Servis'te de kollamış beni. Gel, içeri girelim anne, kapı önünde konuşmayalım."

Regan, eliyle dokundu kapının üzerindeki göze.

"Yarına bir rapor hazırlamam lazım," dedim, "anneme bir şey vermek için uğramıştım da atkımı unutmuşum içerde. Getirsene onu bana." Çekiştirdim kolunu, "Regan, dur! Anneme burada olduğumu sakın söyleme, şimdi beni lafa tutar."

Sakince, kapının yanındaki askılıktan sarkan atkımı çekip uzattı bana oğlum.

Bir şey söylemesine fırsat vermeden, dar attım kendimi asansöre.

Evime varır varmaz, internete girip Malek'i araştırdım. Önceleri kendi dalında tanınmış bir hukukçuyken, Saray çevresinde göze girmesiyle danışmanlığa atanmıştı. Asıl yükselişi, babamın ölümünün hemen sonrasına rast geliyordu. İktidara en iyi yalakalık yapanlar, en iyi mevkilere atanır der dururdu, annem. İşte Malek de onlardan biri olmalıydı. Tüm siteler girdim çıktım, Malek Tulup hakkında sürüyle bilgiye eriştim ama hiçbiri bana annemin ona telefonda söylediği o sözlere dair bir ipucu vermiyordu.

Sabah, yatağımdan kendimi sürükleyerek çıktım, isteksizce giyindim. Yanıt bulamadığım soruları düşünmemek için, gün boyu kendimi iyice işime odaklamaya niyetliydim, ama dayanamadım, kahvaltımı eder etmez Sorgen'i aradım. "Bugün randevumuz yok, ama size ihtiyacım var, gelebilir miyim?" diye sordum.

"Bütün saatlerim dolu. Yarın ilk randevumu değiştirebilirim. Gelmek ister misiniz? Ya da bir gün daha sabredip her zamanki gününüzde ve saatinizde gelin."

"Yarın olsun. Lütfen."

"Tamam," dedi Sorgen, "o halde yarın sabah sekiz buçukta bekliyorum."

Yarın sabah, erkenden doktoruma kafamdaki tüm kuşkuları aktaracaktım. Beni, bebekliğime filan değil, babamın ölümünden hemen önceki yıllara götürmesini isteyecektim ondan. Hayatımın çözülmesi gereken sırrı, eminim o günlerde gizliydi.

Bilekliğime bakıp, gün boyunca yapmam gereken işlerin listesine son bir göz attım, çantamı hazırladım ve evimden çıkıp arabama yürüdüm. Oturdum yerime, tam direksiyona istikamet vermek üzereydim ki, kalakaldım! Ön penceremin camında yeşil renkle yazılmış, hiçbir şey ifade etmeyen iki kelime vardı. Bu anlamsız sözler, cama dışardan yazılmış oldukları için, bir de tersten okudum: *Kutkar yaşıyor*. Bir an için, bunu zihnimin bir oyunu zannettim. Ama yazı karşımdaki camın yüzeyinde, yemyeşil duruyordu. Bir daha okudum ve silecekleri en hızlı moda ayarladım! Etrafıma bakındım, aynalardan ve önümdeki göstergeden, arabanın arka taraflarını da kontrol ettim. Kimseler yoktu etrafta. Yazıyı benden başka kimsenin görmediğine emin olunca rahat bir nefes aldım. Arkama yaslanıp, okuduğumu kedime tekrarladım: Kutkar yaşıyor!

Kutkar yaşıyormuş! Harika!

Maden hayattaymış, o zaman birilerine ulaştırmak istediği formülü kendisi sunardı insanlığın hizmetine, annem de şifrenin çözümü için beni sıkıştırmaktan vazgeçerdi böylece. İyi de, kim yazmıştı bu cümleyi benim arabama?

Tamur, dün akşamki resepsiyondan hemen sonra, Kuzey Kıyı'ya uçacaktı. O değilse, kim yazdı? Aklıma Tamur'un evinde, yatağının üzerinde uzanırken yaptığımız bir sohbet anı geldi... yeşilin bizim rengimiz olması... Yazı, yeşil renkle yazılmış olduğuna göre... acaba?

Tabii ya, bu mesaj kesin Tamur'dandı. Ben resepsiyona taksiyle gitmiştim. Arabam evimin yakınındaki, bana ait park yerindeydi. Belli ki, uçağına binmeden yazmıştı mesajını, arabamın camına. Herhalde konuşabilsek, bana söyleyecekti ama konuşmasına fırsat tanımamıştım ki! Bir an için onu çok yakınımdaymış gibi hissettim, içim ısındı. Şimdi Tamur'la geçirdiğim o iki güzel günü düşüneceğime annemi bulup, Kutkar'ın hayatta olduğunu söylemeliydim.

Annemi aradım. Yanıtlamadı. Resim yapmaya mı dalmıştı, yine organik sebze peşindeydi de pazarının gürültüsünde duymuyor muydu arandığını?.. Ama duymasa da, titreşimi hissetmesi lazım. Pes edene kadar tekrar tekrar aradım. Aradığını görünce, geri dönerdi her halde kızına.

Akşama kadar beni geri aramayınca hem gücendim hem de, elimde olmadan endişelendim, hiç böyle yapmazdı çünkü. Sonunda bir mesaj attım ona: *Benim tatile giden arkadaşım döndü, artık onun işini yüklenmeme gerek kalmadı*, diye. Ya şıp diye anlardı ya da ne demek istediğimi anlamak için arardı beni.

Nitekim annem gece tam yatağıma girmek üzereyken aradı.

"Niye çağrılarıma cevap vermedin bütün gün anne?" diye sitem ettim, "sana önemli bir haberim vardı." Dinlenme ihtimaline karşı, ihtiyatı elden bırakmıyorduk ikimiz de.

"Ben biliyordum zaten, Yuna. Gözün aydın!" dedi.

Biliyormuş! Yok, yaranmak mümkün değildi, bu her şeyi bilen kadına. Bütün gün onu bulmak için harcadığım çabaya yanarak, kapattım telefonu.

Ertesi gün, sabah erkenden kalktım, kahvaltımı ettim, giyindim, doktoruma söyleyeceklerimi bir kere daha aklımdan geçirdim. Sorgen, sihirli anahtarıyla zihnimin kapılarını açacaktı, bu sabah. Doktorumun sert sedirinde, hiç kendimi ona teslime bu kadar teşne olmamıştım. Gerçeğimle yüzleşmeye nihayet hazırdım. Akşamüstü, bilmediğim çok şeyi biliyor olabilirdim. Bileğimde telefonumun titreşimini duyumsayınca, baktım: Sorgen'in ofisinden aranıyordum. Bilekliğime dokundum, oturma odamın büyük ekranına Sorgen'in asistanının mahcup yüzü yansıdı.

"Özür diliyorum Profesör Otis, bu sabahki randevunuzu iptal etmek zorunda kaldık. Doktor Sorgen sizi yarın görecek, her zamanki saatinizde!"

"Olmaz ama! Bugün görüşmemiz şart! Evden çıkmak üzereydim, böyle son dakika haber verilmez ki, ayıp denen bir şey var!"

"Bakın efendim, sabaha karşı acil bir durum oldu, sanal dünyada bir grup genç, birbirleriyle iletişim kurup toplu intihar kararı almış. Ruh sağlığı ile ilgilenen uzmanlar, evlerinden alınıp, bu konuda gençlere yardımcı olmak üzere Ruhsal Kriz Yönetme Kurumu'na götürüldüler. Olay henüz çözülmüş değil ne kadar süreceği de bilinmiyor."

Sudan çıkmış balık gibi kalakaldım. Bencilce sordum:

"Ya yarına da sarkarsa?"

"Ben sizi haberdar edeceğim," dedi kadın.

Ergenlik bunalımı yaşayan gençlerin sık başvurdukları bir eylemdi sanal dünyada toplu intiharlar. Güneş görmeyen ülkelerde seratonin eksikliğinden dolayı aşırı karamsarlık, alışılmış bir şeydi aslında, ama bazen de dikkat çekmek, seslerini duyurmak için başvuruyorlardı gençler, intihar girişimine. Öyle de olsa, yine ciddiye alınıyorlar, ruh doktorları, psikiyatrlar devreye giriyor, ikna seansları düzenleniyordu. Yapabileceğim hiçbir şey yoktu, Sorgen'in Ruhsal Kriz Yönetme Kurumu'ndaki işinin bitmesini bekleyecektim, çaresiz.

Üzerime giydiklerimi teker teker çıkardım, yatağıma uzandım ve kapattım gözlerimi. Uyumaya hiç alışık olmadığım bir saatte, uyuyakalmışım.

Uyandığımda, öğlen olmuştu. Araştırma Kurumu'ndaki arkadaşlarım, sabah saatlerini terapide geçireceğimi biliyorlardı nasıl olsa.

Şimdi bana düşen, yarınki randevuma kadar, kendime bir meşgale bulup günümü geçirmeye bakmaktı.

Doğumumdan başlayarak, bir gün önce katıldığım kutlama resepsiyonu dahil son iki güne kadar, tabletime yüklü tüm resimlerimi taramaya karar verdim ben de.

Mevcut tüm fotoğraflarıma tek tek bakarak, Malek'i arayacaktım, geçmişimde...

Akşam saat yediye geldiğinde, resimlerimi baştan sona iki kez taramıştım. Öğrenebildiğim şuydu: Eğer bu adam babacığımın çok yakın bir arkadaşı idiyse, evimize sık girip çıktıysa, çocukluğumda beni kızı yerine koyduysa, en azından ona ait bir görsel belge olması gerekirdi. Ama yoktu işte, yoktu...

Demek ki bir gizli el, ona ait ne görüntü varsa silmişti tabletimden.

Yarın, öğrenecektim her şeyi. O akşam, erkenden yattım ve sabahı zor ettim.

SORGEN'İN ODASINDA

Ertesi gün, tam saatinde kapısındaydım Sorgen'in.

"Bugün kendimle yüzleşmeye her zamankinden çok daha fazla hazırım," dedim.

"Bunu duyduğuma çok memnun oldum."

"Birlikte çıkacağımız bu yolculukta, özel bir şey isteyebilir miyim acaba?"

"Nasıl bir şey?"

"Malek denen adamın hayatımda nasıl bir yeri var, bilmek istiyorum?.."

Çalkantısız ve ılık bir denizde, kollarımı yanlara açmış, sırt üstü yatıyordum. Rahattım, tüm kaslarımı gevşetmiş, ağırlığımı tamamen suya bırakmıştım. Vücut ağırlığımın beni götürdüğü yöne usulca sürüklenirken, soruyordu doktorum:

"On dört yaşına basıyorsun! Doğum günü pastanı üflerken kimler var etrafında?"

"Annem, babam var... Birkaç sınıf arkadaşım var."

"Başka?"

"Kuzinim Koza, küçük kardeşi Mures, halam..."

"Başka?"

"Halamın kızı Edda... bir de Malek Amca var."

"Malek Amca nasıl biri?"

"İyi biri. Bana hep çikolata getirir bizi ziyarete geldiğinde."

"Akrabanız mı?"

"Babamın çok eski bir arkadaşı."

Denizin sakin sularında hafif bir çırpıntı başlıyor... Ben anlatıyorum, anlatıyorum.

Sorgen beni daha sonraki yıllara götürüyor... On beş yaşım... tasasız güzel günler... On altı yaşım... Liseyi bitiriyorum...

Malek Amca?

O hep yakınımızda... Üniversiteye başlıyorum... Bir sevgilim var artık... Üniversiteyi bırakıp evleniyorum... Kollarımda bebeğimi tutuyorum şimdi... Denizde kocaman dalgalar belirmeye başlıyor... Karnım ağrıyor... Sorgen, ilaç ver bana... çok karnım ağrıyor... çok, ama çok... cankurtaranın o tüyler ürpertici sesi var kulaklarımda şimdi... hastaneye mi kaldırılıyorum?

"Malek Amca orada mı?"

"Değil. Doktorlar var, sadece."

Sonrası beyaz, bembeyaz bir bulut... Sorgen'i duymuyorum. Sesi gitmiş. Yapayalnız yürüyorum beyaz bulutun içinde. Sırsıklam olmuşum, nedense... Yağmur yağıyor, hep yağmur yağıyor üzerime. Yağmur yağıyor...

"Üniversiteye döndün Yuna! Tekrar üniversitedesin. Bıraktığın yerden başladın. Kimler var sınıfında?"

Anlatıyorum.

"Hangi dersleri alıyorsun?"

Anlatıyorum.

"Başka?"

"Bir de Endüstri Hukuku diye bir ders var, Malek Amca ısrar etmiş almam için. Bir gün çok işine yarar, demiş. Ben sana yardımcı olacağım, mutlaka gir bu derse, demiş."

"Girdin mi?"

"Girdim. Malek Amca veriyordu zaten dersi."

"Sonra?"

"Sonrası yok! Yok! YOK!.."

"Var Yuna. Hatırlamaya çalış. O dersi aldın sen, hocan Malek Amca'ndı, iyi bir hoca mıydı?"

"Bana hep bol not verdi. Hep iyi not verdi... çalışmadığım zamanlarda bile...

"Evet, anlat, sonra... daha sonra...

Anlatıyorum ona.

"Sonra?"

Anlatıyorum...

"Sonra?"

"Başka bir gün... Başka bir dersin hocası gelmediği için, erken çıkıyorum fakülteden. Eve gitmeden önce annemin atölyesine uğramaya karar veriyorum. Annem, Toptancılar Çarşısı'nda bir karpuzcu dükkânını kiralayıp, bembeyaza boyadı dört duvarını. Babam, anneme, bundan böyle hep meyve ve sebze resimleri yaparsın artık, diye takıldı. Ben de dedim ki, kimse anlamaz ki annemin çizdiklerinin meyve ve sebze olduğunu. Karpuzu bulut, kavunu ağaç sanabilirler. Annem hiç aldırmaz onunla böyle dalga geçmemize. Siz ne anlarsınız resimden dedi, güldü geçti. Atölyesinin bir duvarı boydan boya raflarla kaplı. Resim ve resim tarihiyle ilgili ne kadar kitap varsa dünya yüzünde, o raflarda bulurdunuz. Asma tavanın yarısı da ayna kaplı, odayı daha aydınlık ve ferah kılmak için. Haftanın birkaç günü atölyesinde resim yapar. Kapısı ise her zaman her gelene açıktır."

"Sen o günü anlat bana."

"İşte ben, o gün ders iptal edilince, annemin atölyesine gidiyorum, ama bu defa, nedense kapı kapalı. Tokmağı eviriyorum, çeviriyorum bir türlü açılmıyor. Arabası oysa, az ilerdeki park yerinde duruyor. Annem içerde mahsur kalmış olmalı. Bir keresinde ben de atölyede mahsur kalmıştım, annem yoktu, ben yalnızdım, ağır demir kapıyı yanlışlıkla kapatmış, bir türlü açamamıştım. Bağırmıştım, kapıya vurmuştum. Yan dükkânın tavan arasından üst kattaki galeriye geçerek gelip kurtarmışlardı beni. Ben de şimdi annemi kurtaracağım. Yandaki iki dükkân yeniden kiralanmak üzere boşaltılmış. Ben, iki kapı ötedeki manava gidip, tavan arasına çıkmak için izin istiyorum. 'Buyur çık,' diyor manav, 'ama dikkatli ol, kalasların, demirlerin arasında ayağın kaymasın sakın.' Tavan arası depo gibi bir yer, malzeme fazlalıklarını oraya atıyor olmalılar, yerler rastgele bırakılmış demir çubuklarla, boşalmış meyve ve sebze kasalarıyla, ne işe yaradığını bilemediğim tahtalarla dolu... Başımı hafifçe eğerek ve bastığım yere dikkat ederek, annemin atölyesinin bulunduğu yöne yürüyorum... Annem her zamanki gibi avaz avaz aryalar çalıyor ama birileri öyle yüksek sesle kavga ediyor ki aşağıda, müzik seslerini bastıramıyor, bağrışmaları duyuyorum. A ah, annemin sesi bu! Bağıran, annem! Annem çığlık çığlığa, hatta!"

"Yapma! Yapma, dedim sana! Çekil... kalk üstümden hayvan herif..."

Ben koşmaya kalkışınca, ayağım yerdeki kalasa takılıyor; düşüyorum. Dizim acıyor ama kalkıyorum hemen... düşe kalka... hep annemin sesi... asma merdiveni arıyorum... bir başka ses daha, bir erkek!

"Rahat dur Samira... tekmeleme... bak canını acıtacağım ama... bir kerecik, söz veriyorum tek bir kerecik... çünkü başka türlü seni aklımdan çıkarmama imkan yok!.."

Yukarıdan bir yerden annemin atölyesine bakıyorum, tepeden yüzünü göremediğim bir adam, annemin kollarını yanlara açıp, onu kitapların durduğu kütüphaneye yüzükoyun dayamış, elleriyle çivilemiş sanki kadını... Bir bacağını büküp, alçak raflardan birine koymuş, pantolonu dizlerine düşmüş, arkadan çullanıyor anneme. "Bırak beni hayvan," diye bağırıyor annem, çırpınıp kurtulmaya çalışıyor, ama fena kıstırılmış, adamın çemberinden kurtulamıyor, "Çıldırdın mı sen? Çıldırdın mı sen?"

"Çıldırdım. Evet, çıldırdım. Bir kerecik. Ne olur bir kerecik."

Ben etrafta o asma merdiveni arıyorum gözlerimle, atölyeye inmek için. Neredeydi... Neredeydi...

"Yapmaaaaa!" Annemin çığlığı yine.

"Kimse duymaz. Yan dükkânlar boş. Debelenme, bırak kendini bana."

Ayağımın hemen yanında ucu sivri bir uzun demir var, onu yerden alıyorum... demir elimde, ben de yukardan bağırıyorum, "Yapmaaaaa! Bırak annemi!"

Annem yukarı bakıyor... Gördü beni...

"YUNA!"

Demiri fırlatıyorum adamı isabet alarak... Adam da bakıyor yukarıya, yüzünü görüyorum. Olamaz! Malek Amca bu! Hepsi, her şey bir anda oluyor, demir saplanıyor Malek'e... Kan, kan, kan, kan... Ambulans sirenleri... kalan gücümle avaz avaz bağırıyorum... bağırıyorum... bağırıyorum...bağırıyorum...bağırıyorum bağırıyorum... bağırıyorum...bağırı... bağı..bağ...ba.."

"Bağırmayın...Tamam, sakin... sakin... Durun, tekmelemeyin, benim, ben! Sorgen!.. Ayy, canımı yaktınız ama! Yuna... Yuna... Profesör Otis... Beni duyuyor musunuz?"

Uzun, derin, karanlık bir sessizlik sonra... çıt yok...

Hayır var, nefes alış verişleri birinin...

"Yuna... lütfen... Uyanın... uyan ama! Uyan! UYAN! YUNA, EMREDİYORUM, UYAN!"

Sorgen, kayıt makinesinin düğmesine bastı.

"İşte böyle, aynen dinlediğiniz gibi... Önce çok çırpındınız, tekmelediniz, debelendiniz, sonra derin bir uykuya daldınız ve çok zor uyandınız," dedi.

"Sizi tekmelediğimi için çok özür dilerim. Hiç farkında değildim. Niye böyle yaptım, Sorgen?"

"Hafızanın geçmişi bastırması sık rastlanan bir olgudur. Bazı doktorlar yarayı kaşımak istemez. Ama ben, ne pahasına olursa olsun, gerçekle yüzleşmenin, sorunları daha iyi çözdüğüne inanan ekoldenim. Şimdi biliyoruz işte, Malek'in hayatınızdaki yerini. Sizin suçunuz ise, hiç yok. Gerçeğinizle yüzleştiğinizde, uykularınız da huzurunuz da size geri dönecek, inanın bana. Travmanın bilinçaltına itilmesi, başka sorunlara neden olur hep. Sizde de olan bu!"

"Su içmek istiyorum," dedim. Masasının üzerindeki su dolu bardağı uzattı bana. İçtim. Doğrulmaya çalıştım.

"Kalkmayın hemen. Dinlenin. İstediğiniz kadar uzun kalabilirsiniz burada. İyice kendinize gelin. Başka randevum yok, nasılsa."

"Madem vaktiniz var, konuşabilir miyiz?"

"Elbette."

"Ben niye hatırlamıyordum bu olayı."

"Dediğim gibi, böyle travmaları insan beyni geriye atabilir ama sanırım size bu olayı unutturmak için bir de müdahale yapılmış."

"Mümkün mü bu? Bazı şeyleri tamamen unutabilmek, yani?"

"Her şey mümkün. Beynin haritası artık elimizde. İstediğimiz müdahaleyi yapabiliyoruz."

"Acaba hangisinin fikriydi bu? Annemin mi yoksa babamın mı?"

"Bu kesinlikle bir doktorun fikri olmalı. Besbelli sizin iyiliğiniz için yapılmış."

Bir süre, karşımdaki duvara bakarak, hiç kıpırdamadan yattım sedirde. Öylesine yorgundum ki, parmağımı kımıldatacak halim yoktu. Tükenmiştim. Buna rağmen, şu anda Malek karşıma çıksa, kendimde onu parçalayacak gücü bulabileceğimi hissediyordum.

"Anneme tecavüz eden bu iğrenç adama ben ne yapayım, şimdi?" dedim.

"Zaten yapmışsınız yapacağınız. Artık hiçbir şey yapmayın ona. Onu Yüce Ram'a havale edin. Yoksa daha çok üzersiniz kendinizi."

215

Doğrulup oturdum sedirde, ayağa kalkmaya çalışınca yine başım döndü. Gerisin geriye sedire düştüm.

"Oğlunuzu ya da annenizi arayacağım," dedi Sorgen, "ikisinden biri gelip sizi alsın. Tek başınıza yürümeyin yollarda. Çok yorgunsunuz. Tansiyonunuz da düşük."

Ben telaşla, "Oğlumu aramayın," dedim, "birinin gelmesi şartsa, annem gelsin."

"Hemen arıyorum. O gelene kadar kapatın gözlerinizi, biraz daha dinlenin."

"Anneme bu kaydı dinletmeyin sakın. Yeniden yaşatmayalım ona o günü."

"Elbette dinletmeyeceğim. Her şey sadece ikimizin arasında kalacak."

"Annem bu olayı hep sakladı benden. Neden acaba?"

"Eskiden travmalarla yüzleşmek değil, onları unutmak revaçtaydı. Doktorlar öyle tavsiye etmişlerdir, anneniz ne yapsın? Anneler çocukları için, olabileceğin en iyisini isterler. Sakın kızmayın ona."

"Yok," dedim, "kızmıyorum zaten."

Gözlerim yavaş yavaş kapanıyordu. Beyaz bir bulutun içine giriyordum, yine... ıslanıyordum, üşüyordum. Yağmur mu yağıyordu üstüme, yoksa gözyaşları mıydı yüzümü ıslatan, bilmiyorum... bilmiyorum...

Gözlerimi araladım, annem uzandığım sedirde, başımı dizlerine koymuş, oturuyordu. Saçlarımı okşuyordu usul usul.

"Anne! Ne zaman geldin sen?" dedim.

"Doktorun çağırdı."

"O nerede?"

"Gitti. Sen çok derin uyuyordun. Seni uyandırmak istemedi. Asistanı içerde, bizi bekliyor. Sen iyice kendine gelince, biz de gideceğiz."

"Anne... Ben... Malek... Bana sen hiç..."

"Yuna, yorgunsun. Konuşma bunları şimdi. Sonra, hepsini, her şeyi konuşuruz."

"Yok, şimdi konuşalım anne. Konuşulacak hiçbir şey bırakmayalım sonraya. Ve bir daha da açmayalım bu konuyu."

"Tamam kızım, Sorgen anlattı bana her şeyi... sor, ne öğrenmek istiyorsan?"

"Senden tek bir şey rica ediyorum. Bana söz ver."

"Ne sözü?"

"Her şeyi olduğu gibi anlatacaksın. Ben üzülmeyeyim diye, hiçbir şeyi saklamak yok. Değiştirerek anlatmak yok. Söz mü?"

"Elbette."

"Söz verdim, de... Haydi ama anne, söz ver."

"Söz!"

"Sonradan benden bir şeyler sakladığını öğrenirsem, hiç affetmem seni. Çok kırılırım, bak. Bir daha da hiç inanmam sana."

"Peki, anladım kızım."

"Malek'i ben yaraladım, değil mi?"

"Şey... o bir kazaydı... sen... ayağın takılıp..."

"Anne, doğruyu söylemeye söz verdin!"

"Evet, sen yaraladın. Kafasını kırdın herifin. Ameliyat oldu, alnından kırık kemikleri ayıkladılar. Bir süre acilde kaldı hatta."

"Beni tutukladılar mı?"

"Ne münasebet!"

"Nasıl yırttım ben?"

"Senin yukardan attığın demir Malek'in kafasına isabet edince," dedi annem, gözünün önündeki görüntüyü kovmak ister gibi bir hareket yaparak, "onu öldü sandım ben. Yüce Ram acımış bize, kızım, ölmedi cenabet. Ben önce Malek'in pantolonunu beline çektim, kemerini bağladım, sonra hemen ambulans çağırdım. Sen de asma merdiveni inip yanımıza gelmiştin, o sırada. Oluk oluk kanı görünce bayıldın. Ambulans çabuk geldi, ben Malek'in kilitlediği kapıyı açtım, ambulansı gören civardaki esnaf içeriye doluştu. Kıyamet günü gibiydi benim atölye. Her kafadan bir ses çıkıyordu. Benim üstüme başıma da kan sıçramış, ellerime bulaşmıştı. Önce üçümüzü de ambulansla doğru ilk yardıma götürdüler Polis soruşturmayı, hastanede yaptı. Sen uyutuluyordun, Malek ameliyattaydı. İfadeyi ben verdim. Malek'in kafasına yukardan bir demir çubuğun düştüğünü söyledim. Senin ayağına takılan demiri kim bırakmışsa oraya, hesap soracaktım. Bu nasıl bir ihmaldi..."

"Yuttular mı bunu?"

"Yutmak zorunda kaldılar. Benden başka tanık yoktu."

"Ya ipuçları?"

"Haklısın, pek çok açıklanamayan soru vardı. Senin yukarda ne işin vardı mesela? Dedim ki, kapıyı açamamış, içerde mahsur kaldığımı sanmış. Meğer benim attığım yalan doğruymuş kızım, tam da öyle yapmışsın sen, ilerdeki dükkânın sahibi doğruladı bunu. Neden duymamıştım senin kapıyı vurduğunu? Çünkü içerde yüksek sesle müzik çalıyordu ki, o da doğruydu. Esnaf şahit oldu, benim çok sık yüksek volümde müzik çaldığıma. Ben yukardaki galerinin derbederliğinden şikâyetçi olmayayım diye mi nedir, söylediklerimin çoğunu onayladılar hep. Zaten kimse senin demiri fırlattığını görmedi ki... Malek'ten başka."

"Malek nasıl kabullendi bunu? Hafızasını mı kaybetmişti?"

"Hiçbir şeyini kaybetmedi o. Acilde kaldı bir iki gün. Acilden çıkınca başında bekledim. İfade verecek hale geldiğinde, ben oradaydım. Ona dedim ki, 'Yukardan senin kafana demir düştü.' Kafası sargılar içindeydi, bitkindi, ama yine de eliyle çirkin bir işaret yaptı bana... ben anladım. Yanımda bir hard disk getirmiştim. Ona dedim ki, 'Şu elimdekini görüyor musun, hepsi kaydedilmiş senin bana yaptıklarının.' 'Yok canım,' dedi alay edercesine. 'Atölyemde gizli kamera vardı,' dedim, 'bir keresinde bir kabzımal, atölyemi ona kiralanmak üzere boşaltmam için, beni tehdit etmişti de, o zaman taktırmıştık,' dedim. 'Burada kayıtlı işte, inanmıyorsan şuraya bırakayım, seyret, bakarsın yüzün kızarır,' dedim. 'Konuşursan, kopyasını Saray Savcısı'na yollayacağım bugün, dedim.' Hard diski, başucu masasına bıraktım."

"Doğru muydu bu?"

"Değildi. Blöf yapıyordum. Ama Malek yuttu bunu. Yatağında doğrulmak ister gibi bir hareket yaptı... Vücut dilini iyi okurum ben, büsbütün bastırdım, 'Görevden uzaklaştırılırsın, itibarın sıfırlanır, meslek hayatın biter, çalıştığın komisyondan kovulursun, rezil olursun rezil, bu kaydı imha etmem için bir şartım var,' dedim, 'Yuna'yı bu işe karıştırmayacaksın.'"

Annem uzun bir süre sustu. Yeniden konuşmaya başladığında çok yorgundu sesi.

"Bir muhasebe yapmış olmalı. Seni ele vermekle kazanacağı hiçbir şey yoktu ama bana saldırmasının duyulmasıyla kaybedeceği çok şey vardı. 'Kocanı benden uzak tut,' dedi. 'O işi bizzat sen yapacaksın, Merkez dışına tayininin çıkmasını sağla,' dedim ona, 'sakın ola ki kocamla karşılaşma, yoksa kimse seni elinden kurtaramaz!'"

Aklımda sormak istediğim binlerce soru vardı ama sadece, "Sonra?" diyebildim.

"Sonra, 'Al diskini defol,' dedi bana. O ay içinde, Doğu Kantonu'nda önemli bir üniversiteye, uzmanı olduğu İş Hukuku Kürsüsü'nü açmak üzere, gitti. Sen de yoğun bir psikolojik tedaviden sonra, sınıfına döndün. O şeytanla hiç karşılaşmadın... Öğrendin işte, Yuna, kapatalım mı artık bu konuyu?"

"Babam hiçbir şey öğrenmedi mi, anne? Tüm bu yalanlara inandı mı?"

"Babana olayı olduğu gibi anlatmıştım, o akşam. Gece, ben uyurken kalkmış, hastaneye hesap sormaya gitmiş. Malek ameliyat sonrasında acilde yattığı için sokmamışlar babanı yanına. Eve döndü ve sabah erkenden polise gideceğini söyledi. Her ikimizi de üzen, çok uzun bir konuşma yaptık babanla. Bu işi uzatırsan Yuna'nın başını belaya sokarsın, dedim. Malek'in onu senin yaraladığını söylememesi için, elimizdeki tek koz, susmaktı. Yoksa yakardık seni. Senin de bu olayı hepten unutman, hiç hatırlamaman için, ikimiz de elimizden geleni yaptık."

"Yani bana her şeyi babam ve sen mi unutturttunuz?"

"Biz değil sadece, psikiyatrlar da öyle istedi. Bu travmayı hayatından çıkarıp atmanı tercih ettiler... Öyle bakma bana, çok gençtin Yuna, bu olay senin hayatını karartmasın, çürütmesin istedik."

İçimden anneme hak vermek geliyordu, aslında böyle bir anıyla yaşamayı ben de istemeyebilirdim ama çabuk pes etmeyecektim.

"Bir yaralanma var, ölümle sonuçlanabilecek bir yaralanma. Dava açılmadı mı hiç?"

"Açılmadı. Oysa soruşturmada yanıtlanamayan sorular vardı. Malek orada ne arıyordu? Kapı neden kapalıydı? Bunların yanıtları çok tatmin edici değildi. Ama biliyorsun ki, soruşturmalar Saray erbabı ve yakınları hakkındaysa, sorgulananlar her türlü soruşturmadan, tereyağından kıl çeker gibi kolayca sıyrılırlar. Dosyaları kapatılır. Pisliklerinin üstü örtülür."

"Saray'a çok mu yakındı Malek?"

"Uluhan'ın başdanışmanlarından biriydi. Saray kendi adamlarına laf gelsin istemez. Mesela bakanlardan birinin oğlu bir trafik kazası yapmış, bir kadının ölümüne sebep olmuştu. Bir sabah medyada bir flaş haber... ertesi günü kapandı gitti olay. Ne şikâyet eden oldu ne bir şey. Susturdular aileyi, her ne yaptılarsa. İktidar böyle bir şeydir kızım, fazla güç insanı ahlakından da eder, aklından da. Haydi canım, toparlan artık."

Annemin konuyu kapatmasına izin vermedim,

"Bunca yıl hep o üniversitede mi kaldı, Malek? Hiç mi dönmedi Merkez'e?" diye sordum.

"Döndü ama kısa bir süre için. Doğu Üniversitesi'ndeyken üniversite içindeki bazı muhalif hocaları dinletmiş, fişletmiş, hatta başka kurumlarda çalışanlara da uzanmış eli. Böylece Uluhan'ın en muteber gözdeleri arasına girmiş. Daha sonra da Tanisvanya'ya kontenjandan elçi atandı, çekti gitti."

"Ve babam hiçbirini bilmedi bunların... tuhaf!.."

"Baban, onun yaptığından utandığı için Merkez'den kendi arzusuyla uzaklaştığını zannetti hep. Bak Yuna, babanla Malek, öğrencilik yıllarından arkadaştılar. Bende gözü vardı Malek'in. Ben, babanı seçtim. Baban, Malek'in, onu bu yüzden kıskandığını bilir, fakat hiç oralı olmazdı. Sonraki yıllarda siyasi tutumlarından dolayı, araları açıldı biraz, baban ona, aşırı iktidar yanlısı olduğu için kızardı, ama çok eski arkadaş olduklarından, ilişkimizi tamamen kesmemiştik. O olaydan sonra, baban yaşadığı sürece, hiçbir yerde karşılaşmadık onunla."

İkimiz de sessiz kaldık kısa bir süre. Sonra annem dedi ki: "İşte böyle, ırz düşmanı Malek cehennem olup gitti. Uzaklaştı bizim yaşadığımız ortamdan."

"Anne, bunu sana yapan adamdan, sen nasıl yardım isteyebildin?"

"Sadece sizin için..."

"Yani Regan ve ben, hep onun sayesinde mi geldik bulunduğumuz yerlere?"

"Halt etmişsin! Otis'in çocuklarıydınız, Ramanis Cumhuriyeti'nde ender bulunur zekâlardandınız. Bak Yuna, her rejimde yandaş kayırmacılığıyla hakkı olanın hakkı yenir. Malek'in yaptığı, ara sıra sizin hakkınızı kollamaktı, hepsi bu! Haydi, toparlan da gidelim artık."

"Başka öğrenmek istediklerim de var, anne."

"Evde konuşuruz bundan sonrasını."

"Önce sorularımı yanıtla. Sen nereden biliyorsun, Malek'in insanları fişlediğini, gammazladığını? Bunlar çok gizli şeyler olmalı."

"Yuna... öğrendim işte... bir yolunu buldum, öğrendim."

"Nasıl ama? Bilmek istiyorum, anne."

"Kızım, sana daha önce de söyledim, kabul et artık, ben de bir muhalifim, anladın mı?.. Babanın ölümünden sonra... bir örgüt vardı, muhaliflerin aralarında yardımlaşma ve dayanışma için kurdukları, ben de katıldım aralarına."

"Biliyorum, biliyorum ama hâlâ inanamıyorum, benim için kabul etmesi kolay mı sanıyorsun?.. Ayrıca Regan için ne kadar tehlikeli, düşünsene."

"Ben yaşı geçmiş, bunak bir ihtiyarım, Yuna. Kimse beni ciddiye almaz."

"Ah, şimdi anlıyorum neden yaşının düzeltilmesini istemediğini. Hatta belki de sen yanlış beyanda bulundun."

"Saçmalama! O çok daha önceydi. Ama iyi olmuş işte, işime yaradı."

"Şanslı kadınsın. Baksana, nasıl oluyorsa bütün aksilikler senin işine yarıyor, sonuçta. Malek'i bile avucuna almışsın."

"Sana da yaranmak mümkün değil, beni hep horlarsın! Ona boyun mu eğeydim? O pis herifin vicdanının sesini bastırmak için yaptığı birkaç küçük jesti büyütme, lütfen. Sen ve ben, yapayalnız iki kadındık. Kadınların ezildiği toplumda, suyun üzerinde kalabilmemiz için çabalamam suç muydu, kızım?"

"Ben nasıl bir dünyada yaşıyormuşum! Annem Malek'ten yardım isteyebiliyor... Onun gibi bir ırz düşmanı, hükümetin gözüne giriyor, güçleniyor, yükseliyor! Nasıl mümkün olabiliyor bu, acaba?"

"Devletin pis işlerini yaparak."

"Devletin pis işleri ne demek?"

"Her devletin pis işleri vardır. Suçları, cinayetleri, yasa dışı işleri, sırları... Malek, işte o sırları bildikçe, o suçlara bulaştıkça, dokunulmazlık zırhı kalınlaştı, eli güçlendi."

"O güçlü Malek, kendini tehdit eden kadının ailesine sürekli küçük kıyaklar yapmış! Hiç mantıklı değil."

"Vicdan azabı çekmiş olmalı."

"Niye vicdan azabı çeksin ki? Kafası kırılarak ödemiş işte! Sen yine benden bir şey saklıyorsun, anne!"

"Ah Yuna, yeter artık, kızım! Her şeyi anlattım işte sana."

"Ama ben bir türlü tatmin olamıyorum, nedense. Bir boşluk kalıyor, bir yerde."

"Kızım, bu bir fizik denklemi değil. Hayat bu, hayat! Bir kötü hadise, olmuş bitmiş, üstünden yıllar geçmiş. Seni sarsacağı, üzeceği için, hiç öğrenmeyesin istemiştik. Öğrendin. Kapat artık bu konuyu."

"Tecavüz olayını ve az daha katil olacağımı unutturmuşsunuz bana, ama yine de, hafızamda yarım saatlik travmadan daha büyük bir boşluk var sanki, anne. Neden?"

"Bilemem, Yuna. Doktor değilim ki, ressamım neticede. Ressam bile değilim artık... biliyorsun resim tekniğime..."

"Konuyu geçiştirme. O boşluğu ancak seninle kapatabilirim. Bir tek sen anlatabilirsin bana, Malek'den sonra neler olduğunu."

"Derdin ne senin Yuna? Malek'i tehdit etmeme kadar her şeyi anlattım sana!"

"Babamı niye hatırlamıyorum? Acaba Malek'e sorsam söyler mi?"

"Sakın, sakın ola Malek'e bulaşma!"

"O zaman sen anlat!"

KİN ZEHİRLER İNSANI

"Bak, öğreneceğin gerçekle başa çıkamazsan," dedi annem, uzun bir sessizlikten sonra, bitkin mi bitkin, "sakın beni suçlama sonra."

"Anlat, anne!"

"Madem illa bilmek istiyorsun, öğren bakalım! Malek, kırılan kafasının ve Merkez'den uzaklaşmasının intikamın almak için, babana bir iftira attı, Yuna."

"Ne iftirası?"

"O sıralarda memlekette bir siyasi akım türemişti. Başındaki adamın hayranları, çömezleri, peşine takılanları vardı. İçten bir darbeyle, rejime hâkim olmayı planlamışlar."

"Ramos Hareketi'nden mi söz ediyorsun?"

"Evet. Sen biliyor muydun?"

"Elbette. Bir ara çok güçlüymüşler ama liderleri öldüğünden beri, sesleri solukları çıkmıyormuş. Dağıldılar herhalde."

"Ay bilmiyorum, beni hiç alakadar etmiyor kim oldukları ve ne yaptıkları. Ama, zamanında canım çok yanmıştı, bu Ramosçular yüzünden."

"Malek'le ve babamla ne ilgisi vardı bu hareketin?"

"Malek, sahte belge hazırlatarak, babanı onlardan biriymiş gibi fişletmişti."

"Vay ahlaksız!"

"Babanı önce gözaltına aldılar, sonra soruşturma başlattılar."

"Temize çıkmıştır, eminim."

"Elbette, ama ancak ölümünden sonra... Ne işi olabilirdi ki onun gibi değerli bir bilim adamının, kirli siyasi işlerle. Canı çok sıkılmış, onuru kırılmıştı. Üniversiteye küstü, soruşturmalarda ifade vermeyi ret etti." Annem yutkundu, gözleri yaşlanmıştı. "Kocamın hassas kalbi dayanamadı, bu çirkin iftira yüzünden maruz kaldığı muameleye."

"Şimdi anlıyorum, Malek'in bize arka çıkmasının nedeni buydu; babamın ölümüne, dolaylı da olsa sebep oldu diye, vicdanına yenik düştü..."

"Ama benim vicdanımın sesi yıllarca susmak bilmedi. Malek'in Merkez'den gitmesini istemekle hata mı yaptım diye düşündüm, Yuna. Bana çok kızgın olmasa, belki de babana bu iftirayı atmazdı. Nerden bilsin babanın benim tehditlerimden haberi olmadığını, kayıt yalanının sadece benim başımın altından çıktığını?.. Kocamın ölümünden sorumlu tuttum kendimi. Çok acı çektim."

Annem soluklandı, gözünden süzülen bir damla yaşı elinin tersiyle sildi.

"Baban ölünce, Malek benden büsbütün korkmuş olmalı ki, bize böyle küçük iyilikler yaparak, beni sakin tutmaya çalıştı."

"Ah anne! Kuyruğunu bacaklarının arasına sıkıştırıp, nasıl ricada bulunabildin o rezile?"

"Ne ricası! Hiç alttan almadım, Yuna! Açtım telefonu, Malek'e bağlattım kendimi. 'Günahlarını asla hafifletmez ama bana, kızımın evinde torunuma bakma izni temin edeceksin,' dedim. 'Elimden ne gelir ki,' dedi. 'Olmayan şeyleri var etmekte mahirsin madem, bir yolunu bulup yapacaksın. Bir hafta mühlet veriyorum sana,' dedim. 'Beni tehdit mi ediyorsun?' diye sordu. 'Bence, yapabileceklerimi düşünsen iyi edersin, Malek,' deyip, yüzüne kapattım telefonu. O akşamüstü, Aile Bakanlığı'ndan aradılar, 'Bir başvurunuz varmış,' diye. Kuyruğumu bacaklarımın arasına sıkıştırmadım yani, tam tersine dik tuttum."

"Başka?"

"Regan, Saray Akademisi'ne giriş sınavını kazanmıştı ama listede yerini koruyabilmesi için torpil şarttı. Regan'ın hakkı yenmesin diye, ben ona yine bir telefon etmiştim..."

"Bir de ev istemişsin ondan, değil mi?"

"Asla! Baban tutuklandığında, üniversite lojmanımızdan apar topar çıkartılmıştık. Vefatından sonra büsbütün dara düştüm. Bir dostum, bize iyi bir muhitte makul bir fiyata bir ev bulduydu. Bir tanıdığının eviymiş. Ben kiraladığım evin onun evi olduğunu yıllar sonra tesadüfen öğrendim. Ayrıca bedava oturmadık ya, kiramızı hiç aksatmadan ödedik. Nitekim, sen para kazanmaya başlar başlamaz, hemen bıraktık o evi. Hatırlasana, ben, başka bir eve geçmek için ne çok ısrar etmiştim."

"Regan'ın yükselmesinde onun hiç parmağı yok mu?"

"Regan'ın üstüne yemin ederim ki bu konuda benim ondan hiçbir talebim olmadı. Malek, Merkez'e geri dönünce, Gizli

Servis'e müsteşar olarak atanmış ya, Regan'ın onu tanıması, sadece bu yüzdendir!.. Bakma bana öyle dik dik! Baban yaşasaydı çok daha iyi bir hayatımız olacaktı. Mutluğumuzu çalan Malek'in bana sus payı olarak yaptığı birkaç küçük jesti büyütme. İkinizin geleceği, benim gururumdan daha önemliydi, kızım. Anneler seçimlerini hep çocuklarından yana yaparlar."

Anneme kızayım mı, yoksa fedakârlığını takdir mi edeyim, bilemiyordum. Bir süre konuşmadan, öylece birbirimize baktık. Sonra vahiy iner gibi bir soru düştü aklıma.

"Anne, babam sahiden kalp krizinden mi öldü?" dedim.

"Bilmiyormuş gibi soruyorsun." Gözlerini kaçırıyordu benden.

"Bilmiyorum. Ben o yılı, o günü hatırlamıyorum."

"Kaç kere sordun, kaç kere söyledim."

Annemin ellerini avuçlarıma aldım. Gözlerimi gözlerine diktim,

"Anne, babam nasıl öldü?"

Dudakları titredi, sol gözü seğiriyordu.

"Babam nasıl öldü?"

Fısıldayarak, söyledi sonunda:

"İntihar etti..."

Sonra, hıçkırarak ağlamaya başladı. Sımsıkı sarıldım anneme. Omuzları öyle sarsılıyordu ki, beni de sarsıyordu.

"Nasıl?" diye ben fısıldadım, bu kez.

"Asmış kendini. Tutuklanmayı, iftirayı onuruna yediremediği için... canım kocam..."

"BABA... BABA!"

Benim sesimdi, bu! Benim çığlığımdı! Şimdi ben de ağlıyordum. Babamın bana yıllardır dumanlar, tüller ardından görünen yüzü, pırıl pırıl karşımda duruyordu. Gözünden bir kan damlasına dönüşen bir yaş süzülüyordu. Ellerimle bu görüntüyü silmek istercesine bir hareket yaptım.

"İşte bunun için sakladım senden... Bak ne hale geldin," diyordu annem.

Ne kadar çırpındım, ağladım, bağırdım bilmiyorum. Annem anlayışla, sabırla bekledi beni, çünkü ne de olsa babasının ölümünü yeni öğrenmiş bir evlattım ben. Sustum sonra. Tek kelime edecek mecalim kalmamıştı. Nihayet konuştuğumda, ağlamaktan sesim kısılmıştı, ama annem beni duydu.

"Mahvedeceğim seni Malek" dedim, "Bir kere kaçmışsın elimden, ama inan bana, seni mahvetmeden ölmeyeceğim; ahtım olsun, mahvedeceğim seni!"

"İşte ben en çok bundan korkuyordum, Yuna," dedi annem, "kinle yaşamak çok zordur, kızım. Kin zehirler insanı."

ARİKE'NİN ZİYARETİ

Babamın intiharını öğrendiğimden beri, kendimde değildim. Annemin en büyük korkusu, katil olmayı teğet geçtiğim o tecavüz gününü hatırlamamdı ama beni asıl yıkan, babamı intihara sürükleyen iftira olmuştu.

Kadınların tecavüze uğraması, sevgilileri veya kocaları tarafından tartaklanmaları, dövülmeleri, öldürülmeleri o kadar olağanlaşmıştı ki ülkede, nerdeyse haber değerlerini kaybetmişti. Bu yüzden, annemin genç, güzel bir kadınken, bir kendini bilmezin iştahını kabartmış olması, böyle bir kültürde olmayacak şey değildi. Anneme tecavüze yeltenen adamın, babamın gençlik arkadaşlarından biri olması, beni çocukluğumdan beri tanıması, ailece ona olan güvenimiz... tüm bunlar da mide bulandırıcıydı elbette. Ama ben, babamın uğradığı iftira, maruz kaldığı muamele ve bu haksızlığın sonucu kendini asmış olmasından dolayı perişandım.

Malek'i yalnızca anneme saldırdığı için değil, babamın onurunu kırdığı ve ölümüne sebep olduğu için de mahvetmek, kahretmek, yerle yeksan etmek istiyordum. Ve biliyordum ki, bu mümkün değildi. Kapısına dayansam, bağırıp çağırsam, küfür ve hakaret etsem, hatta üzerine saldırıp yumruklasam, tekmelesem, yüzünü gözünü tırmalasam ne fark edecekti? Onu, çayına zehir katarak öldürsem ya da kaçırıp, bir mahzende zincirlere vurarak saklasam, her gün etinden bir parça koparsam, her gün gözlerine damla damla kezzap döksem, teker teker tırnaklarını söksem de... ah, keşke yapabilseydim hepsini, ama yapabilseydim de babam geri gelmeyecekti. Babam bana sarılamayacaktı. Regan'ın ilk adımlarını, ilk kez 'dede' deyişini, yumuk kollarını ona uzatışını görememişti. Ben öğretmiştim bebeğime, başucumdaki çerçevede duran yakışıklı adamın, dedesi olduğunu: "Bak, bu senin deden, Regan, haydi, söyle, 'dede' de. De-de! De- de! Evet, evet aynen böyle oğlum, dede!" Evimizden herhangi bir tatil için ayrılırken, "Haydi Regan, git dedene bir veda öpücüğü ver," derdim. Parmaklarının üzerinde yükselir, yumuk kollarını uzatırdı, sadece fotoğraflarından tanıdığı dedesine. Şap... Şup... "Yeter ama tavşancık, tükürük içinde bıraktın dedeni!" Sık oynadığımız bu oyunda, resmin yerine gerçek dedeyi koyamamış olduktan sonra, neye yarayacaktı benim Malek'i parça parça etmem, mahvetmem, yok etmem?

"İçindeki bu kin, zamanla azalacak ve geçecek. Zaman her şeyi ütüler, Yuna, her şeyi dümdüz eder," diyordu Sorgen. "Arkadaşlarınla takıl, gez, eğlen hatta bir tatile çık, göreceksin ne kadar iyi gelecek!"

Annemse, "Hayatına yakında yeni heyecanlar katılacak, Regan bu yıl evlenecek, çocukları olacak ve sen onlarla ilgilenirken, acılarını unutmayı öğreneceksin; çünkü hayat akıyor, kızım," diyordu. "Ne oldu üzerinde çalıştığın projeye? Kafanı Malek yerine, yeni projene tak, hatta, Tamur'a tak! Nerelerde sahi, o?"

Ne Kutkar, ne Tamur, ne oğlumun yakında evleniyor olması, umurumda değildi. Ben kendi alazımda yanıyordum. İçim, kalbim, canım acıyordu. Keşke o sedire uzanmasaydım da babamın başına gelenleri öğrendiğim yola hiç çıkmasaydım, diyordum. Bir hafta boyunca işe gittim, geldim ama ne yaptım, kime ne anlattım, neyle uğraştım, farkında bile değildim. Uyurgezer gibiydim.

Arike, ikinci haftanın sonuna doğru arayıp, hafta sonu Merkez'e geleceğini haber verince, önce ne diyeceğimi bilemedim. Hayır, gelme de diyemedim. Bu hafta sonu çalışmam gerekebilir gibisinden bir şeyler geveleyerek onu geri arayacağımı söyleyip, kapattım. Düşündüm, sonra. Annemin, doktorumun ve yeni öğrendiğim gerçeğimin üçgeninde, ateş üstünde unutulmuş çaydanlık gibi için için fokurdayarak nereye varacaktım ben? Neler yaşadığımı bilmeyen biriyle buluşmak, o konulara hiç girmemek, ya da içimden geliverirse ona açılmak, saçılmak, dökülmek, Sorgen'imi, arkadaşımdan yaratmak, bana çok iyi gelebilirdi.

Fikrimi değiştirmeden, hemen geri aradım, Arike'yi. Mutlaka gelmesi ve bende kalması için ısrar etim. Sonra, onu nerelerde gezdireyim diye kafa yordum. Evimde, itinayla temizlik yaptım. Markete koşup, seveceğini umduğum değişik çaylar satın aldım. Arike'nin geleceği gün, evde son hazırlıklarımı da yaptıktan sonra, onu karşılamaya gittim.

Arike, eli kolu paketlerle dolu indi hava treninden. Canım benim, hem arabasında unuttuğum çantamı hem de bana özel pakette taze balık getirmiş! Az daha, balıkları bana Tamur mu gönderdi diye soracaktım, Tamur'un artık Batı Kıyı'da olmadığını unutarak.

"Bunları evde mi pişireceğiz?" diye sordum

"Elbette," dedi Arike.

"Harika," dedim, kendimi zorlayarak. Oysa ben şehrin o en gözde, robotlu lokantasında bir masa ayırtmıştım. Mutfağımı meyve, sebze ve her türlü abur cuburla doldurmayı da ihmal etmemiştim ama. Eve vardığımızda, Arike iki şişe de beyaz şarap çıkardı, küçük valizinden. Şişeleri elinde sallayarak, "Bak, asıl sürpriz burada," diye neşeyle bağırdı.

"Ama şarap bunlar!"

"Balığı şerbetle içecek halimiz yok, herhalde."

Fırladım, evdeki tüm ekranların bağlandığı ana fişi çektim. Ne olur ne olmaz, gözetleniyorsam, içki içmenin cezası büyüktü. Ne yaptığımı anlayan Arike,

"Bu kadar baskıcı bir ortamda isyan etmeden nasıl yaşıyorsunuz, hayret ediyorum," dedi.

"Alıştık. İnsan her şeye alışıyor."

"İçki içmek isteyenler protesto filan etmezler mi hiç?"

"Ben ettiklerini hiç duymadım."

"Siz iş yerinde filan aranızda hiç eleştirmez misiniz, bu yasakları?"

"Biz işten vakit bulamıyoruz, laflamaya."

"Çay molalarında, yemeklerde filan da mı konuşmazsınız?"

"Biraz dedikodu yaparız tabii ama siyasi dedikodu değil."

"Sen sırf *Damızlık Kız'ı* okumak için bana kadar gelince, ben de sandım ki..." Söylesin mi söylemesin mi bir an kararsız kalmış gibi bir süre durakladı ve, "Bir grubunuz filan var," dedi sonunda.

"Âlemsin Arike! O tamamen benimle ilgili, özel bir şeydi."

"Nasıl yani?"

"Sana söylemiştim ya, psikoloğum, uykusuzluğum için, sende Ofglen Sendromu var, demişti, ben de ne olduğunu merak etmiştim."

"Ha, o kadar mı?"

"Elbette. Yeraltı faaliyeti mi başlattığımı sandın sen? Tam adamını buldun!"

"Sosyal ve siyasi konularla pek ilgin yok, galiba."

"Siyasi konularla hele, hiç! Ben bilim insanıyım. İkisi pek bağdaşmaz."

Arike eskiden Regan'a ait olan odaya yerleşirken, ben aceleyle lokanta rezervasyonunu ertesi güne değiştirdim, mutfaktaki masaya sofrayı özenerek kurdum. Salata için marulu doğrarken, Arike, üzerini değiştirmiş, bir eşofman takım giymiş olarak yanıma geldi, bana yardım etmeye başladı.

O balıkları hazırlarken ben onun kirlettiği çanak çömleği yıkadım, salatayı doğrayıp, etrafı toparladım.

Bir süre sonra Arike, damdan düşer gibi sordu:

"Tamur'u sık görüyor musun?"

Tamur'un yakın arkadaşı olduğuna göre, Kuzey Kantonu'nda olduğunu bilmesi gerekmez miydi? Ben tam onu yanıtlayacakken, "Bu akşam acaba onu da çağırsak mı?" demez mi!..
Bu sefer gerçekten şaşırdım.

"Tamur burada mı?" diye sordum.

"Nerede?"

Tamur, ona gideceği yeri söylemediğine göre, boşboğazlık etmeyecektim.

"Bilmiyorum."

"Nasıl bilmezsin?"

"Senin çok daha eski arkadaşın, esas senin bilmen gerekmez mi?"

"Bak Yuna, birbirinizden hoşlandığınızın farkındayım. Ayıp değil ki bu? Koskoca insanlarsınız, özgürsünüz, bekârsınız... Neden ve kimden çekiniyorsun, bu kadar?"

Böyle üstüme gelmese, Arike'ye bu gece Tamur'dan söz etmeyi, çoktan kafama koymuştum. Onun hakkında konuşabilmek için yanıp tutuşuyordum, hatta. Sorular soracaktım, hakkında daha ayrıntılı bilgiler alacaktım. İyi gelecekti bana Tamur'u konuşmak. Ama özelime izinsiz girilmesinden hiç hoşlanmadığım için, Arike üzerime gelince, tespih böceği gibi kapandım içime.

"Biri hariç, tüm söylediklerin doğru," dedim, "koskoca insanlarız, özgürüz, bekârız da aramızda özel bir şey yok. Sadece arkadaşız."

Gülümsedi, "Pekâlâ öyle olsun," dedi. "Buraya Tören için gelmişti de..."

"Evet, Tören'de rastlaştık, konuştuk. Ama sonra o kalabalıkta kaybettik birbirimizi."

"Sonradan seni aramadı mı, yani?"

"Yo, niye arasın ki? Herhalde Tören'den sonra evine döndü."

"Ona bir şey soracaktım da..."

"Niye arayıp sormuyorsun?"

"Kaç kere denedim, biliyor musun? Yanıt vermiyor. Geri de aramadı."

"Ben de merak ettim şimdi," dedim, "neden acaba?"

"Onun bir arkadaşı vardı... acaba o bilir mi nerede olduğunu?"

"E, haydi onu ara."

"Bende numarası yok. Sende vardır. Aynı yerde çalışıyorsunuz, çünkü."

"Kim bu?"

"Kutkar."

Soymakta olduğum domates fırladı elimden, musluğun içine düştü. Arike şaraplardan birini açmış, doldurduğu bardağı bana uzatıyordu.

"Sen içmeden sarhoş oldun galiba, Yuna," dedi. "Haydi şerefe!"

"Kutkar mı, dedin?" diye sordum ben, renk vermemeye çalışarak, "Kutkar Zora, yani?"

"Ta kendisi."

"Bende telefonu yok. Ama sanırım bir süredir izinde o. Geçenlerde Kurum'da, bir şey sormak için aramıştım, yoktu."

Yüzümün kızardığını fark etmesin diye, arkamı döndüm, şarap şişelerini soğumaları için buzdolabına koydum.

"Belki dönmüştür."

"Biz sık görüşmeyiz ama istersen yarın iş yerinden ararım, dönmüşse, akşama davet ederim," dedim en sonunda.

"Sende nasıl numarası olmaz, aynı yerde çalışmıyor musunuz?"

"Apayrı bölümlerdeyiz. Hiç karşılaşmadığımız günler, karşılaştıklarımızdan çoktur."

"Geçen gün aradım, demiştin de..."

"İç hattan odasını aradım, işle ilgili bir şey danışacaktım."

"Kaç gün önceydi?"

"Ne bileyim... herhalde bir, iki hafta olmuştur."

"Madem bir şey soracaktın, daha sonra hiç aramadın mı adamı?"

Arkadaşım bana kalmaya geliyor diye sevinip dururken, sevincim kursağımda kalmıştı. Ne oluyordu bu kıza böyle?

"Arike, sen beni sorguluyor musun? Öğrenmek istediğin her neyse, açıkça sorsana."

"Kutkar'a ulaşmak istedim, sadece."

"Kutkar benim arkadaşım değil, sadece meslektaşımdır. Nerde yaşar, kimlerle düşer kalkar, bilmem ben."

"Tamam canım, kızma," dedi bunun üzerine, herhalde ben farkında olmadan sesim yükseldiği için.

"Kızmıyorum Arike, bak şarabın bitmiş, biraz daha ister misin?" diye sordum en tatlı sesimle.

"Sen de içeceksen evet."

"Burada içki yasak ya, ben çok alışkın değilim içmeye. Bir kadeh bana kâfi."

"Tek başına içilmiyor ama," dedi Arike ve benden önce davranıp buzdolabındaki şişeyi getirdi, her ikimizin de bardağını tepeledi. Birer yudum daha aldık, ikimiz de. Fırındaki balıklardan güzel kokular gelmeye başlamıştı.

"Yuna, Kutkar'la biz şeydik... nasıl söylesem... bir zamanlar sevgiliydik. Hâlâ ara sıra buluşur, eski günleri yâd ederiz. İlişkimiz hiç kopmadı. Ben buraya gelirken onu da görürüm diye umutlanmıştım."

"Keşke başında böyle söyleseydin."

"Sen bana açılmayınca..."

"Arike, ama biz Tamur'la eski sevgili değiliz ki! Daha yeni tanıştık. Açılacak bir durumum yok yani benim."

"Ondan hoşlanıyor musun?"

"Tamur hoş bir insan. Aynı şehirde yaşıyor olaydık, belki bir yere varırdık ama bizim durumuzda mümkün değil."

"Biz Kutkar'la fırsat yarattık hep, birbirimizi görmek için."

"Sizin bir geçmişiniz varmış. Bizse, sayende birkaç saatlik yol arkadaşlığı ve yine sayende lunapark gezintisi dışında, birlikte ne paylaştık ki?"

"İnsan isterse, görüşmek için fırsatlar yaratır, Yuna."

"Herkes bir olmuyor işte. Tamur bilir mi sizin ilişkinizi?"

"Yuna... şey... Bizimki gizli kalmak zorundaydı, çünkü ben evliydim, duyulacak diye ödüm kopuyordu. Ben mutsuz bir evliliğin içinde debelenirken tanıştık ve.:. bilirsin işte..." Aslında ben bilmezdim gizli ilişkileri de sesimi çıkartmadan dinlemeyi tercih ettim. "Mutsuz kadınları erkekler, avını arayan akbabalar gibi, hemen bulurlar," dedi, "koku alırlar adeta. Hoop, leşin üzerine pike, av senin!"

"Bilmiyordum," dedim samimiyetle.

"Aklın fikrin buluşlarındaydı herhalde. Hayatına erkek sokmamışsın. Yoksa ne kadar güzeldin kim bilir."

Yüzüne nasıl baktımsa, kıkırdadı.

"Şimdi de güzelsin de," diye devam etti, "ah Yuna, gençlik bambaşka bir şey."

"İnsan kırkı devirmeden genç olmanın kıymetini anlayamıyor," dedim ben.

"Doğru," dedi Arike, "ben de kıymetini bilmedim gençliğimin. Keşke yıllar önce boşansaydım."

"Boşanmaya kalkan kadınların burnundan getiriyorlar ama."

"Benim Saray'a yakın bir akrabam var da... o şey etti... pek zor olmadı... Çocuklar yatılı okuyordu zaten, babalarında kaldılar. Boşanıverdik tek celsede. Sonra karşılığını ödetti, acısını çıkarttı ama her neyse..."

"Kocan mı?" diye sordum. Şaşırmıştım.

"Yok canım, bana yardımcı olan... boş ver! Ben daha sonra Batı Kıyı'ya tayinimi çıkarttım..."

Saray yakını akraban sayesinde herhalde, diye içimden geçiriyordum ki Arike devam etti:

"Orada yalnız yaşayan kadınlara hayat daha kolay."

"Kutkar'la yürütemediniz mi ilişkinizi?"

"Yürütemedik ama dost kaldık. Hâlâ görüşürüz ara sıra."

Fırını açtı, balıkların üzerine zeytinyağı gezdirdi, limon sıktı sonra çok rastgele bir şey söylermiş gibi sordu:

"Kutkar bir buluş üzerine çalışıyormuş, kulağına geldi mi?"

"Gelmedi."

"Hayret, aynı yerde çalışıyorsunuz, birbirinizden haberiniz yok."

"Söyledim ya, farklı alanlarda çalışıyoruz. Nasıl bir projeymiş bu?"

"Bana demişti ki, 'Değişik bir alana girdim, epey yol aldım ama beni pek sarmadı.' Belki birlikte çalışıyorsunuzdur diye düşündüm."

"Benim kendi işim başımdan aşkın."

"Yani senin bir ilgin yok bu şeyle... bilmiyorsun yani?"

Bir yudum daha aldım şarabımdan. "Bilmiyorum ama hele dönsün de Kutkar, sorar öğrenirim."

"Her nereye gittiyse..." dedi, düşünceli.

"Madem buluşuyordunuz ara sıra, sen ona geleceğini haber vermedin mi?"

"Verecektim de, bulamadım, işte. Yuna, senin oğlun İstihbarat'ta çalışmıyor muydu?"

Arike'ye Regan'ın işinden söz ettiğimi hiç hatırlamıyordum ama, etmişim demek ki!

"Evet," dedim.

"O bulamaz mı Kutkar'ı?"

"Hayır, Arike, oğlumdan arkadaşlarımı soruşturmasını isteyemem, kusura bakma. Kutkar'ın başına bir şey geldiğini düşünüyorsan, polise gitsene."

"Daha neler! Polislik bir durum yok. Bana bak, maydanoz var mı evde?"

"Yok," dedim.

"Market yakın mı?"

"Yakın."

"Bir koşu gidip maydanoz alsam..."

"Nerden çıktı şimdi maydanoz?"

"Hem balığın yanına hem de salataya lazım."

"Rokaya domates doğradım. Yetmez mi?"

"Balık için şart."

"E, madem şart, git al o zaman."

Arike, düşündü bir süre, sonra,

"Yuna, ben buranın yabancısıyım, marketi bulsam, içerde ne nerededir bilemem, çok rica etsem, sen gider misin?" diye sordu.

Gerçi market yakındı ama Arike'nin beni dışarı çıkartıp evde bir şeyler arayacağına dair bir kuşku düşmüştü içime. Kutkar'la eski sevgili olsalar da, hissediyordum ki bir şey yerine oturmuyordu. Arike, Kutkar'ın kaybolduğunu biliyor, ağzımı arıyor gibi geliyordu bana. Yoksa, Kutkar'ın değil, şifresinin peşinde miydi?

"Boş ver maydanozu. Eminim maydanozsuz da balığın çok lezzetli olacak," dedim.

"Nasıl istersen," dedi kırgın bir eda ile, "sadece sana lezzetli bir ziyafetle marifetimi göstermek istemiştim."

Annemin benden gizlediklerini öğrendiğimden beri, her şeyden ve herkesten kuşkulanır olmuştum, galiba. Mutfakta ayakta durmuş, birbirimize bakıyorduk. Aklıma ona bir tuzak kurmak geldi. Ben yokken bilgisayarımı açıp açmadığını anlayabileceğim bir işaret bırakıp, markete gidecektim. Bakalım ne yapacaktı Arike?

"Gideyim bari," dedim, "bir demet yeter mi?"

Gözleri parladı, "Yeter. İşte şimdi içime sinecek emek verip pişirdiğim balık. Haydi, hemen git de gel."

Oturma odasındaki bilgisayarımı, bilekliğimle eşleştirdim, yatak odama açık olarak bıraktım.

Tam başlığımı bağlıyordum ki kapı çalındı. "Yuna, evdesin değil mi, yukarı geliyorum," diyen sesini duydum annemin.

Az sonra, annem, içinden çeşitli otlar fışkıran sepetiyle karşımdaydı.

"Balık kokuyor evin," dedi, "hangi dağda kurt öldü, Yuna?"

"Anne, Arike, Batı Kıyı'daki arkadaşım geldi. Gelirken bana taze balık getirmiş de, pişiriyorduk."

Yanımıza gelen Arike'yle annem selamlaştılar.

"Sizi o kadar çok duydum ki Yuna'dan, nerdeyse yolda görsem tanırdım," dedi annem, abartarak, "Hoş geldiniz, kızım."

"Ben de sizin hakkınızda çok iyi şeyler duydum. Ressam arkadaşlarım hep sitayişle bahsederler sizden," dedi Arike.

"Siz ikiniz daha da yakından tanışadururken, ben şu maydanozu alıp geleyim," dedim ben.

"Ama ben sana maydanoz getirdim, Yuna," dedi annem. Mutfağa yürüdü, sepetinin içindeki otları ve sebzeleri tezgâhın üzerine boşalttı. Biz peşinden gittik, ben otların arasından maydanoz demetlerini ayırıp, Arike'ye uzattım. Ama Arike maydanoza olan ilgisini kaybetmiş gibiydi.

"Siz de bizimle balık yemek istemez misiniz?" diye sordu anneme.

"Yok yavrum, benim işlerim var. Sizin de konuşacaklarınız vardır eminim," dedi annem. "Seni tanıdığıma çok memnun oldum Arike. Hep böyle taze balık pişiriyorsan, Yuna'yı daha sık davet et evine, bizim tarafa da daha sık gel, emi."

"Siz de buyurun bizim oralara," dedi Arike.

"Anne çıkart şu eldivenlerinle başlığını da, sana bir çay vereyim, üşümüşsün, yüzün solmuş," dedim.

"Acelem var, kızım," dedi annem, "başka sefere."

İki kadın başlarıyla selamlaştılar, ben annemi geçirmek üzere kapıya yürüdüm. Annem kapıdan çıkarken kulağıma, "Ağzından çıkan her söze dikkat et, sakın açık verme," dedi bana, "bu kız sağlam ayakkabı değil."

"Anne, diyorsun sen?"

Annem bir kere daha gözleriyle içeriyi işaret edip, "Dikkatli ol!" dedi ve çıktı gitti. Ben arkasından bakakaldım. Sonra mutfağa yürüdüm.

Arike gönülsüzce maydanoz doğruyordu fırından çıkardığı balıkların üzerine.

"İlginç bir annen var," dedi, "zamanlaması mükemmeldi."

"Bana ilişkin sezgileri çok güçlüdür."

"Ben maydanozları kastetmiştim," dedi Arike.

"Ben de," dedim.

Karşılıklı oturup balığımızı yemeğe başladık. Balık gerçekten taze ve çok lezzetliydi. Birinci şarap şişesini bitirmek üzereydik aramızda.

"Hakkın var Arike, maydanoz olmazsa olmazmış," dedim ben.

Arike yüzüme onunla dalga mı geçiyorum gibisinden öyle bir baktı ki, annemin ima ettiği gibi, onun evime gizli bir maksatla geldiğine nerdeyse emin oldum.

"Şu Kutkar'ın üzerinde çalıştığı projeyi merak ettim, Arike," dedim. "Biliyorsan biraz bahsetsene."

"Hani ilgilenmiyordun?"

"O şişeyi yarılamadan önceydi. Şimdi kafayı bulmuşken itiraf edeyim ki biz mucitler birbirimizin icadını her zaman merak ederiz. Hiç bitmeyen bir rekabet vardır aramızda. Haydi canım, anlat bakalım ne biliyorsan."

"Anlatacak kadar bilsem, sana sormazdım. Ben de merak ettiğim için sordum zaten."

Buzdolabından ikinci şişeyi çıkardım, açtım, kendi bardağıma bir parmak şarap koydum, arkadaşımınkini tepeleme doldurdum. Biraz daha içtik.

"Sakın ola, benim alanıma el atmaya kalkmasın Kutkar," dedim, "bir ipte iki cambaz oynamaz, çünkü."

"Yok, merak etme Yuna, bambaşka bir alan bu."

"Nasıl bir alan? Onun alanı gıda değil mi, dur tahmin edeyim..."

Arike, hiçbir şey söylemeden yüzüme bakıyordu. Bir anda aklıma gelmiş gibi dedim ki?

"Bak ne diyeceğim, şu meseleyi 'Beş Soruda Yanıtı Bulma Oyunu' haline getirelim mi? Kazanan kaybedene bir güzellik yapsın."

"Tamam. Sen kaybedersen bana senden isteyeceğim bir listeyi vereceksin."

"Ne listesiymiş bu?"

"Onu kazandığım zaman söyleyeceğim."

"Tamam!"

Oynamaya başladık. Ben sorumu soruyordum, o hep hayır, diyordu.

Sora kaybede, dördüncü soruma geldim:

"Uzayla, mesela güneşin önündeki Gökcisim'le alakalı bir çalışma olmasın?"

"O da değil. Üç hakkını kullandın, iki hakkın kaldı." Ağzı kulaklarındaydı Arike'nin.

"Pekâlâ, post-hümanizmle mi, süper askerler, güçlü atletler filanla mı alakalı? Yok yok, geri aldım sorumu. Çok uç bir nokta bu, Kutkar'ı aşar."

"Olmaz, geri alamazsın, sormuş bulundun."

"Mızıkçılık etme, yanıt vermedin ki bana! Baştan soruyorum; bu çalışma alanı, elektronik yazılımla mı ilgili... yani elektronik aletleri filan programlayan?" Arike'yi avını yakalamak üzere olan bir kaplan gibi takip ediyordum, mimiklerini, gözlerini, ellerinin duruşunu, beden dilini... Gözlerinde bir ışık çaktı, kollarını göğsünün üzerinde çaprazladı.

"Denebilir ama tam değil," dedi.

Boş bulundum, "Ama yaklaştım değil mi?" diye sordum.

"Soru hakkın doldu!" diye bağırdı.

"Olmaz ama Arike! Son sorduğum, soru sayılmaz ki!"

"Asıl sen mızıkçılık etme Yuna. Beş soru hakkın vardı, hepsini kullandın."

"O halde şu kadarını söyle. Yaklaştım mı?"

"Evet," dedi Arike.

Bu bana yetti. Şimdi kendimi artık karanlık bir ormanda kaybolmuş gibi hissetmiyordum. Binlerce ağacın arasında, bir ışık göz kırpıyordu bana.

Keyfim yerine gelmişti. Arike buraya kadar beni kullanmak için belli bir maksatla gelmiş olabilirdi ama, gelişi bana yaramıştı. Hiç sakınmadan, şişede kalan şarabı, bardaklarımıza paylaştırdım.

"Şerefe," dedim.

"Şimdi gelelim listeme. Birkaç isim isteyeceğim... de... ama tamamen aramızda kalması şartıyla."

"Elbette. Benim bölümde çalışan arkadaşların isimlerini mi?"

"Kutkar'ın bölümündekileri, aslında."

"Kolay, hafta başında Kurum'a gittiğimde hepsini öğrenirim."

"Yuna... şey... aslında bu isimler Kutkar'ın başka bir alandaki çalışma arkadaşlarına ait... yani onların adını sana ancak oğlun verebilir. Ondan listeyi isteyebilir misin, kendin içinmiş gibi?"

"Hayır Arike, bunu kesinlikle yapamam. Oğlumu karıştırma lütfen."

"Yuna, liste deyince annenin gıda pazarındaki alışveriş listesini isteyeceğimi düşünmedin, herhalde?"

"Regan'dan böyle bir şey isteyemem, hem bilirim oğlumu ben, kesinlikle hayır der."

"Yapacağı sadece bana, daha doğrusu sana birkaç isim bildirmek. Hepsi bu!"

"Yapamam. Ne yapacaksın bu kişileri öğrenip? Hem ne işiymiş bu?"

"Kutkar'ın projesiyle ilgili."

"Kutkar'dan niye öğrenmiyorsun, madem eski sevgilinmiş?"

"Kutkar'a da ulaşamıyorum aslında. Bu aradığım kişiler, belki onu bulmama yardımcı olurlar... anla işte, onun iyiliği için."

İçimi çektim, kısa kesmek için. "Denerim fakat söz vermiyorum," desem de, Arike ona yardımcı olmayacağımı anladı.

Yemeğimiz de şaraplarımız da bitmişti. Öyle anlaşılıyordu ki, konuşacaklarımız da bitmişti. İçmeye alışık olmadığım şarap, uykumu getirmişti, üstelik.

Arike odasına çekildi, ben mutfağı toparladım. Şarap şişelerini çöpe atmadan önce iyice sarıp, sarmaladım. Tam ben de odama gitmek üzereydim, mutfağa geldi, "Bilgisayarımda bir tuhaflık var, hiçbir yere bağlanamıyorum," dedi.

"Ah Arike, şarap içtik ya, ben bağlantıları kesmiştim. Hemen açıyorum şimdi."

"Sana yardım edecektim, kaldırmışsın bile, bulaşıkları. Kusura bakma."

"Olur mu hiç! Sen benim misafirimsin. Arike, aslında bu akşam sana çok özel bir lokantada yer ayırtmıştım. Sen balıklarla gelince, rezervasyonu yarın akşama aldırdım. Yarın sabah da seni buranın meşhur Hayvanat Bahçesi'ne götüreceğim," dedim. Arike teşekkür edip, odasına çekildi. Ben bağlantıları açtım, duşumu alıp yatağıma uzandım. Aklım oynadığımız oyundaydı, konuştuklarımızı ve ulaştığım sonucu teker teker aklımdan geçiriyordum ki, Arike, odamda bitti.

"Yuna, mesajlarıma baktım, ne yazık ki yarın sabah dönmem gerekiyor, canım," dedi.

"A ah, neden?"

"Ailevi sorunlar..."

"Yapma ya! Yine halanla mı ilgili?"

Duraladı, "Yok hayır, bu seferki başka... Bizim ailede dertler hiç bitmez," dedi, "ben en iyisi, açıp saçtığım valizimi toplayayım. Yarın erkenden çıkarım."

"Ben seni bırakırım hava treni istasyonuna," dedim.

İyi geceler dileyip odasına döndü. Arike. Her ne arıyorsa, ya aradığını bulamayacağını anlamıştı, boşuna vakit kaybetmek istemiyordu ya da benden, onca dikkatime rağmen, öğrenmek istediğini öğrenmişti. Giderse gitsin, diye geçirdim içimden. Ne beklemiş, ne bulmuştum! Arkadaş diye bağrıma bastığım kadın, meğer beni kullanmaya gelmiş! Ne kaderdi benimkisi ya, etrafımda yakınım bellediğim kim varsa, bir maskeyle çıkıyordu karşıma. Annem bile neler gizlemiş benden yıllarca, ben onu çatlak bir ressam zannederken, meğer o entrika ustası, bir siyasi aktörmüş!

Gözlerimi yumup, bir an önce sabah olmasını diledim, çünkü yarın, Arike ile konuştuklarımızı anneme, kelimesi kelimesine aktaracaktım ve soracaktım ona, maydanozla kapımda bitmesi tesadüf müydü, yoksa beni izletmesinin sonucu mu?

Her iki ihtimal de, ne kadar ürkütücüydü!

YENİ BİR GÜN

Sabah, Arike'yi hava trenine bıraktıktan sonra, annemle konuşmak için Regan'ın evinin yolunu tuttum. Bir küçük sürpriz daha bekliyormuş beni meğer. Bana kapıyı uykusundan uyandırdığım oğlum açtı ve uykudan mahmur gözlerini ovuşturarak sordu:

"Hayrola anne! Bir şey mi oldu?"

"Annemle konuşacaklarım vardı, hep beraber kahvaltı ederiz diye geldim," dedim, "Haydi sen yatağına dön, ben kahvaltı hazırlayayım."

"Anneannem burada değil ki! Çamlık'taki Mordam'da."

"A ah?! Bu kadın da cıva gibi, nerde durduğu belli değil!"

"Sürekli kalmak için başvuru da yapacaktı..."

Regan beni içeri buyur etmiyor kapının önünde dikiliyordu! Yatak odasında birinin olabileceğini düşündüm. Ayserin miydi acaba?

"Ben gideyim o halde, sen de uyu," dedim.

"Pekâlâ, güle güle."

"Uyandırdığım için kusura bakma, oğlum."

"Önemli değil. Güle güle!"

"Ayserin'e selam söyle," dedim göz kıparak.

"Emrin olur," dedi. İçerdeydi demek ki kız!

"Artık o hazırlasın sana kahvaltını. Yumurtayı nasıl sevdiğini biliyor mu, bari?"

Ben Regan'ın, "Ne saçmalıyorsun anne, Ayserin'in burada ne işi var?" demesini bekliyordum, ama o bana, "Biliyor, merak etme," dedi ve tam da o sırada içerden bir hapşırık sesi geldi.

"Güle güle, anne!"

Kös, kös arkamı döndüm, bana üç kere güle güle diyen oğlum, yavaşça kapattı kapıyı. Ne rahat ya, bu gençlik! Utanma duygusu da yok! Bizim o yaşta ödümüz kopardı, biriyle konuşurken yakalanacağız diye. Bu dünyada her şey bir kısır döngüydü demek... Şöyle ki: eskiden kadın-erkek ilişkileri tamamen serbestmiş, düşünün artık, bizim ülkede bile. Uzun süren iç savaşlardan sonra, Ramanis Cumhuriyeti kurulduğunda, hele de benim gençliğime rast gelen yıllarda, pek ayıplanır olmuştu bu işler. Gençler birlikte olmak için evlenmek zorundaydılar. Demek yavaştan yine gevşiyordu kurallar.

Kapalı kapının ardında durdum birkaç saniye. Oğlumun "Ayseriiin, annem nihayet gitti," diye yatak odasına doğru seslenmesini bekledim. Çıt çıkmadı. Belki de kimse yoktu içerde, sadece çok uykusu vardı, bir an önce yatağına dönmek istiyordu...

Ama ya duyduğum o hapşırık?!

Yoksa ben kıskanıyor muydum bu genç kadını, oğlumun en yakını olacak diye? Ne zaman benim olmuştu ki, zaten! Önce annemindi Regan, şimdi Ayserin'in olacaktı. Ben bu yaşımda, hayatıma katmak istediğim erkekle üç günü dolduramamışken, benim oğlum evlenmek üzereydi.

İnsan ilişkilerinde baş beceriksiz Yuna Hanım, kendine acımaya vaktin yok, yürü git, önemli işlerinin peşinden, dedim kendime, ama tam o esnada asansöre doğru yürürken bilekliğim titredi.

Ayserin'in neşeli sesi, "Günaydın," dedi bana!..

"Neredesin sen?" diye sordum, şaşkınlığımı üzerimden attıktan sonra.

"Okuldayım. Bakın ne diyeceğim, konuşmuştuk ya, iş yerlerimiz yakın, bir gün buluşalım diye... benim sınıf müzeye götürülüyor bugün. Biz buluşalım mı, öğlen tatilinde, ne dersiniz?

Dondum kaldım. Regan'ın evindeki kişi, Ayserin değilse, kimdi?

"Okuldasın yani sen?"

"Söyledim ya, okuldayım ama derslerim iptal edildi, eğer buluşmak isterseniz..."

"Hay aksi şeytan! Benim de birkaç önemli işim vardı da... başka bir gün buluşsak?"

"Nasıl isterseniz," dedi kız. Biraz daha lafladık, müsait bir zamanda buluşmak temennisiyle kapattık telefonu.

Ben sorarım bunun hesabını sana, Regan efendi, diye söylendim. Kafam iyice karışmıştı. Ne yapıyordu benim oğlum? Nişanlısını aldatacak karakterde biri hiç değildi. Kimdi sabahın köründe evindeki kadın?

Kafamda çözemediğim bin bir soruyla gittim annemin Çamlık'taki Mordam'ına.

Doğru odasına çıktım. Ben içeriye, "Sana çok önemli bir haberim var," diyerek girdiğimde, annem, çamlara bakan pencerenin önündeki yazı masasına oturmuş, bilgisayarında tencereyi andıran bir takım resimler çiziktiriyordu.

"Şuraya otur ve işimi bitirene kadar dikkatimi dağıtma lütfen, Yuna," dedi.

Ara sıra, bir reklamda filan kullanmak için, ona bazı eskizler çizdirirdi, pek tanınmış olmayan reklam ajansları. Başkalarının çok pahalıya yaptıkları işleri beş paraya yaptığı için tercih ediyorlardı herhalde, annemi. Kafasını karıştırmamam için sessizce beklememi söylediğine göre, demek bir tencere firması için çalışıyordu bu sefer. Çok önemli bir şey yaparmış edasında, beni ilkel tencere çizimleri için beklettiğine içerleyerek, tam arkasındaki koltukta oturmuş, gözlerimi annemin kısa kesilmiş beyaz saçlarına ve artık iyice kırışmış ensesine dikmiş, işini bitirmesini bekliyordum. Yaşına rağmen gür saçları vardı, bir örgü yapar, başının etrafında çevirirdi. Birkaç ay önce, kısacık kesti saçlarını. Bence hiç yakışmadı ama açıkça söyleyemedim bunu, sadece yine uzat saçlarını anne, demekle yetindim, ben seni örgülü seviyorum. O da bana, ben seni her halinle seviyorum, demişti. Yalancı! Suratsız halimi hiç sevmez.

Annem nihayet döndü bana ve, "Hangi sabah yeli seni buraya attı?" diye sordu.

"Güney Batı'dan esen Arike rüzgârı, anne," dedim, "sepetindeki maydanozlarla evime gelmen tesadüf müydü, yoksa beni mi izletiyordun?"

"Seni niye izleteyim! Arike'nin Merkez'e giriş yaptığını öğrenen ekip, onu senin karşıladığını bana bildirince, seni uyarmaya geldim. Ziyaretime bir neden yaratmak için de koluma sebze sepetini taktım."

"Sen bu sebze bahaneli ziyaretleri pek sık yaparsın bana. Hangi konuda uyarmak istedin beni?"

"Ne kadar kuşkucu oldun sen! Onlar ara sıra da olsa, doğal gıdalarla beslenesin diyedir. Sana kalsa, sürekli hazır mamaları yiyeceksin, kediler, köpekler gibi."

"Arike'yi neden izliyorsunuz, her kimseniz siz?"

"Benim bir muhalif örgüt mensubu olduğumu, artık biliyorsun. Her seferinde böyle aşağılayıcı imalar yapma lütfen!"

"Neden Arike'yi takip..."

"Çünkü Arike'nin, Kutkar'ın peşinde olduğuna dair şüphelerimiz vardı," diye sözümü kesti annem, "ve artık bundan eminiz."

Arkadaşımın harcanmasını içime sindiremedim. "Ah, nasıl da yanılıyorsunuz! Arike, Kutkar'ın peşinde ama bambaşka bir nedenle, anne. Kutkar, onun sevgilisiymiş."

"O kız Kutkar'ın da değil, senin camda gördüğün şifrenin peşindeydi. Bahsetmedin umarım şifreden, ben gelmeden önce."

"Elbette etmedim. Ama şifreyle ilgili bir gelişme kaydettim. Sana bunu söylemeye gelmiştim."

"Kutkar döndüğü için, kimsenin şifreye kafa yormasına gerek kalmadı, Yuna."

"Kaçırılmış mı sahiden? Benden istediğin eşyalar bir işe yaradı mı?"

"O eşyalar temiz çıktı. Üzerlerinde başka birine ait yansıma yoktu. Yani, kaybolduğu gün, kimse odasına girmemiş. O yüzden kaçırıldığını değil de, rahat çalışmak için saklandığını varsaydık."

"Saklandıysa, şifreyi cama niye yazsın?"

"Saklandığı yerde yakalanırsa, bir başkası çalışmaya devam edebilsin diye."

"Şimdi nerede?

"Ayrıntıları ben de bilmiyorum kızım, sadece gizli bir yerde çalışmasına devam ettiğine dair haber aldık."

"Hayatta olmasına çok sevindim. Tamur da biliyor mudur, acaba?"

"Bana gelen haber ona da ulaşmıştır."

"Ne üstüne çalışıyor Kutkar, böyle gizli gizli?"

"Bilemem."

"Nasıl bilmezsin anne? Bana güvenmiyor musun yoksa?"

"Sana güvenim tam ama bizimki gibi örgütlerde bilgi akışkan değildir."

"Anlamadım."

"Gizli bilgiyi, tedbir amacıyla ancak iki kişi bilir. Benim tek bildiğim de sadece Kutkar'ın amacımız için yararlı bir proje geliştirdiği."

"Amacınız?"

"Daha iyi, daha adil bir düzen."

"İtiraz eden yok ki, mevcut yapıya. Özellikle genç kuşak hayatından memnun, anne."

"Elbette, çünkü küçücük çocukların kafaları daha ilkokul öncesi eğitimde yıkanmaya başlıyor, gerçek dünyadan kopuyorlar. Kimsenin ülkenin dışında neler olduğundan haberi yok. İnsanlık ilerliyor, başka gezegenlere gidiyor. Biz başımızı kuma gömmüş, bekliyor, iklim değişikliğini dahi sorgulamıyoruz. Yuna, kimse hakkını arayamıyor, kimse maruz kaldığı haksızlığı şikayet edemiyor, kimse eğer yönetimde bir yakîni yoksa, mahkemelerde dava kazanamıyor, ihale kazanamıyor, piyango bile kazanamıyor, kızım. Oysa, biri cesaret edip hesap sorsa, Saray'da dönen işlere itiraz etse, arkası zincirleme gelecek ama işte bu tehlikeyi önlemek için insanları birbirlerini gammazlamaya alıştırıyorlar. Nerdeyse her kişi bir diğerinin casusu... kim bilir ne vaatlerle kandırılıyorlar."

"Anne... neler söylüyorsun...yeter ama!"

"Arike de işte, bu kişilerden biri. Onun, dayısı tarafından kullanıldığını biliyoruz. Guri Mesem, tahmin ettiğimiz gibi, Kutkar'ın formülünün peşindeyse, yeğeninin senin arkadaşın olduğunu, senin de Kutkar'la aynı kurumda çalıştığını çoktan öğrenmiştir. Yani demek istiyorum ki Arike'yi o peşine takmıştır senin."

"Arike, para için arkadaş satacak biri değildi."

"Kim bilir kızın hangi açığını yakalamış, korkutuyordur onu. İnsanların hatalarından, zaaflarından yararlanarak suça teşvik etmek, kısacası şantaj, Yuna, çok sık uyguladıkları bir yöntem."

Ben, kutusundan çıkayım derken çalılarla dolu bir bahçeye düşmüş, üç günlük kedi yavrusu gibiydim. Dünyanın kaç bucak olduğunu yeni öğreniyordum. O ana kadar şikâyet edip durduğum aksaklıklar, çocuk oyunu gibi masum kalmıştı. Acaba annem mi uyduruyordu bütün bunları? Yaşlı bir kadının kafasında yarattığı gerçeküstü bir dünya mıydı, bana anlatıp durduğu?

O hınzır şeytan yine dürttü beni,

"Anne, bu yeraltı dayanışmanız hep senin gibi yaşlıların işi mi?" diye sordum. "Yani diyorum ki, bir başka meşgale bulsanız, hafif sporlar ne bileyim, yurt içi gezileri, satranç..."

Gücenmiş bir edayla lafımı kesti annem:

"Sen benim için ne istersen onu düşün Yuna, ama ben seni tembihlemiş olayım, gördüğün her insan ya bizden, ya Saray'dan yana. Pek az kişi, tarafsız. O yüzden çok dikkatli ol, uluorta konuşma, kimseyi tenkit veya tahrik etme. Tıpkı Arike gibi, hiç ummadığın biri, tekin olmayabilir."

"Tamur'a güvenebilir miyim, bari? Beni ona Arike tanıştırdı, neticede."

"Tamur'a güvenebilirsin ama yalvarırım uzak dur ondan."

"Sen de dikkatli ol. Sana da bir şey olacak diye çok korkuyorum, anne."

"Korkma çocuğum. En kötü ihtimalle, Regan beni korur."

"Regan da mı işin içinde?" diye sordum. Kalbim küt küt atıyordu.

"Ne münasebet," dedi annem, "Ne diyorsun sen, Yuna!"

"Diyelim ki, başardınız. Saray'ın içyüzünü ortaya döktünüz. Halk da gördü, inandı size, bir... bir..." Dilim varmadı ama yine de devam ettim, "bir değişim oldu diyelim, Regan'ın başı belaya girmez mi?"

"Girmez! O henüz karar mercii değil, sadece emir kulu... bir memur."

Annemin bu açıklamasına inanasım gelmedi, çünkü biliyordum ki kurunun yanında yaş da yanardı. Bir an için, anneme Regan'ın evindeki esrarengiz misafirden söz etmek geldi içimden. Ama oğlumun özelini anneannesine gammazlamak hoş olmazdı.

Anneme veda edip çıktım.

Çamların çift sıra dizildiği yolda, Mordam'ı arkamda bırakmış, annemle konuştuklarımızdan sarsılmış bir halde yürürken, iyi miydi bu, kötü müydü bilemiyorum ama, yavaş yavaş gerçekleri kabullendiğimi, iç dünyamın değiştiğini hissediyordum.

Ne kadar geç kalmışım büyümekte...

Bana kim söylemişse bu sözü, haklıydı; hayat akıyordu... önüne kattığı taşı, toprağı, yaprakları, olayları, anıları beraberinde sürükleyerek, durmaksızın akıyordu... yeni mecralara doğru.

DAYANIŞMANIN İLK GÜNÜ

Kaç gündür ihmal ettiğim işlerimi toparlamak için, sabah her zamankinden erken kalmış, çabucak hazırlanmış laboratuvarda yarım bıraktığım deneylerimi bitirmeye gidiyordum. Hızlı adımlarla yürüyordum, sokağımdan ana caddeye doğru. Biri bana çarparak koşar adım önüm geçti... A ah?! Odelya'ydı, bu! Hafifçe aksayan bacağından, mavi pardösüsünden tanıdım.

Seslendim. Duymadı ya da duymazlığa geldi. Yine dayak yemiş olmalı. Koştum peşinden, kolundan yakaladım. Ürktü, küçük bir çığlık attı.

"Heyy, Odelya! Dur kız... Nereye koşturuyorsun?"

"Sen miydin, Yuna? Korkuttun beni!"

"Hayrola, nereye böyle sabah erkenden?"

Kulağıma eğildi, fısıldadı: "Selvili Parkta bir yürüyüş var, oraya gidiyorum."

"Ne yürüyüşü?"

"Dayanışma yürüyüşü. Kadınlar, evvelsi gün öldürülen Nila için yürüyecekler."

"Nila kim?"

"Duymadın mı haberlerde? Son kurban... Kocası önce boğazını sıkmış, sonra yedi yerinden..."

"Odelya, gitme sakın. Hanor duyarsa o da senin boğazını sıkar!" Ama o çekip kurtardı kolunu, elimden. Ben yine de devam ettim: "Perişan eder seni sonra, yalvarırım dön evine!"

"Zaten dövüyor. Varsın bir de bu yüzden dövsün! Bir şey yapmalı, bir işe yaramalıyım. Bir hiç olmaktan bıktım!"

"Bir şey yapacaksan illa, bir kursa filan..."

"Kursmuş! Güldürme beni... folklorik dans kursuna mesela, ama olmaz ki bu bacakla. En iyisi dikiş kursuna gideyim."

"Git tabii."

"Ben ev kadınlığı dışında başka işe yaramam değil mi, Yuna? Bak, ben kararımı verdim, bu yürüyüşe katılacağım!"

"Benden söylemesi, Hanor öldürür seni!"

"Zaten ölmeyecek miyiz, er veya geç!"

"Of Odelya! Nerden duydun sen bu yürüyüşü?"

"Sosyal medyada vardı."

"Doğruyu söyle bana, sosyal medyada yasak bu tür haberler!"

"Dayakçı kocaların kızlarına ve karılarına ait gizli bir site var, ben de ara sıra... Yuna, ne bakıyorsun yüzüme öyle?"

"Ben hiç bilmiyorum bu siteyi."

"Sen nerden bileceksin ki!"

"Bana bak, koca dayağı yetmiyor gibi, bir de rejimle başını belaya sokacaksın. O siteler yasak, kızım, YASAK! Haydi dön evine Odelya."

"Yuna, işine git sen. Senin işin gücün var. Benim hiçbir şeyim yok. Kendimi paçavra gibi değersiz hissediyorum. Bırak gideyim, kendime benzeyen kadınların arasına karışayım. Tanıştım da bazılarıyla, bana o kadar iyi geldiler ki."

"Bana hiç bahsetmedin ama!"

"Çünkü senin dünyanın çok dışında, bütün bunlar. Söylesem, işte aynı böyle, şimdi yaptığın gibi davranacaktın. Haydi canım, sen işine ben de kendi işime! Haydi."

Bugüne kadar bana hep eziği oynayan, boynu bükük Odelya'ya da bakın hele! Nasıl da dikleniyordu bana! Benim dünyam başkaymış... Asıl sen ne bilirsin, benim dünyamda ne fırtınaların koptuğunu! Başıma nelerin gelmiş olduğunu!

"Seninle gelmemi ister misin?"

"Saçmalama Yuna! Ne işin var senin dayak yiyen karıların arasında? Bir fiske mi yedin acaba hayatında?"

"Tokadın, fiskenin illa da fiziksel olması şart değil!"

"Sevsinler, senin gibi hırpalananı! Haydi, bırak peşimi Yuna. Ait olmadığın yere gelme! Laboratuvarına git sen."

Ne zaman küstahlaştı Odelya, böyle? Ne oldu bu kıza!

"Pekâlâ, git bakalım," dedim, "Akşam, Hanor üstüne yürüyecek olursa, kaçar bana gelirsin. Kapım, açık! Ben senin her zaman dostunum, dayak yemesem de öyleyim, bunu aklından çıkarma! İki kapı ötede bir ablan var."

"Bana hep ablalık taslayan!" Ama sonra kendine geldi. "Kızma, Yuna," dedi, seni kırmak için söylemedim."

Bu kez ben çektim sertçe, tuttuğu kolumu. Ona arkamı dönüp, önüne geçtim, daha da hızlandım, durağa kadar. Peşimden geldi mi bilmiyorum, o aksayan bacakla yetişemezdi bana. Nankör! Ezik! Ukala!

Durağa geldiğimde kızgınlığım çoktan geçmişti. Zavallı, zavallı arkadaşım, şanssız, mutsuz kadın, diye düşünüyordum! Raylı otobüse bindim. Yola koyulduğumuzda, içim giderek daha çok acımaya başladı Odelya'ya. Bana açılıyor, acılarını paylaşıyordu ama herhalde onu anlayamadığımı düşünüyordu. Şiddete maruz kalan kadınların arasında, nihayet, kendini asıl ait olduğu yerde, güvende ve dayanışma içinde hissetmişti, demek ki.

İyi de, beni hemen ötekileştirmesi niyeydi? Bugüne kadar onu dayak yiyor diye küçük mü gördüm? Horladım mı? Ona hep bir abla gibi, şefkatle...

Böyle düşünürken kendime geldim. Evet, işte yanlışım buydu, aramızdaki on yaş yüzünden, ona hep abla gibi davranmaktı! Ona tepeden baktığımı sanmıştı. Oysa ben Odelya'ya hep acıyarak... işte bir yanlış daha... acınmak istemiyordu herhalde. Sadece acılarını paylaşmak istiyordu ve şimdi, kendilerine acımaktan başkalarına acıyacak hali olmayanların arasında, onlarla eşit, mutluydu. Doğru mu düşünüyordum acaba? Sorgen'e danışayım bunu, diye düşündüm, bir sonraki görüşmemizde.

Hayatımın gizemini birlikte çözdüğümüzden beri, doktorumu daha az görüyordum. Seanslarımızın arası uzamıştı ve bir ay sonra, tamamen kesilecekti; Devletin üstlendiği tedavi süreci dolmak üzereydi. Sorgen uyutmuyordu beni artık, sadece Tamur hariç her konuda uzun uzun konuşuyorduk. Siyasi duruşundan emin olmadığım Sorgen'le sevgilimi konuşmak istemiyordum Oysa ne kadar çok ihtiyacım vardı, gerçek bir dostla dertleşmeye, içimi dökmeye, Tamur'dan söz etmeye!

Ben kendime acıyıp dururken, çoktan gelmişiz Araştırma Kurumu'nun önündeki durağa. İndim araçtan. Duygularımı saklamak istercesine, dimdik, Kurum'un binasına yürürdüm.

Hâlâ Odelya ile yaşadıklarınım etkisindeydim ama laboratuvarın bana hep iyi gelen büyülü atmosferinde, kendimi işime vermeyi başardım sonunda. Öylesine dalmışım ki, öğlen olduğunu bile fark etmemişim. Öğrencilerden biri omuzuma dokunup beni uyarmasa, yemek paydosunu kaçıracakmışım.

Saat bire doğru yemek yemeğe kantine gideceğime, Kurum'dan çıktım, bir taksi çevirip Selvili Park'a gitmek istedim. Yürüyüş devam ediyorsa, Odelya'yı bulup gönlünü almak, onu ve arkadaşlarını desteklediğimi söylemek istiyordum. Dağılmışlarsa, parkta biraz dolaşır, işime dönerdim.

"Selvili Park'a giden anacaddeyi ve sokakları kesmişler, sizi ancak Meydan'a kadar götürebilirim," dedi taksi şoförü.

"Neden?" dedim, anacaddenin dahi kesilmiş olmasına şaşırarak.

"Gösteri var ya orada, şu öldürülen kadın için... Olacak şey mi yani, bütün trafik aksadı!"

Tepem attı! Adama bakın ya, bir kadın öldürülmüş, o trafik sıkıştı diye dertleniyor! Bizim adalet duygumuz, insaniyetimiz ne zaman uçtu gitti, ben farkına varmadan!

"Öldürülen kadının hiçbir şeyi aksamadı ama, değil mi? Hayatı sönmedi, çocukları öksüz kalmadı! Bizimse tek düşündüğümüz, trafik!"

Sanki öldürülen kadının yaşını biliyormuşum gibi, devam ettim konuşmaya, "Gencecik bir can daha, hain kocası, kızgınlığını dizginleyemediği için öldü, gitti! Kim bilir kime kızmıştı, gün içinde? Belki de, yasak ama, bir yolunu bulup zıkkımlanmış, kafayı çekmişti, kim bilir? Belki de pat..."

"Asıl siz kızmışsınız, Hanım, böyle söylendiğinize göre!" Aynada göz göze geldik şoförle, Regan yaşlarında genç bir adamdı.

"Durmadan öldürüyorsunuz kızlarınızı, kadınlarınızı, yalan mı?"

"Onlar da bizi çıldan çıkarmasınlar!"

"Her kafanız kızdığında öldürmeniz mi gerekiyor? Bak, ben de kızdırıyorum seni şu anda. Beni öldürüyor musun?"

Keşke eşarbımı taksaydım diye düşündüm, bunu söylediğim anda. Arabayı durdurup en azından beni indirmesini bekliyordum. Ama o, "Estağfurullah," dedi, ben de dilimi tuttum.

Biraz daha gittik ve uzun bir araba kuyruğunun ucuna takılıp, durduk.

"Daha öteye gidemeyeceğim. Az ötede polis engeli var."

Borcumu ödeyip inerken, genç şoför, "Ben katilleri desteklemiyorum, Hanım," dedi, "Sen beni yanlış anladın."

"Sen dua et de, torunların evlenme çağına geldiklerinde, evlenecek birkaç canlı kız bulabilsinler, bu memlekette!"

"Sen de amma abarttın!" diyordu arkamdan, ben uzaklaşırken.

Doğrudur, ben abartırım kafama taktığım şeyleri.

Cadde boyunca yürüdüm. Parka giden sokaklar polis araçlarıyla kesilmişti, hakikaten. Kalabalık benim epey uzağımdaydı. Birileri, benim gibi Park'a doğru koşarken, kimi telaşla ittikleri pusetlerdeki, kimi kucaklarındaki çocuklarıyla anneler, genç, yaşlı sürüyle kadın, aksi istikamete doğru kaçışıyorlardı.

On dakikalık bir yürüyüşün sonunda, Selvili Park'ın, Meydan'a açılan girişine varabilmiştim. Hayatımda ilk defa böyle bir şeye şahit oluyordum. Öğrencilik yıllarımda, Üniversite bahçesinde kendi aramızda, ellerimizde isteklerimizi veya itirazlarımızı belirten pankartlarla, küçük çaplı protestolar yapardık. Birkaç kere de bazı kurumların düzenli protesto yürüyüşlerine tanık olmuştum. Örneğin, çiftçiler, tarlaların zamanında ilaçlanmamasını, Kabzımallar Derneği de, zam istekleri kabul edilmediği için, polis koruması altında, ellerinde bayraklar ve flamalarla onlara izin verilen bir alanda yürümüşlerdi. Yürüyecekleri güzergâh ve yürüyüş süreci, bir hafta öncesinde her tarafta ilan edilmiş, yürüyüş söylenen saatte başlamış, bir saat sonra da sona ermişti. Oysa bugün bir kargaşa vardı, insanlar çil yavrusu gibi oradan oraya savruluyorlardı, sirenler, düdükler çalıyordu ve ben parka yaklaştıkça, kargaşa da gürültü de artıyordu. Derken birkaç patlama duyuldu ve etrafa kesif bir duman yayılmaya başladı.

"Gazlıyor bizi," diye bağırdı bir kadın.

"Park zaten duman altıymış, gazı bu tarafa da sıkmaya başladılar," dedi bir başkası.

Ben kalabalığı yara yara ilerledim, Parkın girişine kadar geldim. Parka çıkan merdivenleri tırmandım, bulunduğum yerde çekim yapan medyacılar ve polisler vardı. Parkın durumunu tabak gibi görebiliyorduk.

Ne çok kadın varmış bu şehirde! Hepsi dayak yiyor olamazdı! Demek, gerçek bir dayanışma gösterisiydi bu. Parkın ortasındaki yer havuzunun fıskiyelerinden su fışkırıyordu ama havuzun hemen yanına kurulmuş kürsüde konuşmak için sıra alanlar, aldırmıyordu buna. Ne tuhaf, genelde bel hizasına kadar fışkıran fıskiyeler bugün insan boyunu aşan yükseklikte su fışkırtırken, giysileri üstlerine yapışmış, sırılsıklam kadınlar, ellerindeki mikrofonlara, cinayetlerin son bulmasının ancak yasaların değişmesiyle mümkün olacağını haykırıyorlardı: Hemen değiştirilmesini istedikleri bir yasa vardı ki, küçük bir çocuk dahi azıcık aklı varsa, böyle bir yasanın hukuktan güç alamayacağını tahmin edebilirdi: Kızlar ve eşler, baba ve kocalarının arzusu hilafına hareket ettiklerinde, yedikleri dayak sırasında ölecek olurlarsa, ölümlerine sebep olanlar, 'Baba ve Eş hakkı' indiriminden yararlanabiliyorlardı. Baba ve Eş Hakkı! Odelya'nın mesela, topal kalmasına sebep olan tekme, işte bu hakka dayanılarak atılmıştı, üstelik zavallıcık hamileyken. Kalçası kırılmış, bebeğini kaybetmişti. Kocasını şikâyet etmemişti Odelya; kocasının sözünü dinlemediği için, Hanor'un mahkemede cezalandırılmayacağından emindi! Kararı verecek hâkim de bir erkekti, sonuçta!

İşte o sırada konuşmakta olan kadın, tam da bu yasanın sebep olduğu aile facialarını anlatıyordu ki, kalabalığın içinde annemi gördüm. Elinde salladığı çubuğun üzerindeki tabloda, YETER! KADINLAR ÖLDÜRÜLMESİN! çakıp duruyordu. Ben de ona elimi salladım ama, beni görmedi. O kalabalıkta görse de, gördüğünün kızı olduğuna dünyada inanmazdı. Zamanımı bu gibi derneklerde harcamak yerine, laboratuvarlarda faydalı işler yapmaya tercih etmiştim, bugüne kadar.

Mavi mantolu çok kadın vardı ve yerden yükselmeye başlayan sis bulutu giderek kesifleşiyordu! Zordu işim. Kadınlar, önce dizlerine kadar sisin içinde kaldılar, derken göğüs hizasına kadar çıktı bulut, sonra da kokusu geldi, ta bana kadar.

Onlardan çok yüksekte, merdivenlerin tepesinde olduğum halde, benim de genzim yanmaya başladı. Annemi artık hiç göremez olmuştum. Birkaç kez, boğazımı yırtarcasına, "Anneee," diye bağırdım. Yanımda duran adam:

"Yaşlılar için hayati tehlikesi var, annenizi hemen uzaklaştırın buradan," deyince, merdivenlerden parka doğru, koşar adım inmeye başladım.

Eğer gerçekten Ramaların anlattığı gibi bir cehennem varsa, Yüce Ram işte o cehennemi, bugün Selvili Park'a indirmişti. Rastgele kaçışan çığlık çığlığa insanların arasında, bir o tarafa bir bu tarafa savrulurken, sırılsıklam da ıslanmıştım. Zırhlı arabalardan sis bombaları atılırken, alçaktan uçan küçük "Hava Kuşları" üstümüze yağmur gibi su sıkıyordu. Ayaklarımız yere düşen pankartların sopalarına takılıyordu. Annemin taşıdığı çubuk da yerlerdeydi eminim. Ben düşe kalka dört bir tarafa savrulurken, o gürültüde kâh anne kâh Odelya diye sesleniyordum ama artık sadece annemi arıyordum. O merdivenlerdeki adamın söylediği gibi ya nefes alamayıp kalp krizi geçirirse, ne yapardım ben! Annemin hayatımdaki yerinin önemini anlamak için, onu kaybetme tehlikesiyle burun buruna gelmeliymişim, meğer! Annemi sağ salim bulursam, ona önce onu ne kadar çok sevdiğimi söyleyecek, sonra ona...

Bunları içimden geçirirken yerde yatan bir kadına takılıp, üstüne düştüm! Annem olmasın sakın? Değildi! Ben üzerinden kalkmadıkça, o da doğrulamıyordu. Bir kız elini uzattı, kalkabilmem için. Kızın da perişan bir hali vardı, başlığı sırtına kaymış, kızıl saçları ıslanmış, kafasına yapışmıştı. Yabancı gelmiyordu yüzü. İki elini birden tutarak, ayağa kalktım.

"Çok teşekkür ederim," dedim.

"Aaa... ama siz... şey değil misiniz? Yuna... Hanım?"

Sınıfımdaki öğrencilerden biri miydi acaba?

"Benim sınıfımda mıydınız?" diye sordum.

"Hayır, ben Dina'yım... Dina Savon... Regan'ın kız kardeşi..."

"Aaa! Tabii! Ben de nereden tanıyorum bu simayı diyordum. Kusura bakma Dina, seni son gördüğümden bu yana yıllar geçti. Küçücük bir kızdın..."

"Evet, Regan Abimin diploma töreninde görüşmüştük, en son. Siz hiç değişmemişsiniz ama..." kız lafını bitiremedi, sağ tarafımızdan üzerimize fışkırtılan suyun tazyiki ile, yere birlikte yuvarlanıp sürüklendik. Megafonlardan avaz avaz **dağılın, evlerinize dönün** anonsları yapılıyordu.

Biraz sonra, tazyikli su üzerimizden sekerek, başka bir köşeye yöneldi. Şiddetinden kurtulunca, birbirimize tutunarak ayağa kalkmaya çalıştık. Lağım fareleri gibi ıslak, çamur içinde, berbat bir haldeydik ve tir tir titriyorduk.

"Dina, haydi yavrum sen evine dön," dedim ben kıza, "seni herhalde çok merak etmişlerdir."

"Siz de dönün, polise yakalanmadan."

"Ben annemi bulmaz zorundayım."

"O da mı buradaydı? Birlikte mi gelmiştiniz?"

"Hayır, ama onu gördüm, elinde bir pankart taşıyordu."

"Çok kişi pankart taşıyordu. Hepsi yırtılmış, kırılmıştır artık."

"Annemi tanıyorsun değil mi?"

"Tabii. Regan Abimle aynı evde oturduğu için çok iyi tanırım. Abime ne zaman uğrasam bana bitki çayları ikram eder anneniz."

Anneme bakın hele! Bana hiç söylemedi. Kızarım sandı herhalde. Soracağım bunu ona, buluştuğumuzda!

"Ben seni tutmayayım Dina... Bak ne diyeceğim, annemi görecek olursan, bana hemen bildir emi. Kolunu uzat da, numaramı yazayım, bilekliğine."

"Ben de numaranız var, efendim."

Şaşırdım, "Niye?" diye sordum.

"Abim verdi, bulunsun sende, dedi."

"Ne tuhaf! Neden acaba?"

"Ona bir şey olursa sizi aramam için ya da ben... hani bir şey isteyecek olursam... Annenizin numarası da var bende, aynı nedenlerle."

"Hiç bilmiyordum!"

"Ben Regan Abimle çok yakınımdır, hatta öz abilerimle olduğundan çok daha fazla. Sanırım kardeşlerinin arasında en çok beni sever, o."

Bu yakınlıktan da hiç haberim yoktu ama renk vermedim. "Evet seni çok sever," dedim.

"Şu ilerdeki çayhaneye bakalım, belki anneniz oraya sığınmıştır," dedi kız, "böyle protestolarda polisten kaçanlar, civardaki pastanelere, dükkânlara sığınırlar."

Birbirimizi kaybetmemek için el ele tutuşup, kalabalığı yara yara ilerledik. Polis birilerini ite kaka araçlara sürüklüyordu. Eyvah! Ya bizi de almaya kalkarsa! Koştuk, en yakındaki dükkâna girmeye çalıştık. Adam kepenklerini indiriyordu.

"Durun, biz içeri girelim... çok üşüyoruz," dedim ben.

"İçeri girmeyi hayal bile etmeyin! Uzaklaşın buradan," diye bize bağırırken, telin ardında, kafesine hapsedilmiş bir vahşi hayvanı andırıyordu.

"Birazcık nefeslenecektik, mallarınızı çalabileceğimizi mi düşündünüz yoksa," dedi Dina, koskocaman ekranlı televizyonları işaret ederek.

"Başımı belaya sokacağınızı düşündüm," dedi adam. Çelik telin ardındaki kalın camlı kapısı karardı, içerisi görünmez oldu.

"Göstericilere yardımcı olan esnafa ceza kesiliyor, çok korkuyor bu yüzden. Siz gelin benimle Yuna Hanım, şu söylediğim çayhaneye gidelim, onlar alır bizi."

"Yavrum, sen git ben başımın çaresine bakarım," dedim.

"Annenizi bulmanıza yardımcı olayım, sonra giderim," dedi, "büyük bir ihtimalle, oradadır."

Az sonra, itişe kakışa ulaştığımız kalabalık çayhanede, başkalarının oturduğu bir masada, zar zor bulduğumuz iskemlelere çöktük.

"Dina, çok sık olur mu bu protestolar? Sen de protestoculardan birisin, korkarım," dedim ben.

"Önceleri değildim ama bir sınıf arkadaşım eve geç geldi diye babasından dayak yediği gecenin sabahında öldü. Hastane raporundan öğendik ki, kızın başını duvara çarpmış, babası. Başka şeyler de oldu... Fakültemde kadın haklarına duyarlı bir hocamız vardı, derslerden sonra, bu konuda sohbetler yapardık. Dönem başında onu aldılar, yerine bir başkası geldi. Biz öğrenciler, hocamızın neden kürsüden alındığını öğrenmek isteyince çok şiddetli cezalara çarptırıldık. O gün kadar hiç kafa yormadığımız şeylere uyanmış olduk, böylece. Yıl içinde kadın hakkını savunan, kadınlara eşitlik isteyen bir iki gösteriye katıldık. Babam duysa, öldürürdü beni; böyle şeylere hiç gelemez... bilirsiniz... Regan Abim olmasa, başım büyük belaya girmişti." Kızardı ayıp bir şey söylemiş gibi, "Abim sayesinde... O hep yardım eder bana," dedi.

"Regan mı kurtardı seni?" O kadar şaşırmıştım ki.

"Evet. Hatta bana demişti ki, 'Bir gün böyle zor bir durumda kalır, eve gitmek istemezsen, annemi veya anneannemi ara, onlar iyi insanlardır, sana sahip çıkarlar.' İşte o zaman verdi numaralarınızı. Ben de, 'Olur mu hiç,' dedim, 'beni tanımazlar, etmezler.' Ama yine de aldım numaralarınızı, çünkü biliyorsunuz babam da, Hilami Abim de... şeydirler biraz... fazla tutucu... dar görüşlü diyelim."

Kız, sustu. Ne diyeceğimi bilemediğim için ben de suskun kaldım.

Kızın çok tatlı bakan açık kahverengi gözleri vardı ve şimdi dikkat ettikçe, gülümseyişinde, konuşurken boynunu hafifçe sağa eğişinde, gözlerini kırpışında, oğlumla benzerliklerini yakalıyordum.

"Ben etrafta şöyle bir dolanıp, anneme bakayım," dedim, nihayet.

"Yerinize başkaları oturmasın, ben bakayım annenize," dedi ve bana itiraz etmeye vakit bırakmadan kalktı, masaların arasında kayboldu. Bir müddet dönmeyince, ayağa kalkıp, gittiği yöne baktım ama göremedim kızı. İskemlenin üzerine çıktım, hem onu hem annemi aradım gözlerimle. Çayhanenin tuvaletlere giden koridorunun önünde, yanına gitmem için bana el sallıyordu kız. Çantamı toparlayıp, masaları arasından sıyrılarak, arkaya yürüdüm.

"Beni takip edin," dedi.

"Nereye gidiyorsun Dina?"

"Çabuk olun Yuna... haydi..."

"Ama annem... annemi..."

Elimden tutup çekiştirdi beni, tuvaletlerin ötesindeki çıkışa doğru.

Çıkış, daracık bir kapıyla, bir avluya açılıyordu. Kapının hemen önüne bir polis arabası yanaşmıştı. Tam geri kaçacakken, arabanın camında annemin yüzünü gördüm. Kız kapıyı açtı, daldım içeri, annemin yanına oturdum, kız da benim yanıma sıkıştı.

"Haydi, hemen uzaklaş buradan yavrum," dedi annem direksiyondaki adama.

"Bu deliler yine azıtmışlar, Yuna, baksana üstüm başım sırılsıklam oldu, ıslandım, üşüdüm. Bu taraflarda bir işim vardı, bilsem gelir miydim? Regan'a not bırakmıştım nereye gideceğime dair, merak etmiş beni, haydi seni yollamış peşimden, Dina'yı neden yolluyor? Çifte tedbir işte, biri bulamazsa beni, diğeri bulsun diye... ihtiyarım ya, bu hengamede ölüveririm diye korktu zahir. Oysa bana hiçbir şeycik olmaz. Sizi boşuna tehlikeye atmış! Ya size bir şey olaydı! Baksanıza üstünüz başınız ne hale gelmiş. Neyse, mesaj yollamış bana, Çayhanenin arka kapısına git, seni oradan aldıracağım diye... bu bana ders olsun, bir daha gösteri var mı yok mu öğrenmeden sokağa çıkmayacağım; yemin ederim çıkmayacağım..."

Annem, Dina'nın ve benim yanlış bir şey söylememizi önlemek için nefes almadan konuşuyordu. Soluklanmak için durunca, meramını anladığımı belirtmek için,

"Anne, biz de seni bulmaya çalışıyorduk, Dina'yla," dedim ben, "Regan aynı mesajı bize de gönderdi de buluşabildik, neyse ki! Geçmiş olsun hepimize."

"Şoför bey oğlum, sen bizi torunumun evine bırakıver," dedi annem, "İstihbarat Bakanlığı'ndan, Regan Otis Savon'un adresini biliyorsun değil mi?

"Biliyorum efendim," dedi şoför saygıyla.

Bizi Regan'ın evinin önüne getirip bıraktı. İndik arabadan, binaya girdik ve Regan'ın katına çıkmak üzere asansöre bindiğimizde anneme dedim ki:

"Bir an hiç susmayacaksın sandım, anne."

"Şoförün yanında yanlış bir şey söylersiniz diye korktum," dedi annem, "Sizin ele ele çayhane girdiğinizi görünce, Regan'ı aradım hemen. 'Bir an önce birini gönder, polise yakalanmadan bizi buradan alsın,' dedim. Ben paçayı nasılsa kurtarırdım, kurtarmasam ne fark eder ki bu yaşta, ama sizin kaybedecek çok şeyiniz var. Her neyse, araba zamanında geldi de, polise yakalanmadan bugünü de atlattık, böylece."

En önemli soruyu ancak asansörden inerken akıl eden annem, "Sahi, birbirinizi nasıl buldunuz siz?" diye sordu.

"Tesadüfen," dedim ben en gücenik sesimle, "zaten bir ben kalmışım, Dina'yı yakından tanımayan! Sen de bana hiç bahsetmedin Dina'dan anne!"

"Ara sıra gelir gider Dina, abisine," dedi annem.

Eve girdik. Annem, bizim nasıl tanıştığımızı veya buluştuğumuzu pek merak etmiyordu anlaşılan. "Önce ıslak giysilerimizi çıkarıp asalım, sonra size söyleyeceklerim var," dedi. Mantolarımızı çıkarttık, koltukların üzerine serdik. Dina'nın başlığı o kargaşada kaybolmuştu, benimki sırtıma sarkıyordu. Başlığından kurtulmak için hep her fırsatı kollayan annem, bu

273

kez açmayı unuttu başını, bizi yanına çağırdı, el işaretiyle bileklerimizi istedi. Çıkarttık. Bileklikleri salonda bırakıp, yatak odalarına giden koridorda peşinden gittik. Koridorun kapısını kapattı, odaların açıldığı dar alanda mahsur kaldık. Yere oturdu, biz de çöktük yanına. Fısıldayarak fakat tane tane konuştu:

"Yarın şehrin park ve meydanlarında, değişik protestolar yapılacak. Mesela Doğu Ormanları'ndaki ağaçların kesimine karşı olup, doğayı korumak isteyenler, Ulu Park'ta toplanacaklar; kadına karşı şiddeti protesto edenler yine Selvili Park'ta yürüyecekler; yurt dışı çıkış yasağına karşı olanlar, Toptancılar Çarşısı'nın oradaki meydanda buluşacak, müteahhitler ihalelerdeki yolsuzlukları ve kayırmaları protesto için Büyük Meydan'da, sınav yolsuzluklarını protesto eden öğrenciler ve aileleri Şehir Üniversitesi'nin arka bahçesinde... sen herhalde oraya gidersin Dina... Ben gösterilerde robot kullanımına karşı çıkan grupla birlikte, İstasyon Meydanı'nda olacağım. Yuna, sen yarın evinden çıkma!"

"Ama anne..."

"Çünkü birkaç kişinin de evinde kalıp, olup biteni simülasyonla sevk ve idare etmesi lazım."

"Ben ne anlarım sevk ve idareden? Hayatımda protestoya mı katıldım?"

"Katılmadığın için zaten, meydanlarda olmayacaksın. Ne zaman ne tarafa kaçacağını, kimlerin sana kapısını açacağını hiç bilmiyorsun. Yakalanırsan ne gibi yanıtlar vermen gerektiğini de. Sen evinde daha yararlı olursun, bilgisayar başında oturup, bazı koordinasyonları sağlayabilirsin... Eğer istersen elbette."

"Anne, bu işin ardındaki beyin sen misin?"

Güldü annem, "Ben de *beyin* olacak yetenek, nerede? Ben ordunun rütbesiz bir askeri sayılırım, hepsi bu. Ama vefalı ve çalışkanım."

"Başkan, ya da başkomutan kim? Kim bu işin beyni?"

"İnan bana onu ben de bilmiyorum. Ben sadece bağlı olduğum birimden bir kişiyi tanırım, o da ancak kod adıyla."

"Diyelim ki kabul ettim, ne yapacağımı bilmiyorum ki..."

"Sana neler yapman gerektiğini bu akşam öğretecekler.

"Kimler?"

"Bu akşam seni ziyarete gelecek olan kişi veya kişiler."

"Ben bunu bir düşüneyim," dedim, "Yüce Ram, ne olacak bu işin sonu?"

"Belki yarın, öbür gün değil ama bir gün, her şey bugünden daha iyi olacak," dedi annem. "Size en azından daha iyi bir iklim bırakmayı umuyoruz, biz bu işi başlatanlar."

"Tam olarak ne yapmaya çalıştığınızı bilmiyorum ama dilerim öyle olur, anne. Dilerim, rahat batmamıştır size."

"Rahat batmadı kızım, güneşimizi örten Gökcismin neden bizim ülkeye isabet eden noktaya koşullandığına dair bilgi sızdı, bize. Bu bilgiyi kullanarak, ülkedeki pek çok aksaklığı düzeltebilmek mümkün... Bu fırsatı şimdi değerlendirmezsek yazık olur."

"Ne bilgisiymiş bu, anlatsana!"

"Şu anda hiçbir şey söyleyemem, ayrıntıları bilmiyorum zaten. Ama kadın haklarından tut, eğitim eşitliğine, torpilsiz sınavlardan tut, şeffaf ihale şartnamelerine, rant için doğanın vahşice yağmalanmasını önlemeye kadar pek çok şeyde ilerleme kat edebilirsek, sıra Gökcisme'de gelecek. Ben göremeyebilirim ama sen yaşlılığını, bol güneşli bir ülkede geçirebilirsin, Yuna."

"Anne, böyle birkaç gizemli cümle edip, susmak olmaz. Ne biliyorsan paylaş, biz de aydınlanalım."

"Şu önümüzdeki zor günleri hayırlısıyla atlatalım, her şeyi anlatacağım. Şu anda söylediğim kadarını bilin."

"Bari Gökcisim'le ilgili bilgiyi nereden öğrendiğini söyle."

"Yurt dışı kaynaklı... başka sorma!

"Sen hiç konuşmadın, Dina, sen ne düşünüyorsun bu konuda?" diye sordum, sessizce bizi dinleyen kıza.

"Yuna Hanım, yani Profesör Otis, ben..."

Atıldım, "Bana Yuna der misin lütfen."

"Bayan Yuna, ben..."

"Yok, sadece Yuna, de."

"Şey... Ayıp olmasın..."

"Olmaz. Bak bugün kader bizi bir araya getirdi ve arkadaş olduk seninle."

"Tamam o halde, şöyle oldu Yuna, biz birkaç arkadaş yurt dışındaki web sitelerine girmeyi başardık. O zaman gördük ki, dünya bambaşka bir yer. Gençlik en yakınımızdaki ülkede dahi çok daha özgür ve mutlu bir hayat yaşıyor. Bu bilgiyi önce en güvendiğimiz arkadaşlarla paylaştık ve dış dünyayı izlemeye başladık. Zaman içinde sayımız giderek çoğaldı. Neticede gençler olarak, değişim istiyoruz, yaşamak, öğrenmek, eğlenmek, özgür ve mutlu olmak istiyoruz. Yarın bu nedenle okulun arkasındaki bahçede toplanıp, isteklerimizi haykıracağız."

"Neye yarayacaksa, haykırmanız..."

"Yönetenlerin akıllarını başlarına toplamasına yarayacak," dedi annem, "Halkı aptal yerine koymak, bir yere kadar! Memnuniyetsizliği göstermek lazım, ağlamayan bebeğe mama vermezler, çünkü! Protestolar şehrin dört beş yerinde birden baş gösterince, onlar da düşüneceklerdir, biz nerede yanlış yaptık diye."

"Benim iyi niyetli annem, tek yapacakları protestonuzu şiddetle bastırmak olacak!"

"Yanlış kelime kullandım. Protesto değil, dayanışma demem lazımdı. Yarın ki sadece bir dayanışma gösterisi."

"Adını ne koyduğun hiç fark etmez, anne."

"Bak, gencecik çocuğu," gözleriyle Dina'yı işaret etti, "umutsuzluğa sevk ediyorsun, Yuna. Oysa her işin başı, umuttur. Umudu asla kaybetmeyeceksin."

"Anneannemin hakkı var," dedi Dina.

Anneme "anneanne" diyebilecek kadar yakınlaşmışlar demek ki! Ben, parmağına dikiş iğnesi batıp uykuya dalan masal kahramanı kız gibi, çok uzun zamandır derin bir uykudaymışım. Ben mışıl mışıl uyurken, gencecik bir kızcağız, oğlumun üvey kız kardeşi, dış dünya ile irtibat kurmuş; annem, nefret ettiği eski kocamın kızıyla kanka olmuş; bir sürü protestocu dernek kurulmuş, Odelya dahi protestocu olmuş; benim güvendiğim dağlara, ki o dağlar meğer Saray'a yaslamışlar sırtlarını, yolsuzluk, yasasızlık, zulüm karları yağmış; arkadaşım sandığım kız casusum çıkmış... Ta ki bir prens gelip beni öpene kadar, uyumuşum ben. Ne öpücükmüş ama! Regan evime gizlice not bırakarak beni parka çağırıp, uyarmasaydı, bu işlere hiç bulaşmadan uyuyor olacaktım hâlâ!

Uyanma zamanı gelmiş de geçiyormuş!

"Sen şimdi artık çok geç olmadan, evine dön, Yuna," dedi annem, "bizim Dina'yla yarına dair bazı şeyleri görüşmemiz lazım. Boşuna sıkılmayasın bu havasız yerde!"

"Bana da söylesene, anne."

"Başı sıkışan çocukların hangi yönlere kaçışacaklarını, onları nerelerde hangi araçların bekleyeceğini filan konuşacağız."

"Tamam. Anladım. Keşke Dina'yı tanıdığını bana söyleseydin, hatta bana da tanıştırsaydın, zamanında."

"Yakınlaşmamızın nedeni, işte bu tür işlerdi. Dina, okulundaki eylem grubunun başkanı. Görevinden uzaklaştırılan bir öğretmen için yaptıkları eylemde mimlenmiş. Abisini ziyarete gelmesi dikkat çekmez diye, bu evde buluştuk birkaç kere. Böyle konuları her yerde, sere serpe konuşamayız ki, yerin kulağı vardır! Sen de çok dikkatli ve ketum ol, lütfen."

"Merak etme," dedim.

Anneme ve Dina'ya veda edip çıktım evden. Şehrin bu tarafı sakindi, ben de sakinleşmek, yaşadıklarımı sindirmek için, evin yakınındakine değil de, bir sonraki durağa kadar yürümeye karar verdim.

KARAKOLDA

Bütün bunlar olurken, Odelya ne yapmıştı acaba? Sağ salim evine dönmeyi ve katıldığı gösteriyi Hanor'dan gizlemeyi başarmış mıydı? Kocasının tam da evine döneceği saatlerde, ona uğramak istemiyordum. Yarına kadar beklemeye de sabrım yoktu. Telefonunu tuşladım ama ya kocası açarsa diye, görüntüyü engelleyerek. Yüzümü görürse, benim telefonuma herhalde yanıt vermezdi Hanor. Uzun uzun çaldı ve eyvahlar olsun ki bir erkek sesi cevap verdi:

"Alo?"

"Hanor?" dedim, yürek çarpıntıları içinde.

"Kimi aradınız?" Hanor'un sesi değildi telefondaki.

"Odelya'yı aramıştım. Siz kimsiniz?"

"Bu soruyu ben sorayım size. Odelya Keran'ın nesi oluyorsunuz?"

Korktuğum başıma geliyordu galiba. Gözaltına alınmış olmasın sakın!

"Ben ablasıyım," diye yalan söyledim. "Asıl siz kimsiniz? Niye kardeşimin telefonunu siz yanıtlıyorsunuz?"

"Çünkü kardeşiniz şu anda, burada, 5. Cadde Karakolu'nda ifade veriyor."

"Ne sebeple?"

"Gözaltına alınan göstericilerin arasında getirildi."

"Bir yanlışlık olmuş. Odelya gösteriden filan anlamaz, öyle şeylere katılamaz da, dikkat ettiyseniz yürüme özürlüdür. Belli ki tesadüfen gitmiş oraya, hemen salın kardeşimi... Heyy, alo... alo... alooo?!"

Telefon yüzüme kapandı. Can havliyle Regan'ı aradım. Hemen yanıtladı, Regan.

"Geçmiş olsun anne," dedi, "biraz hırpalanmışsın ha, bugün. Anneannemi aramaya mı gitmiştin Park'a?"

"Regan, ben seni ardım çünkü... şey... bir arkadaşım şu anda 5. Cadde Karakolu'nda, ifade veriyor. Odelya benim komşum, öyle taraklarda hiç bezi yoktur ve üstelik bir bacağı da sakat. Kurtar onu. Yalvarırım kurtar. Yoksa ölür, Odelya!"

"Kimse ifade vermekle ölmez, anne!"

"Oğlum bilmiyorsun sen, manyak bir kocası var, eve gittiğinde yiyeceği dayaktan zaten ölecek de... belki kocası farkına varmadan çıkarırsın onu. Yalvarırım Regan, bak bugüne kadar ben senden hiçbir şey istemedim. İlk ve son defa..."

"Beni ne kadar zor duruma düşürdüğünün farkında mısın?"

"Anneanneni kim bilir kaç kez korudun, kurtardın. Kız kardeşin Dina'yı da öyle! Ben senin annenim Regan, hiç mi hatırım yok benim? Bak adını veriyorum, çabuk ol... elini ayağını öpeyim, kocası duymadan çıkart arkadaşımı oradan. Ben şimdi, telefonu kapayınca, arabama atlayıp, Karakola onu almaya gidiyorum. Odelya'sız dönmeyeceğim. Bir gün de senin bir işin düşebilir bana. Haydi oğlum, haydi tavşanım..." Odelya'nın soyadını da söyleyip, cevap vermesini beklemeden kapattım telefonu. Neye niyet, neye kısmet! Ben oğluma hesap sormaya hazırlanırken, ondan lütuf istemiştim. Durağa yanaşan otobüse atladım. Evimin yakınında inip, arabamı park ettiğim yere koştum. Ama sonra gerisin geri eve koştum ve kapının yanındaki askılıkta sallanan atkımı boynuma dolayıp, arabama geri döndüm. 5. Cadde'ye gazladım.

Karakolun içi de tıpkı Park'ta olduğu gibi, mahşer yerini andırıyordu. Yakınlarını arayanlar, ağlayanlar, zırlayanlar, bağırıp çağıranlarla dopdoluydu. Polis masalarının önüne insanlar yığılmıştı. Atkımın verdiği öncelik hakkını, ilk kez gocunmadan kullanarak, sıranın önlerine geçtim ve sıram geldiğinde, kendimi bana bakan memura Profesör olarak tanıttım, Odelya'yı sordum. Yanlışlıkla gözaltına alındığı için, serbest kalması yönünde bir emir gelmiş olmalıydı. Acaba haberi var mıydı? Atkımın renklerini fark ettiğini memnuniyetle gördüğüm memur, beni savsaklamadı. Birisiyle iç hatta bir görüşme yaptıktan sonra, bana üst kata çıkıp, 27 numaralı kapıda beklememi söyledi.

Üç dakika sonra, 27 numaralı kapının önündeki sırada, gözlerim kapının tokmağında oturmuş beklerken, bir yandan da Odelya birazdan serbest kaldığı takdirde, Hanor'a uydurması gereken mazereti, evirip çeviriyordum, kafamda.

Tokmak dönmedi, meğer sadece nostaljik süslerdenmiş. Kapı otomatik olarak yana kaydı ve içerden leş gibi olmuş açık mavi mantosuyla, Odelya çıktı. Beni görünce şaşırdı. Önce boynuma sarılmak üzere bir hamle yaptı, sonra iki elini birleştirerek selamladı beni.

"Haydi, yürü Odelya, bir an evvel gidelim," dedim ben.

"Aşağı katta parmak izi vermem gerekiyormuş," dedi, "sen nerden öğrendin burada olduğumu."

"Anlatırım. Hanor'un karakola düştüğünden haberi var mı?"

"Bilmiyorum."

"Aman bilmesin!"

Birlikte merdivenleri inerken, "Sabah sana kaba davrandım," dedi.

"Önemi yok. Ben de sana ukalalık ettim."

Aşağı katta, Odeyla kendine gösterilen bankoya gidip parmak izini verdi ve çantasını geri aldı. Çantanın içini bankoya boşalttırdılar, ellerindeki tutanakla karşılaştırdılar.

"Bilekliğimi de içine atmıştım size teslim ederken," dedi Odelya, "o burada yok, işte bakın!" Tam o sırada bir başka memur geldi yanına,

"Bilekliğiniz bendeydi. Telefonunuz çalınca açtım, ablanızla konuştum, buyurun alın," dedi bilekliği uzatarak.

"Benim ablam... yok... ki," dedi Odelya giderek alçalan sesiyle, "kocam olmasın arayan?"

"Sizi bir bayan aradı!"

Yanlarına gittim, "Haydi Odelya, aldın eşyalarını, çıkalım artık, akşam trafiğine kalmadan," dedim.

Karakolun parkına bıraktığım arabama bindik. Yola çıktık.

"Sen mi kurtardın beni?" diye sordu.

"Herhalde hiçbir suçun olmadığını anladılar ki, bıraktılar. Şimdi biz, Hanor'a ne diyeceksin, onu düşünelim. Bak aklıma ne geldi; benim evimde bir arkadaş toplantısı olduğunu, günün sonunda bulaşıkları toplamaya yardım etmek için geç kaldığını söyle kocana, ha, ne dersin?"

"Hanor bu akşam nöbetçi," dedi Odelya, "Beni sen mi buldun? Sen mi çıkarttın Karakoldan?"

"Ben buldum evet, telefon ettim sana, bir polis yanıtladı, o söyledi nerede olduğunu. Ama çıkartan ben değilim. Oğlumu soktum devreye. İlk kez böyle bir şey istedim ondan. Yapacağını sanmıyordum açıkçası, ama kırmadı beni."

Odelya'nın teşekkür edeceğini sanıyordum, oysa o buyurgan bir ses tonuyla,

"Şimdi bir şey daha yapacaksın, Yuna," dedi, "bir kere daha arayacaksın oğlunu ve içerde gözaltında tutulan beş arkadaşımın da serbest bırakılmasını temin edeceksin."

Doğru mu duydum ben?

"Pardon?"

"Duydun beni Yuna! Benim senin yüzünden yediğim dayak var ya, işte hiç şey için olmasa, sadece onun hatırına yapacaksın bunu. Yoksa hakkımı sana helal etmem."

Yanımda oturan kadına baktım. Bugüne kadar, kırılgan, hassas, aciz sandığım, dayak yeme şampiyonu, aksak Odelya, despot kesilmişti başıma.

"Sakın Odelya! Hakkını sakın helal etme, bana! Başka da hangi kötülüğü istiyorsan yap, hatta kocanı beni dövmesi için kapıma yolla. Elinden geleni ardına koyma. Ama şunu iyi bil, asla böyle bir şey istemeyeceğim oğlumdan. Biz ailecek, torpilden, kayırmadan, dayatmadan nefret eden insanlarız. Yine de, senin içeri alındığını öğrenince, tek bir hakkım olduğunu düşündüm, analık hakkım, onu da senin için kullandım. Az sonra seni indireceğim evinin önünde, bir daha da suratını görmek istemiyorum, Odelya!"

"Ne oluyorsun be! Boynuna şu atkıyı sardın diye, kendini bir bok mu sandın! Senin arkadaşlıktan anladığın bu mu? İçerde hiçbir suçu olmayan, çocuklu çoluklu kadınlar var. Beni çekip aldın aralarından, hepsi orada kaldı. Benim de aklım onlarda kaldı. Nasıl yüzlerine bakarım, yarın öbür gün? 'Kendini çıkartmayı başardın, bizi hiç mi düşünmedin,' demezler mi? Sen arkadaş dayanışması nedir, bilmez misin, Yuna? Keşke beni de içerde bıraksaydın!"

Vitesimi otomatikten düz vitese geçirdim, vırrrç diye bir ses çıkararak, aksi istikamete döndürdüm arabamı. Hız kesmeyi o kızgınlıkla akıl edemediğim için, savrulduk.

"Heyy, ne yapıyorsun, aklını mı kaçırdın?" diye bağırdı Odelya.

"Seni Karakola geri götürüyorum," dedim, "arkadaş dayanışması nedir, göstereceğim sana!"

"Delisin sen!"

"Sen de edepsiz ve nankörsün!"

Hiç konuşmadık başka. Ben arabayı yeniden karakola yönlendirip, arkama yaslandım. O yanımda dimdik oturdu. Karakolun önünde durdu araba. İndim, dolanıp Odelya'nın kapısını açtım.

"Çık dışarı, benimle geliyorsun."

İtiraz edecek gibi oldu, sonra gururu galebe çalmış olmalı, burnu havada indi arabadan. Kolundan çekeleyerek binaya girdim, danışmaya yürüdüm.

"Ben Profesör Otis, dedim, İstihbarat Bakanlığı Dış İlişkiler Bölümü Müdür Yardımcısı Regan Otis Savon'un annesiyim. Şefinizle çok acil görüşmem lazım."

Çok bekletmedi bizi danışmadaki memur, iç hatta biriyle bir şeyler konuştuktan sonra, "Birinci katta, sağdaki ilk oda. Buyurun, Şef sizi bekliyor, dedi.

Kolunu sımsıkı tuttuğum Odelya'yı yine çekiştirerek, bana tarif edilen odanın önüne götürdüm. Kapıyı vurdum. Bir an sonra, Ramanis Cumhuriyeti bayrakları ve Uluhan'la Oğulhan'ın kocaman fotoğraflarının asılı olduğu duvarın önündeki masada oturan adamın karşısındaydık.

"Buyurun Profesör," dedi.

"Sizden bir ricam var, efendim," dedim, "Komşum Odeyla Keran, bugün birkaç arkadaşıyla gezme amaçlı gittiği Park'ta, polisler tarafından yanlışlıkla gözaltına alınmış. Hiçbirinin haberi yokmuş protesto gösterisinden. Durumu, oğlum Regan Otis Savon'a bizzat bildirdim. Odelya Keran ve arkadaşlarını iyi tanır. Verdiği teminat üzerine, komşumu özür dileyerek hemen salmışlar. Ama anlaşılan bir yanlışlık sonucu, arkadaşları içerde kalmış. Komşum, onlar da salıverilmedikleri takdirde, serbest kalmak istemiyor. Yanlarına geri dönmek istiyor. Ben de ona hak veriyorum, çünkü durumunda, onurlu insanların asla kabul edemeyeceği bir eşitsizlik var. Şimdi, ya Odelya Keran'ı yeniden gözaltına alın ya da arkadaşlarını bu gece serbest bırakın."

"Siz ne söylediğinizin farkında mısınız, Profesör?"

"Evet." Odelya'ya döndüm, "İstediğin bu değil miydi Odelya?" diye sordum.

Odelya başını evet anlamında sallamakla yetindi.

"Regan Otis Savon'un talimatı olduğu doğru mu?"

Şansım zorladım yine:

"Hemen araştırın salıverme talimatının kimden geldiğini. Ben de size kimliğimi sunayım," deyip bilekliğime bakması için kolumu uzattım adama. "Size gelmeden önce oğlumu aradım ama ulaşamadım. Tahmin edersiniz ki böyle bir günün sonunda, işi başından aşkındır, tıpkı sizlerin olduğu gibi."

Adam, kafasını kaşıdı. Düşünceli görünüyor, belli ki ne yapacağını bilemiyordu.

"Tekrar edeyim, Regan Otis Savon serbest bırakılma talimatını altı kişi için verdi ama bir yanlış anlaşma olmuş."

"Araştırayım," dedi.

"Sayın Şefim, benim akşam bir seminerim var, komşumu size emanet ediyorum. Siz nasıl uygun görürseniz öyle yapın, efendim." Ayağa kalktım.

"İzin verin de işin aslını öğreneyim," dedi Şef.

"İşin aslı aynen söylediğim gibi! Ben şu anda gecikmiş durumdayım. Gitmem gerekiyor. Vaktinizi ayırdığınız için teşekkür ederim."

Ellerimi kavuşturup selam verdim. Şef'in, Gizli Servis'te, üstelik kendinden birkaç mevki üstünde bir adamla karşı karşıya gelmeyi göze alamayacağını tahmin ediyordum. Yanılmamışım.

"Bırakalım o halde, komşunuzun hanım arkadaşlarını," dedi tam ben kapıdan çıkmak üzereyken. Yüzü sapsarı olmuş Odelya'nın ancak bir ev kadını olabileceği her halinden belliydi ve Şef, herhalde bunun arkadaşları da kendisi gibi ürkek ev kadınlarıdır, diye düşünmüştü; onlarla mı uğraşacaktı, işi başından aşkınken!

Ben Polis Şefi'ne bir kere daha teşekkür edip, odadan çıkarken Odelya adama vız vız vız bir şeyler söylüyordu, teşekkür mahiyetinde.

Çıkınca, yanıma geldi, "Teşekkür ederim," dedi, gözleri yerde. "Bir dayaklık hakkın vardı üzerimde, ödedim, ödeştik. Kimsenin kimsede hakkı kalmadı. Bir daha yüzünü görmek istemiyorum, Odelya!"

Arkamı dönmüş yürürken, taş zeminde topuklarının sesini duydum. Peşimden geliyordu. Hızlandım. Bana yetişemeyince, vazgeçmiş olmalı, topuk sesleri durdu. Çıktım binadan. Arabama bindim, evimin adresini tuşladım, arkama yaslandım ve evime varana kadar, hiç silmedim o ana dek zor tuttuğum, artık sel gibi akmaya başlayan gözyaşlarımı. Çekilen bir dişin ağızda bıraktığı derin, kuyu gibi bir boşluk vardı yüreğimde, acıyan, sızlayan, kolayca dolmayacak bir boşluk.

HAYAT SÜRPRİZLERLE DOLUDUR

Eve vardığımda, kapımın önünde ünlü kargo şirketlerinden birinin motoru duruyordu. Üzerinde şirketin turuncu formasını ve kafasında kocaman kaskını taşıyan adam, motorundan inerek yanıma yaklaştı, "Prof. Otis siz misiniz?" diye sordu.

"Benim."

"Bir kargonuz var, imzanızı almak için yukarı gelebilir miyim?"

"Burada imzalasam?"

"Paket ağırca. Taşıyabilir misiniz?"

Tamur söyleyip durmuştu ya bana katkısız gıda yollamak istediğini, ondan gelen bir paket olmalıydı.

"Getirin yukarı, madem öyle."

Asansöre binip, katıma çıktık. İçeri girince, taşıdığı büyükçe paketi kapının yanına yerleştirdi ve kafasındaki kaskı çıkardı, adam.

"AAA, KUTK..."

Eliyle sus işareti yaptı. Cümlemi yutup sustum. Koşup evin tüm bağlantılarını kestim. Döndüğümde, Kutkar çömelmiş, açtığı paketten iç içe geçmiş tencereler çıkartıyordu.

"Ben seni gizleniyorsun sanmıştım... Kaçırıldın mı yoksa kendin mi... şey ettin?"

"Uzun hikâye. Anlatırım sonra."

"Ama ben çok merak ettim. Sonra o yazı..."

"Yuna, önce işimizi bitirelim, lütfen. Çok vaktim yok."

"Bunlar ne?"

"Bunlar BİBA ürünlerinin sana promosyon armağanı!"

Ne diyeceğimi bilemeden, hayretler içinde baktım.

"Evin en bol musluklu yeri mutfak mı?" diye sordu gülüm-seyerek.

"Yatak odamdaki banyoya geç."

Kucakladı tencereleri, önünden yürüdüm.

"Sana banyomda ne pişirmemi istiyorsun?" dedim.

"Ben sana fırınını kurayım da, sen ne istiyorsan onu pişir."

"Banyoda mı kuracaksın?"

"Evet. Çalışırken hack'lenmemek için sürekli suyu akıta-caksın. Duşu, musluğu, hatta sifonu... Tüm muslukları aç. Bu yepyeni bir buluş, sudaki elektrotlar ilginç bir dalga yaratıyor ve... neyse, konumuz bu değil."

"Senin icadın mı?"

"Yok, dışardan bir teknoloji bu. Benim üzerinde çalıştığım şey, başka. Onu sen bulmuşsun."

"Cama yazılı şifreyi mi kastettin? Ne olduğunu bilmiyorum ki!"

"Bir buluşun ilk çalışmaları... üzerinde biraz daha çalış-mam gerekiyor."

Kutkar'a kayboluşuyla hatta Tamur'la ilgili sormak istediğim yüzlerce soru vardı ama farkındaydım, sırası değildi. O aceleci hareketlerle, artık ancak şehir müzesinde görülebilecek, antika değeri dışında hiçbir işe yaramayan, iç içe geçmiş iki bakır tencereyi yan yana dizdi banyonun önüne, sonra bir tanesinin içinden, bir sihirbaz maharetiyle, bir tencere daha çıkardı, kenara koydu. Boşalan tencerenin içi, kablo ve tuşlarla doluydu.

"Diğeri yedek. Gördüğün gibi dış kabuklar oldukça ilkel bir metotla çalışıyorlar, bakarsın bir tel kopuverir, zaman kaybetmeden diğerini devreye sokarsın. Ben şimdi sana içtekini nasıl kullanacağını öğreteceğim. Yarın şehrin dört bir yanındaki protestoların gelişmelerini, buradan takip edip bizim odaya... oda dediğimiz bizim karargaha... bildireceksin. Yapabilir misin?"

"Öğrenebildimse yaparım."

"Sen de öğrenemezsen, kimse beceremez. Gel yanıma."

"Bir şey soracağım; Tamur senin hayatta olduğunu biliyor, değil mi?"

"Ah, Yuna! İyi ki sordun, yoksa ben tamamen unutmuştum."

Cebinden bir flash-disk çıkardı, çalıştırdı, Tamur'un sesini duydum:

Sevgilim. Seni özledim. Kavuşmamıza az kaldı. Güzel günleri birlikte karşılamak için sabırsızlanıyorum. Kendine çok iyi bak, sağlığına çok dikkat et. Ben iyiyim. Tek eksiğim sensin. Seni sevgiyle kucaklıyorum.

Ne benim adımı ne kendininkini söylemişti, Tamur. Mesaj, herhangi bir erkeğin sevgilisine yollayacağı çok masum bir mesajdı. Hatta fazlasıyla sıradandı. Ama ses kesinlikle onundu ve bana, söylediğinden çok fazla şey ifade ediyordu. Umut veriyordu. Fakat tedbiri elden bırakmamamı, hâlâ takip altında olduğuna işaret ediyordu. Sesimin titremesini önlemek için, yutkundum,

"Sen Tamur'u gördün mü, Kutkar?"

"Hayır."

"Nasıl verdi sana bunu?"

"Tamur iyi. Başka soru sorma."

"Ama Kutkar..."

"Lütfen Yuna. Az vaktimiz var, gel çök yanıma da bunu nasıl kullanacağını göstereyim sana," dedi.

"Bak Kutkar, kendimi tehlikeye atarak size yardım ediyorum. Beni aptal yerine koyuyor, hiçbir şey anlatmıyorsunuz. Bana güvenmiyorsanız, yardımımı istemeyin!"

"Bu işlerde her şey çok gizlidir. Lak lak konuşulmaz!"

"Pekâlâ, toparla tencerelerini git, o zaman!"

"Ne diyorsun sen be?"

"Beni yanıtlamazsan, sana yardım etmeyeceğim."

Ayağa kalktı Kutkar, yüzünde bıkkın bir ifade, "Sor," dedi.

"Sen kaçırıldın mı, kaçtın mı?"

"Önce kaçırıldım, sonra kaçtım."

"Kim kaçırdı seni?"

"Üzerinde çalıştığım formülden şüphelenenler. Onlar için çalışmamı istediler."

"Kafana bir şey mi geçirdiler, bayılttılar mı? İşkence mi yaptılar?"

"Hayır. Davet ettiler, hatta iş yerimin kapısına bir de araba yolladılar. Bindim, gittim. Gittiğim yerde bana şahane çalışma koşulları temin ettiler, krallar gibi de beslediler. Sadece, bulunduğum yerden çıkabilmem için, başladığım işi bitirmemi istediler. Ben de oyalanıp durdum... sonunda şüphelendiler benden."

"O formül nedir?"

"Bir senkronizasyon işi. Daha fazlasını şu anda söyleyemem. İstersen yardımcı olma, keyfin bilir."

"İnsanlara zarar verecek bir şey mi?"

"Onların istediği haliyle evet... ama benim şu anda üzerinde çalıştığım, tam tersine, zararı önleyecek bir şey."

"Nasıl kaçabildin oradan?"

"İçerden biri kaçırdı beni. Yoksa çıkamazdım."

"Şimdi nerde saklanıyorsun?"

"Çok emin bir yerdeyim. Yarın değişecek yerim. Hatta sık sık değişecek."

"Bana gelirken korkmadın mı? Ya yakalansaydın?"

"Bu tencere benim icadım, başkası kuramazdı. Pek ilkel bir şey, gördüğün gibi, o yüzden izlenmesi zor ama aslında iç mekanizması çok karmaşık. Ayrıca, kimsenin şüphesini çekmeyecek bir kuryeyim, başında kask, altımda özel olarak hızlandırılmış motorum var. Kaskım da çok özel, haber alıp verebiliyorum, anında. İlla kaçmam gerekirse, birkaç tane sığınma noktam var ve en önemlisi, peşimdekiler benim yurt dışına kaçtığımı sanıyorlar."

"Emin misin?"

"Elbette. Gereken yerlere, yurt dışına kaçışımı işaret eden ipuçları bırakıldı. Sen beni hiç merak etme. Vakit kaybediyoruz Yuna, başlayalım mı?"

"Sana son bir sorum var, Kutkar, biraz özel olacak ama... kusura kalma..."

"Neymiş?"

"Arike! Güvenilir biri mi? Kimdir Arike?"

"Arike... Onu bilgi toplamak için kullanan bir akrabası vardır Saray'da, ama aslında Arike adamı kullanır, sömürür onu. Para karşılığında abuk sabuk şeyleri bilgi diye sunar, çünkü paraya hiç dayanamaz. Adam da her seferinde, önemli bilgi gelecek diye... Neyse, sen uzak dur Arike'den... Ya da ağzını sıkı tut, birlikteyken. Yoksa çok eğlencelidir, Arike. Haydi Yuna, artık iş başına!"

Tencerenin önüne oturdu Kutkar. Banyodaki tüm muslukları açıp, ben de yanına diz çöktüm. Cebinden çıkarttığı kulaklıkları taktım. Tuşlara dokunmaya başladı. Birazdan oturduğum mahalle, tüm ayrıntılarıyla tencerenin dibindeki yüzeydeydi. Sağdaki tuşu çevirdiğinde, şehrin batı mahalleleri, soldakini çevirdiğinde doğu mahalleleri görünüyordu. Birlikte bütün şehri sokak sokak taradık. Ağaca tırmanan minik bir kedi yavrusunu dahi görüyordum, yaprakların hışırtısını, rüzgârın sesini duyuyordum. Düğmelerin ne işe yaradıklarını, iletişimi nasıl kuracağımı, görüntüleri ve sesleri onlara nasıl nakledeceğimi ayrıntılarıyla anlattı bana. Yarım saatten fazla süren hızlandırılmış dersim sona erip, doğrulduğumda dizlerimde derman kalmamıştı. Zorlukla kalktım ayağa.

"Sana hatırlaması en kolay gelen, dört haneli bir sayı söyle," dedi Kutkar, "Bu senin kodun olacak."

Biraz düşündüm, yaş sırasına göre babamın, annemin ve benim doğum günlerimizi söyledim.

"Dört haneyi geçti. Olmaz."

Babamın doğum gününü Regan'ınkiyle değiştirdim.

"3717"

"Unutmazsın değil mi?"

"Asla."

"Senin adın bundan böyle, tencere başındayken 3717. Anlaştık mı?"

"Diğer tencere ne olacak, Kutkar?"

"Onu mutfağında bir yere kaldır. Yedek o."

"Lâzım olduğunda, benim yaptığım gibi, içini çıkartır, banyoya gider suyu akıtır kullanırsın, biri gelecek olursa, küçük tencereyi hemen diğerinin içine koy, bir kere döndür, kapağını kapat, yerine bırak. Hatta içinde yemek dahi olsun, ama ocağın üzerinde bırakayım deme, ne olur ne olmaz, açlıktan gözü dönmüş biri, ısıtmaya kalkar," şaka yapmayı da ihmal etmiyordu, Kutkar, "mutfağın havaya uçar, ha!"

"Kimse bunlarla yemek pişeceğine inanmaz. Tarih öncesinden kalmış bunlar."

"Antika meraklıları için çok değerliler. Bir koleksiyoncu olamaz mısın sen de?"

"İşimiz bittiğinde, yarın akşam gel al bunları, bende kalmasınlar."

"Bir süre sende kalacak Yuna, lazım oldukça kullanmanı isteyeceğiz."

"Ya benden şüphelenirlerse..."

"Şüphelenecekleri en son kişi sensin, Profesör. Bu yüzden senin evinde saklıyoruz ya onları. Bu işler hayırlısıyla sona erdiğinde, her iki tencerede de lezzetli yemekler pişirirsin artık, hep birlikte yeriz," dedi Kutkar.

Güldüm, "Ne yemek pişiririm ama ben!"

"Yuna, çok darda kalırsan tencereleri annene, o müsait değilse... en güvendiğin kişiye emanet edersin."

"En güvendiğim kişi, ortada yok. Sen de bana onun nerede olduğunu söylemiyorsun."

"Tamur'u tanımadan önce en güvendiğin kişi kimdi, Yuna?"

"Oğlumdu, ama o devlette çalışıyor, ona veremem."

"Bak, ben sana ne dedim? En güvendiğin kimse, ona ver, dedim."

Bir evladın anasını ihbar edecek hali yok diye düşünüyordu herhalde. Uzatmadım.

"Tamur'a selam söyle, eğer görürsen," dedim.

Kaskını giydi, çıktı kapıdan. Pencereye koşup, gidişini izledim. Atladı motosikletine, motorunu inleterek, uçtu gitti, Kutkar. Dediği gibi, bu işler hayırlısıyla sona ererse, o bakır tencerelerde anneme yemek pişirtecektim, hatta belki ben de yemek yapmasını öğrenecektim. Erkekler, mucit kadınların bile, illa onlara yemek pişirmesini istiyorlardı! Dinozorlar devrinden kalma tencerelerde hem de! Bakır tencerelerde... A ah! Bakır tencere deyince... bir şey hatırladım! Annem masasında oturmuş, çizim yapıyordu, ben de ensesindeki kırışıklara bakıyordum... göz ucuyla görmüştüm çizdiğini... bakır tencereler... hatta içerlemiştim biraz, bu saçma sapan çizimler için beni bekletiyor diye! Yok, artık!.. Daha neler! Hayalim fazla çalışıyor, oyun oynuyor bana, son zamanlarda bolca yediğim gıda pazarı sebzelerinden dolayı, herhalde. Aklımı çalıştıracağına, hayalimi çalıştırıyor olmalı, katkısız gıda!

Tencereleri mutfaktaki dolaba kaldırdım, önlerine evde ne kadar kap kacak varsa dizdim, kapısını kapattım dolabın. Kaçarcasına çıktım mutfaktan. Tencereler orada kaldı ama annemin hayali, gece boyunca aklıma takılı kaldı. Yarın onu gördüğümde soracaktım, bu tencerelerin tasarımında da bir parmağı vardıysa da, adını Samira'dan Matruşka'ya değiştirmesini önerecektim, sürekli yeni bir yüzle karşıma çıkan anneme.

DAYANIŞMANIN İKİNCİ GÜNÜ

Ertesi güne sağanak yağmurla uyandık. Ben yatağımdan uzaktan kumandayla perdelerimi açtığımda, havanın halini görünce yastığıma sırtüstü geri bıraktım kendimi. Yağışsız günlerde bulut grisi olan hava, duman grisine dönüşmüştü ve insanda, bırakın yaşama sevinci, yataktan çıkma gayreti bile bırakmamıştı. Bu havada kimse mecbur kalmadıkça evinden dışarı çıkmaz, gösteri asla yapmaz, dolayısıyla araçların karadan ve havadan su sıkmasına da gerek kalmazdı. Tabiat, Saray'ın alacağı doğal tedbirini kendi almıştı. Böyle düşündüm ve tembel kediler gibi gerindim yatağımda. Dünden kalma yorgunluğuma yenilip, biraz daha uyudum. Gözlerimi yeniden açtığımda saat sekiz buçuk olmuştu. Çayımı hazırlamaya mutfağa gittim ve denemek maksadıyla, tencereyi banyoya taşımaya bile gerek görmeden, mutfak tezgâhının üzerinde açtım. Dün akşam Kutkar'ın bana öğretmiş olduklarını, teker

teker dikkatle uyguladım. Önüme açılan şehir haritasında, laf ola Selvili Parkı buldum, büyüttüm ve gördüklerim karşısında gözlerim fal taşı gibi açıldı!

Benim kimse gitmez sandığım Park, bardaktan boşanırcasına yağan yağmura rağmen, dün olduğundan daha da kalabalıktı. Üzerlerine tepeden tırnağa yağmur koruyucuları geçirmiş, erkek mi kadın mı olduklarını fark edemediğim sürüyle insan, tıpkı dün yapmış oldukları gibi, yine ellerinde rengârenk pankartları, balonları, bayrak ve flamalarıyla, temsil ettikleri kuruluşların, grupların hatta Mordamların, Park içinde önceden tespit edilmiş alanlarına yerleşmişler, kötü havaya inat, kıvıl kıvıl kaynaşıyorlardı.

Ramanis Cumhuriyeti'nin polisi, havaya kanıp gafil avlanmış olmalıydı. Ortada gözükmüyordu. Haydi, su sıkan araçlar işlerini yağmura bırakmışlardı diyelim, ama hemen her gösteride gaz sıkan tanklar, sis bombası atmak üzere yine havada daireler çizen sis-kuşları ve insanların filmini çeken droneler, silahlı askerler, silahsız Rama zabıtaları...hiçbiri ortalıkta gözükmüyordu.

Odaklandığım bir grubu, şeffaf yağmurluklarının içini dahi seçebilecek ölçüde, iyice büyüttüm, insanları taradım ve hayretle gördüm ki, kadınların dün başlattıkları protesto, onca hırpalanmalarına, yerlerde sürüklenmelerine, gözaltına alınmalarına rağmen, bugün daha da güçlenerek, bıraktıkları yerden devam ediyordu. Tek tük erkeğin dışında, hepsi kadındı, parkı dolduranların. Bu saatte orada bulunduklarına göre, kim bilir sabahın kaçında düşmüşlerdi yollara, koca şehrin dört bir yanından gelebilmek için. Hayretler içindeydim, benim parmağımı oynatacak halim kalmamışken, bunlar hiç mi yorulmaz?

Telaşla bağlantımı kestim, bakır tencereyi kucaklayıp banyoma koştum. Tüm muslukların, duşun, sifonun suyunu akıttım, sonra tekrardan açtım aletimi ve mahallelerin arasında dolaşmaya başladım. Şehir Üniversitesi'nin bahçesini, ÖZGÜRLÜK İSTİYORUZ yazılı pankartları taşıyan öğrenciler doldurmuştu. Yağmur altında, bir kız öğrenci sırılsıklam olmasına hiç aldırmadan konuşma yapıyordu. Sesi yükselttim: **"...ve yabancı sitelerin bize sunduğu bilgiden yararlanmayı yasaklayan zihniyeti..."** Geçtim başka bir semte, Silikon Pazarı esnafı da kendi meydanlarında konuşlanmıştı. Bağıra çağıra konuşan başkanlarını dinlemeden, başka semtlere kaydım.

En kalabalık grup, doğa tahribatını protesto edenlerin toplandığı Ulu Park'taydı. Kocaman parkta, bir milim toprak gözükmez olmuştu. Pankartlarda, taştan, topraktan, ağaçtan, nehirden, denizden tutun, yıldızlara kadar kozmosu da kucaklayan geniş bir yelpazede, mesajlar, sloganlar, protestolar vardı. Topluluğun yürüyüşüne, adeta dünya dışı bir müzik de eşlik ediyordu. Ulu Parkı UFO basmış gibi ürperdim, görüntüyü iyice büyüttüm. Araştırma Kurumu'ndan birilerini tanıyınca, şaşkınlığım daha da arttı. Biz Saray tarafından desteklenen bir kuruluştuk, buna rağmen ne çok muhalif varmış aramızda meğer! Derken gözüme Merkez bürokratlarına hiç benzemeyen bir takım yerel giysili insanlar takıldı. Biri küsüye çıkınca, söyleyeceklerine kulak vereyim dedim; Konuşmacı, Kuzey Kantonu'nda, bir doğa harikası, adeta bir dünya cenneti olan dağlık bölgenin, maden arama şirketlerine devrini şiddetle kınıyordu. Bir zamanlar koruma altında olan bölge, apar topar çıkartılan yasalarla, yeniden talana açılmıştı. Bir paragöz şirket ki, gizli ortaklarının kimler olduğu malumdu, bölgenin altını üstüne getirmeye hazırlanıyordu. Şimdi ta o bölgeden kalkıp, buraya kadar gelmeyi başarmış birkaç kişi, burada onlara destek verenlerle birlikte, feryat figan topraklarına, akarsularına, ormanlarına sahip çıkmak için, mücadele veriyorlardı.

Neler oluyormuş da haberim yokmuş benim!

Gösteri yapılacağını bildiğim diğer semtlere doğru kayarken... A ah, ne göreyim, annemden duyduğum, belirli yerlerde toplanacakların dışında, kadınlı erkekli her yaşta yığınla insan, şehrin nerdeyse her bir sokağından meydanlara doğru, yağmura hiç aldırmadan, sakin adımlarla yürüyorlardı.

Koca şehirde evinde oturan, benden başka kimse kalmamış gibiydi.

Ben banyomda geceliğimle yere oturmuş, ilkel tencere bacaklarımın arasında, akıttığım suların şırıltısında, büyülü macunu karıştıran bir cadı gibi, bir düğmeyi çevirip duruyordum. Kafamda uzun külahlı siyah şapkam eksikti sadece. Biri beni bu halde görecek olsa, kesin akıl hastanesine götürürdü.

Oysa ben de sokakta, protesto eden insanların arasında, onlardan biri olmayı isterdim. Burada tencere karıştıracağıma, süpürgeme atlayıp, Selvili Park'a uçmak, Odelya'dan uzakta bir noktada, kalabalığa karışmak... Sahi, Odelya ne yapıyordu acaba bu sabah? Göstericilerin arasında mıydı, yoksa yüzü gözü mosmor, evinde mi? Kızgınlığımı yenip, Selvili Parkı bir kere daha mı tarasaydım?

Hayır! Kafamı dağıtma ve zaman kaybetme lüksüm yoktu! Tenceremle Kutkar'ın Oda'sına bağlantı kurdum.

Ve anında bir talimat geldi.

"3717...3717... Şehrin kuzeybatısında, Krapon Sokağı'nın Demon Caddesi'yle kesiştiği noktaya git."

Konuşan Kutkar değildi. Hiç tanımadığım bir sesti.

"Tamam," dedim. Birkaç saniye sonra, önümde aralarında şemsiyeli insanların da bulunduğu bir kalabalık belirdi. Pankartlardan birini büyüttüm, BASIN ÖZGÜRLÜĞÜ İSTİ...

Yeni bir komut geldi:

"3717, Şemsiyeli şahıslardan birini son kerteye büyüt."

Yaptım söyleneni.

"Şimdi şemsiyeye odaklan!"

Amanın! Bu şemsiye bir silah!

"Şemsiyelinin üzerinde kal."

Kaldım.

Aaa, şemsiyeli çömeliyordu... düştü yere... galiba adamı kenara çekiyorlardı...

"Yanındaki şemsiyeliye geç! Büyüt!"

Geçtim, büyüttüm.

O düşmedi, ama etrafını saranlar onu sanki başka bir yöne iteliyorlardı.

"Şemsiyelerin en bol olduğu noktaya odaklan. Büyüt."

Yaptım dediğini. Şimşek çakar gibi, bir şey parladı ekranda... bir kargaşa oldu, bir hareketlenme... sonra normale döndü her şey.

"3717, ekranın en üst köşesinden başlayarak, sağdan sola, sırayla her şemsiyeli gruba ve tek başına duran her şemsiyeliye odaklan. Her birinin üzerinde sadece dört saniye kal ve bir sonrakine geç."

"Tamam," dedim ama tedirgindim. Bu insanlara ne yapıyorlardı acaba? Öldürüyorlar mıydı? Eğer öyleyse, ben alet olmak istemiyordum bu işe! Geriye dönüp hâlâ orada olup olmadıklarını da kontrol edemiyordum, bana verilen komutu zaman kaybetmeden yerine getirmeliydim, çünkü. Şimdi bin pişmandım, bu işe bulaştığıma.

"Ne yapıyorsunuz şemsiyelilere?" diye sordum.

"Onlar şemsiye değil, silah!"

"Ne yaptınız onlara!"

"Soru sorma, 3717."

"Bakın, size yardıma varım ama bana cinayet işletemezsiniz!"

"Sen cinayet işlemiyorsun."

"Alet oluyorum."

"Şemsiyelileri öldürmüyor sadece silahlarından arındırıyorlar. Etkisizleştiriyorlar. 3717, görevden ayrılmak mı istiyorsun?"

Benimle konuşan kişinin, "Kim önerdi bu kadını," dediğini duydum yanındakine, "kaç kere söyledik, her hangi biri olmaz, diye..." sonrasını duyamadım. Ne yapıyordum ben, Kutkar'ı hatta belki Tamur'u bile zor duruma düşürmek üzereydim.

"Alo... alo, ben bir öğretim üyesiyim. Profesörüm..."

"Bizim için, 3717'sin. Hemen görevde kalma veya ayrılma kararını ver, 3717. Son kararın olsun!"

Onların tarafında annem, Kutkar ve Tamur vardı, ve bir de Dina, o şeker kız. Hepsi birden yanılıyor olamazlardı ya... Katil hiç olamazlardı!

"Devam edeceğim," dedim.

"Şimdi bize Ulu Park'ı göster, önce genelini, sonra sağdan sola doğru büyütülmüş halini."

Anlaşıldı, ben akşam kadar banyomda hapis, koca şehri mahalle-sokak tarayacaktım. Sırtımı duvara dayamak için, kaydım biraz. Askılıktaki havlulara uzandım, çekip aldım yerlerinden, dertop edip tencerenin altına koydum ki, biraz yükselsin kucağımda. İki büklüm eğilmek çok zor oluyordu. Yarın da yapacaksam bu işi, kendime daha rahat bir oturma şekli bulmalıydım.

Bana nihayet paydos verilip, banyomdan çıktığımda, saat öğleden sonra dörde geliyordu. Duvarlara tutunarak mutfağa doğru birkaç adım attım, henüz hiçbir şey yememiş, musluktan akan suyun dışında hiçbir şey içmemiştim, açlıktan gözlerim kararıyordu. Sendeledim. Mutfak yerine yatak odama gidip kendimi külçe gibi yatağıma bıraktım. Bir saat kadar uyumuşum. Uyanır uyanmaz mutfağa koştum. Dolabımda hazır yenecek ne varsa çıkardım. Annemin bir gün önce getirdiği semizotunu dahil, yemek üzere masanın üstüne koydum. Toz gıdaları sulandırarak pişirmekle filan kaybedecek zamanım yoktu, karnım zil çalıyordu. Sadece çay için suyu ısıttım. On dakika içinde semizotu dahil, her şeyi silip süpürmüştüm.

Karnım doyduktan sonra, önce toz kereviz püresini hazırlayıp küçük bakır tencerenin içine doldurdum. Banyoda bıraktığım büyük tencereyi toparlayıp mutfağa getirdim, küçük bakırı da onun içine yerleştirdim, kapağını kapatıp buzdolabına kaldırdım.

Sonra evin bağlantılarını kurup, televizyona baktım.

Televizyonun tüm haber kanallarında, bugün ki olaylara dair bilgi yoktu. Şehrin dört bir yanındaki çatışmalar, *"Huzursuzluk çıkarmak isteyen bir takım aşırı eğilimli gençler, dün protesto gösterisinde kazara hırpalanan kadınlar adına, bazı meydanlarda gösteri yapmak istemiş, polisin evlerinize dönünüz çağrısı ile dağılmışlardır,"* bilgisiyle sunuluyordu. Sunucular, dünyadan da bazı iç kapayıcı haberler verdiler. Ekonomik krizin eşiğine gelmiş birkaç ülkenin görüntüsünden sonra, memleketin hava durumuna geçildi. Merkez'de yağmur üç gün daha devam edecekmiş. Artık ona bile inanasım gelmiyordu. Haberler yerlerini belgesellere bıraktı.

Kim yuttu acaba bu kuyruklu yalanı, diye düşündüm. Ancak yağmurun şiddetinden evinden burnunu çıkaramayanlar için, inandırıcı olabilirdi bu bilgi, o da bulundukları yerde, sokağa çıkmış başka birileri yaşamıyorsa eğer!

Benim bugüne kadar dinlediğim haberler, hep böyle gerçekten uzak mıydılar?

Bugün neler olduğunu, ben kendi gözlerimle görmüştüm, semt semt, meydan meydan, sokak sokak, saatlerce gezmiştim şehrin her köşesini. İnsanlar yağmur altında yürümüş, toplanmış, konuşmalar yapmışlardı. Aralarına katılan şemsiyeliler, ben dört duvar arasında otururken, hiç anlayamadığım bir şekilde, bertaraf edilmişlerdi. Bunun nasıl olabildiğini Kutkar'a ilk fırsatta soracaktım. Polis müdahalesi olmadığı için, bir olay da çıkmamış, akşam beş sularında hava iyice kararırken herkes evlerine dönmüştü. Ama tüm şehir yürümüştü bugün.

Annem, nedense fikir değiştirmiş, İstasyon Meydanı'nda anti-robotçularla değil, kadına şiddeti protesto edenlerin arasında yürümüştü. Yine elinde bir pankart taşıyordu. Pankartın üstündeki, yüzü dağılmış kadın resmini muhtemelen kendi çizmişti. İstasyon Meydanı'nda, Odelya'yı çok aramış ama görememiştim. Hanor'un elinde kalmıştı büyük bir ihtimalle. O konuda ne yapmam gerektiği hakkında karışıktı kafam. Belki işi oluruna bırakmak en doğrusu olacaktı.

Dina'yı Üniversite bahçesinde bulmuştum. Konuşma yapanlardan biriydi. Çağdaş dünyadaki öğrencilerin sahip olduğu hakları istiyordu. Her üniversiteye giriş sınavından sonra, toplumda nefret uyandıran torpilli öğrenci kabulünün son bulmasını, bilgi erişimine özgürlük, özel hayata saygı talep ediyordu. Ayrıca, on sekiz yaşını doldurmuş kızların da erkekler gibi birey sayılması gerektiğini savunmuştu kürsüde. Cesaretine hayranlık duymuştum. Benim bildiğim Zogar, Hanor gibi tekme tokat dövmezdi kızını ama eminim dünyanın kaç bucak olduğunu göstermişti ona, eve döndüğünde.

Bütün bunların bir haber değeri yok muydu?

Belki de tek iyi tarafı buydu, haberleri sansürlemenin. Yoksa şu anda kim bilir kaç kadın ve kız evlerinde babalarına, abilerine hesap veriyor olacaktı.

Kapı çaldı.

Panik içinde fırladım yerimden, deli tavuk gibi sağa sola koştum, buzdolabının kapağını açtım, bir tencere dolusu püre kimsenin dikkatin çekmezdi ama yine de su şişelerini, tencerenin önüne dizdim. Banyoda bir şey unuttum mu diye banyoya da gittim bir koşu... Ah, aptal Yuna, önce kimin geldiğine baksana... Baktım. Dina'ydı!

Üstü başı sırılsıklam, ana kapının önündeydi. İçeri girmesi için, izin verdim.

Yukarı çıkmasını beklerken, asansörün önüne kadar gitmişim. "Hayrola kızım! Ne bu halin?" dedim, asansörden çıktığı anda.

Konuşmaya çalıştı ama sendeliyordu. Koluna girdim, tüm ağırlığı ile yaslandı, İkimiz sarmaş dolaş, yalpalayarak yürüdük kapıya kadar, iki sarhoş gibi. Eve girdiğimiz anda yığıldı kız, kapıyı zorlukla kapattım. Üzerinden ıslak başlığını, mantosunu çıkardım. Bir bardak su getirip yudum yudum içirdim biraz. "Açlıktan mı bu haldesin? Bütün gün hiçbir şey yemeden ayakta kaldınsa..." Başını hayır anlamına salladı.

"Neyin var Dina? Doktor çağırayım mı?"

"Yorgunum sadece," dedi.

"O halde gayret et de kalk, yatak odasına kadar gidelim, yatar dinlenir, kendine gelirsin."

Kalkmasına yardım ettim, yine bana yaslanarak yürüdü ama ancak divana kadar. Oturma odasındaki divana devrildi. Üzerindeki kazakla etek de ıslanmıştı. Önce kazağını çıkarttım. Kollarında morartılar vardı. Sırtına baktım, Hanor'a mı rasgelmiş, yoksa bu?

"Dina sen dayak yemişsin? Kim dövdü seni? Gösterilerde polis yoktu bugün. Nasıl oldu, kim yaptı bunu sana?"

"Abim," dedi, "Hilami yaptı."

"Bir insan kardeşine bunu yapar mı?"

"Bu aralar morali çok bozuk. İş bulamadı da..."

"Buz getireyim, bekle..."

Mutfağa koştum, buzdan başka aklıma bir şey gelmiyordu. Odelya ile böyle papaz olmasak, ona sorardım, bana ağrı dindirici bir lazer-çubuk markasının adını filan verirdi en azından. Mutfaktan seslendim kıza:

"Dina çok üşümüşsün, sana bir fincan sıcak çay hazırlıyorum, canım."

Cevap gelmeyince oturma odasına koştum bu kez. Gözlerini kapatmıştı, uyuya kaldığını düşündüm. Üzerine bir battaniye örttüm, bıraktım uyusun. Fakat içim hiç rahat değildi. Burada olduğu duyulursa başta babası olmak üzere şimşekleri yine üzerine çekecekti. Çünkü Zogar, beni o boşadığı halde, Regan'ın bende kalmasını ve onun yetiştirdiği çocuklardan çok daha başarılı ve saygın bir birey olmasını asla hazmedememişti. Hele de Regan'ı annemin büyütmesini! Annemi en iyi günlerimizde dahi sevmemişti, çünkü annem yüzünün bir mimiğinde, ya da sesinin bir titreşimde onu hep küçük gördüğünü belli ederdi. "Yapma bunu, anne," derdim. "Ne yapıyorum ki?" diye sorardı. Ne yaptığını ona asla tarif edemedim ama her üçümüz de hatta babam da bilirdi ki, annemin perisi hiç uyuşmazdı damadıyla. Bu gibi nedenlerle, Zogar'ın, kızının benim evime sığınmasından hiç hoşlanmayacağı kesindi. Dina'nın başını daha fazla belaya sokmadan, nasıl halledecektim bu işi acaba?

Çareyi Regan'ı aramakta buldum. Önce yüzü yansıdı ekrana, sesi bir an sonra:

"Ne var anne?" dedi bıkkın bir tınıyla, "Yine kimin başı belaya girdi?"

"Dina bende."

"Ne!"

"Niye şaşıyorsun oğlum? İcabında bana sığınmasını salık veren sen değil misin? Baban burada olduğunu öğrenmeden, bir an evvel gel de onu evine götür."

"Polisten mi kaçmış?"

"Hilami'den kaçmış. Daha doğrusu kaçamamış. Dayak yemiş fena halde, baksana, kanepede yorgunluktan sızdı kaldı." Kenara kaydım, kız kardeşini görebilsin diye.

"Geliyorum," dedi Regan.

Regan'la irtibatı kesince, kanepede yatan Dina'yı görmemesi için, yatak odama geçip annemi aradım, bu kez. Uzun

uzun çaldı, endişelenmeye başlarken, açıldı sonunda. Annemin görüntü alıcısı kapalıydı.

"Neredesin anne?" diye sordum.

"Mordam'dayım. Sesin niye endişeli senin?"

"Seni merak ettim. Bugün yine yürüyüşe katılmışsın, berbat havaya rağmen. Üşütecek olursan eğer..."

"Bana kim bakacak diye düşünüyorsan, sen bakmayacaksın" diye o tamamladı, benim cümlemi. Oysa ben ona senin yaşında üşütmek tehlikelidir, zatürreye çevirebilir, diyecektim. Beni gücendirdiği için şöyle sordum:

"Kim bakacak, peki?"

"Devlet!" dedi, "Benden insafsızca vergi alan devlet bakacak."

"Sen insafsızlık etme anne, dünyada bizden daha çok vergi ödeyen devletler var."

"Benim saf kızım! Bizim ülkenin zengini vergi ödemek istemediği için, yoksul halk dolaylı vergi ödüyor ve bu dünyadaki en pahalı petrolü, en pahalı suyu tüketiyor. Kazık yediğini fakında bile değil."

"Dolaylı vergiyi sanki zengin de ödemiyor!"

"Zenginle fakirin aynı ölçüde vergi ödemesinde bir adaletsizlik görmüyor musun? Ayrıca bu ülkede Saray ve çevresinden başka zengin mi kaldı?"

"Anne yeter! Ben seni, sadece nasıl olduğunu sormak için aramıştım. Bakıyorum, iyisin. Ama bil ki, bir sıçrar çekirge, iki sıçrar çekirge, üçüncüde..."

"Çekirge yakalansın istiyorsun, öyle mi?"

Söylediklerimizden yanlış anlamlar çıkaran tipik çekişmelerimizden birinin içindeydik ana-kız.

"Sadece rahat dur, diyorum. Bugün yine yürüyüşlere katılmışsın, berbat havaya rağmen." Oturma odasından, Dina'nın sesini duyar gibi oldum,

"Neyse anne, sen yine bildiğini okuyacaksın nasılsa, bari yarın, evinde otur, dinlen emi." Alelacele kapattım telefonu, içeriye koştum.

"Üşüyorum," dedi Dina. Gözlerini açmıştı ama bitkin görünüyordu.

Yatak odasına geri gidip, kendi battaniyemi de getirip üstüne örterken, bileğimi yakaladı. Ateş gibiydi eli.

"Beni evime yollamayın, olur mu?" dedi.

Ben de kalamayacağına göre, en iyisi Regan'ın evine gitmesiydi. Regan gelene kadar belki biraz dinlenir, kendine gelirdi. Belki bu arada ben de bir fırsatını bulur, oğluma geçen sabah evinde kimin olduğunu sorardım.

"Senin ateşin var," dedim Dina'ya, "üşüttün herhalde. Eh, bu yağmurda saatlerce ıslanırsan, olacağı budur!"

Dina birden titremeye başladı. Sakın annem de aynı bu halde olmasın! Sesi bir tuhaftı, öyle boğuk, boğuk... Telefonda görüntüsünü hasta olduğu için mi saklamıştı benden, acaba? O da battaniyelerin altında zangır zangır titriyor olabilir miydi, tıpkı Dina gibi? Annemi yeniden aramak üzereyken, Regan içeri girdi.

"Tam zamanında geldin, ben de şimdi... A ah!"

Regan'ın peşinde, Odelya!

Oğluma gözlerimle bu da nereden çıktı gibisinden nasıl baktımsa artık, "Kapıda karşılaştık," dedi Regan, "o da sana geliyormuş, meğer."

Regan'ın arkasından Odelya da Dina'ya doğru ilerken, yolunu kestim.

"Ne var Odelya, niye geldin?" dedim buz gibi bir sesle.

"Özür dilemeye."

"Gerek yok!"

"Ben sana öyle davrandığım için çok üzgünüm, Yuna. Hakkım yoktu. Lütfen izin ver anlatayım."

"Ben anlayacağımı anladım!"

"Anlamadın, mesele de orada. Dinle bak, kendimi ilk defa, bu kadınlara katıldıktan sonra, güçlü hissettim ben. Dernek'te diğer dayak yiyenlerin yaptığı gibi, ben de onlara kendi yaşadıklarımı anlatırken, gördüm ki yalnız değildim. Üstelik benim de bir değerim, bir hikâyem vardı, bir hiç değildim, yani. Sense, bana onlara katılmamam için yalvarıyordun..."

"Odelya, bunları bir başka zaman konuşalım. Şu anda Regan ile çok önemli bir aile meselemiz var, izin verirsen..."

Odelya, beni hafifçe itti, kanepede yatan kardeşinin üzerine eğilmiş Regan'ın yanına gitti.

"Size bir teşekkür borcum var," dedi, "beni ve arkadaşlarımı polisin elinden kurtardınız. Siz olmasaydınız hepimiz hâlâ karakol hücrelerindeydik. Sağ olun, var olun Regan Otis, arkadaşlarım adına da..."

"Ne arkadaşı?" dedi Regan şaşkınlıkla.

"Odelya! Git artık! Lütfen sus ve git!" dedim ben.

Odelya, hiçbir şey söylemeden çıktı, gitti. Regan bana dönüp dedi ki:

"Bu kadın ne diyordu, anne?"

"Teşekkür etti işte sana..."

"Sen bana sadece Odelya, demiştin! Ötekiler kim?"

"Bilmiyorum Regan."

"Anne, nasıl yaparsın bunu, bana? Aralarında mimlenmiş eylemciler varsa, başımın belaya girebileceğini hiç mi düşünmedin?"

"Ben kadınları gördüm, hepsi zavallı ev kadınlarıydılar."

"Bana niye sadece bir kişi dedin? Niye yalan söyledin?"

"Ben sana yalan söylemedim," diye bağırdım, "Gerekirse tüm sorumluluğu alırım."

"Hangi sorumluluğu? Salıverilme emrini ben yazdım! Ve sadece bir kişi için yazdım! Sana güvenerek!"

"Sen sadece Odelya'yı kurtardın. Diğerlerinin salıverilmesini ben sağladım. Benim de kendime göre bir ağırlığım var, hatırlarsan."

"Ama Odelya dedi ki..."

"Regan, şu anda işimiz birbirimizi yemek değil, Dina'ya çözüm üretmek. Bak kız havale geçiriyor. Al onu bir hastaneye götür, sonra da onu döven it kardeşinden hesap sor!"

"Dina'yı hastaneye götüremem. Sırtının halini görmedin mi? Sorduklarında ne cevap verecek?"

"Abim beni dövdü der."

"Niye diye sormazlar mı? Eylemlere katıldığım için mi, desin? Fişlensin mi Dina?"

"Ama çok ateşi var... bari buraya bir doktor çağıralım."

"Herhangi bir doktor olmaz. Bir arkadaşım var... onu arayacağım."

Lafını kestim, "Anneannenin de hasta olma ihtimali var. Ara, öğren de, eğer hastaysa, sonra gidip ona da baksın."

"Nerden çıkardın hasta olduğunu?"

"Bana telefonda görüntüyü yasakladı... bir nedeni olmalı. Bütün gün eylemdeydi yağmur altında! Ne aileyiz ama... her kuşaktan başkaldıranlar ordusu!"

Regan'ın anneannesine bir şey olacak diye ödü patladı. "Ben doktoru ararken, sen de anneannemi ara," dedi ve doktorla konuşmak için, yatak odasına geçti.

Annemi aradım. Yanıt vermedi. Regan'ın evini aradım, çaldı, çaldı... kapattım sonunda. Çamlık'taki Mordam'ı aradım, oraya hiç gitmemiş bugün. Ah, niçin sormamıştım konuştuğumuzda, hangi Mordam'dasın diye! Şehirde yirmiye yakın Mordam vardı. Hangi birini arayacaktım ben?

Regan yanıma geldi, "Anne, ben doktor arkadaşı almaya gidiyorum, yirmi dakikaya gelirim," dedi, "anneannemle konuştun mu?"

"Bulamadım. Telefonunu açmıyor."

Dina, inledi yattığı yerde.

"Ben kaçtım," dedi Regan, "sen aramaya devam et."

Annemi bulamayacağımı bildiğim halde, gitme ihtimalinin olduğu bir iki Mordam'a daha telefon edip, sordum ve beklediğim gibi olumsuz yanıt aldım.

Annemi aramaktan vazgeçip, inleyip duran Dina'ya soğuk kompres hazırladım. Kanepeye oturdum, kızın başını kucağıma, kompresi de alnına koydum.

"Evden seni merak etmezler mi, Dina?" diye fısıldadım.

"Regan Abimde kaldığımı düşünmüşlerdir. Ne zaman Hilami'yle kapışsak, ben abime giderim de... çok utanıyorum, biliyor musunuz..."

"Aldırma, her ailede bir Hilami oluyor, canım. Annen seni korumaz mı?"

"Korkar. Bizim evde erkek bolluğu var."

"Hal böyleyken, sen de bugün amma kaşındın Dina! Ne konuşmaydı, o öyle..."

"Siz orada mıydınız?" dedi hayretle.

"Şey... Bir ara oradan geçerken..."

Dina' ya bir titreme nöbeti daha geldi. Çocuk kollarımın arasında zangır zangır titrerken, ölecek sandım bir an. Yüce Ram'a, onu bağışlaması için yalvarıp yakarmaya başladım.

Regan doktorla birlikte döndüğünde, kız kardeşi kucağımda, dua ederken buldu beni.

"Müsaade edin," dedi, genç Doktor, yanımıza gelerek.

Kızın başını kucağımdan usulca kanepenin kolçağına kaydırıp, kalktım.

Doktor Dina'yı muayene ederken, Regan'la ayakta bekledik. Renk vermiyorduk ama her ikimiz de telaştaydık. Doktorun muayenesi bitti.

"Korkacak bir durum yok," dedi, "çok fena üşütmüş, bir de dayağın travması... kim dövdüyse elleri kırılsın, kemeriyle vurmuş sırtına. Bir şoklama yapacağım şimdi, sonra derin uyur. Rahatsız etmeyin, iyice dinlensin."

"Ben kardeşimi kendi evime götürmek istiyordum..."

"Yirmi dört saat bir yere götürmeyin, yarın akşama kadar kalsın burada. Sabah gelip bakarım. Ateşi düşmüşse, istediğiniz yere götürürsünüz," dedi Doktor. Ben çaresizlikten ellerimi ovuşturup duruyordum. Kızları akşam eve dönmeyince merak etmezler miydi? Arayacaklardı elbette ve sonuçta kabak benim başıma patlayacaktı. Regan'ın kulağına, endişemi fısıldamaya çalıştım.

"Anne, eve döndüğümde konuşuruz," dedi ve doktoru geri götürmek üzere çıktı, hemen.

Onlar gidince, ben Dina'nın yerde duran ıslak giysilerini banyoya astım, çamurlu çizmelerini temizledim. Buzdolabına koyduğum marifetli tenceremi, ne olur ne olmaz, kız ayaklanır, buzdolabını karıştırmaya kalkar diye, oradan çıkartıp, kap kacak dolabına taşıdım ve önüne yine bir takım ıvır zıvır dizdim. Uyandığı takdirde içirmek için ona ballı ıhlamur hazırlarken, kapı çaldı. Şifreyi bildiği halde niye zili çalıyor ki, diye söylenerek bir koşu otomatiğe basıp, mutfağa çaydanlığın başına geri geldim ve içerde ayak sesini duyunca, "Regan," diye seslendim, "bir fikrim var, sen babanı ara şimdi ve..."

"Yuna, sana kızın yaralarına süresin diye Taygur merhemi getirmiştim!"

Bu ses... dehşet içinde arkama döndüm; Odelya mutfağın kapısına dayanmış bana bakıyordu!

Kâbus mu görüyordum?

"Ne merhemi? Ne yarası? Ne diyorsun sen, Odelya?"

"Dina için merhem. Benim kullandığımdan. Hemen alır acıyı... Biliyorum alay edeceksin benimle, bu çağda merhem mi sürülür diye... ama benim babaannem Taygur kökenliydi, onlar adetlerini, ilaçlarını ta günümüze kadar..."

Konuşturmadım onu, "Dina'nın dayak yediğini nerden çıkartıyorsun?" diye sordum.

"Biliyorum ben."

"Kim söyledi sana? Kuşlar mı?"

"Dina da bizim derneğe üye... Kendisinden dinledim."

Ağzım açık bakakaldım.

"Ben yüzümdeki morlukları hep bununla tedavi ettim, elektronik çubuktan da, eczanede satılan jellerden de daha etkili, inan." Merhem kavanozunu uzatıyordu bana.

"Regan seni burada görmesin! Bırak merhemi hemen git. Sonra konuşuruz," dedim, telaşla.

"Ben ne zamandır evin karşısında durmuş, Regan'ın gitmesini bekliyordum. Gittiğini gördüğüm için geldim yukarı," dedi.

"Geri dönecek. Yalvarırım git, Odelya. Başıma yeni bir dert açma, n'olursun."

"Seni az evvel zor duruma soktum galiba."

Çekip aldım elinden merhemi.

"Zarar yok. Daha da zor duruma sokmadan, haydi canım, haydi Odelya... Regan dönmeden... haydi!"

Odelya uzatmadı, yüzünde yarı mahcup yarı kırılmış bir ifadeyle çıktı, gitti. Kâbus bitti, şükür! Ben bir an, merhemi kızın sırtına sürmeye yeltendim ama bu işi, Regan gelip gittikten sonra yapmaya karar verdim, keskin kekik kokulu, tarih öncesinden kalma merhemi nerden bulduğumu soruşturmasın diye.

İsabet etmişim, az sonra evdeydi oğlum.

"Titremesi durdu," dedim sevinçle, "sabaha ateşi de düşer, herhalde. Sen şimdi babanı ara, kızın sende olduğunu söyle, merak etmesinler ki, bir dayak daha yemesin, eve döndüğünde."

"Ben de öyle yapacaktım zaten," dedi Regan, bilekliğinden Hilami'yi aradı.

"Alo, Hilami... Babamı rahatsız etmemek için, şimdi yemektedir o, seni aradım. Bu gece Dina bende kalacak. Söyleyiver emi, merak etmesinler... Hı, evet, biraz kırıklığı vardı, erken yattı... Üşüttü herhalde... Evet ama gençler laf dinlemez Hilami, sen dinliyor musun? Eh, onun yaşı senden de genç..."

Yarın biraz geç kalkabilir, sabah uyandırmayacağım, dinlensin. İşten dönünce, akşama doğru ben getiririm eve... Yok uğrama bana, anneannem bende olacak... Senin iş ne mi oldu? Yarın geldiğimde konuşuruz... Tamam... Tamam kardeşim. Haydi, selam herkese."

Regan'ın konuşmasını bitirince, "Doktoru duymadın mı? Yirmi dört saat kesin istirahat verdi. Bu haldeyken, bir dayak daha yesin diye mi götürmeye kalkıyorsun kızı?" diye sitem ettim oğluma.

"Kısa kesmek için öyle söyledim, anne. Yarın ateşi düşerse bana götüreceğim. Tamamen kendine gelene kadar bende kalsın, birkaç gün."

Bir sessizlik oldu aramızda. Sonra ben, "Bu dayak meselesi ne olacak?" diye sordum, "buna mani olmanın bir yolu yok mu?"

"Bugüne kadar yüzgöz olmamak için bilmezliğe geldim ama Hilami işi giderek azıttı. Fena hırpalıyor, kızı." dedi Regan. "Kime çekmiş bu, babam da böyle dayakçı mıydı, anne?"

"Beni hiç dövmedi. Hatırladığım, aşırı tutucu olmasıydı. Arkadaşlık ve flört devresinde anlamamışım. Sonradan çıktı kokusu. Ama çok kısa sürdü bizim evliliğimiz Regan, sen yedi sekiz aylık var yoktun, boşandığımızda. Hâlâ memede olmasaydın, seni bana dünyada vermezlerdi. Neyse ki baban o yıl içinde evlendi, art arda bir sürü çocuğu oldu da, sen annemle bana kaldın, şükürler olsun!"

"İsabet olmuş! Babam gerçekten çok serttir çocuklarına, onun evinde büyümek istemezdim. Gerçi son yıllarda çok değişti, erken yıprandı babam, süngüsü düştü. Çalıştığı ortamda soludukları gazların yüzünden olmuş, öyle dedi, karısı. Kaç kere şikâyet edilmiş ama hiçbir önlem alınmamış."

"İyi ki baban gibi maden mühendisi olmamışsın!"

Dina inledi uykusunda.

"Zavallı kızcağız," dedim ben, "evlenecek olmasaydın, kardeşini yanına al derdim."

"Yarın konuşacağım Hilami'yle. Kendine çeki düzen vermesinin zamanı geldi anne, bir daha Dina'ya el kaldırırsa, karşısında beni bulacak! Haydi, ben kaçayım artık. Dina sana emanet."

"Gitmeden sana bir şey soracağım, Regan," dedim, gözlerimi kaçırarak, "Geçen sabah sana uğradığımda evinde biri vardı. Ben Ayserin sanmıştım ama o değilmiş. Regan, kimdi evindeki?"

"Anne, benim yaşımdaki adama sorulacak soru mu, bu?"

"Hayatında başka biri varsa, Ayserin'in başını yakma, oğlum. Çok geç olmadan, bırak kızı."

"Haydaa! Hayatımda başka kadın yok! Sen burnunu böyle işlere sokma, emi!"

Fırtına gibi çıktı gitti, veda bile etmeden.

Regan gittikten sonra, ben ağzımın payını almış olarak, kanepedeki yaralı kuşun başına çöktüm, yavaşça yüzükoyun çevirdim onu, sırtındaki izlere Odelya'nın getirdiği merhemi usul usul yedirdim. Hafifçe inliyordu ben merhemi sürerken.

Düşündüm de, tüm başıma gelenlere rağmen, ben şanslı sayılabilirdim. Ülkedeki yaygın şiddete rağmen, ne annemle babamdan ne de hayatıma giren erkeklerden tek bir fiske yemiştim hayatım boyunca! Suratıma bir tokat, kıçıma bir tekme inecek korkusuyla hiç yaşamamıştım. En kötü muameleyi az önce görmüştüm galiba, kapıyı çekip giden oğlumdan.

Ne diyorum ben ya!

Hatırlamamaya nasıl müptela olmuşum, nasıl kodlamışım ki hafızamı, annemin tecavüze maruz kaldığını unutmuşum. Ne farkı vardı annemin dayakla aşağılanan kadınlardan? Dünyaya kadın olarak gelmenin mi kadersel olgusuydu dayak yemek ve tecavüze uğramak, yoksa sadece bu ülkede kadın olmanın mı?

Ağlamaya başladım.

Niye ağladığımı bilemiyordum, kendime acımaktan mı, kadınlara üzülmekten mi, yorgunluktan mı, bezginlikten mi, yaşlar benim iradem dışında, yağmur gibi iniyordu gözlerimden. Kız uyanırsa beni o halde görmesin diye, mutfağa geçtim. Kapıyı kapattım, masaya kapanıp hıçkıra hıçkıra ağladım.

İyi geldi. İnsan, yediği bir şey dokununca kusar ve nasıl rahatlarsa, aynen öyle oldu. Gözyaşlarıyla yıkanmak rahatlattı, hafifletti beni; bu ülkede kadın olmanın lanet kaderini paylaştığım Odelya'yı bağışlamaya, Dina'yı da kendi evladım gibi bağrıma basmaya karar verdim.

Sabah olduğunda, Dina evde yalnız kalabilecek hale geldiyse, merhemi iade etme bahanesiyle Odelya'nın evine gidip, barışacaktım arkadaşımla.

DAYANIŞMANIN ÜÇÜNCÜ GÜNÜ

Gece boyunca birkaç defa, Dina'nın ateşini kontrol etmeye gittim.

Yanına son gittiğimde saat beşe geliyordu ve ateşi düşmüştü. Buz gibiydi alnı. Üzerindeki örtüyü düzeltirken gözlerini açtı.

"Daha çok erken, Dina," dedim, "seni istemeden uyandırdım, uyu sen."

"Tuvalete gideceğim."

"Koluna gireyim o halde. Halsizsin, düşmeyesin."

Yardım ettim kalkmasına, tuvalete geçmek üzere yatak odama doğru yürüdük ağır ağır. O tuvaletteyken ben yatağımı düzelttim, yastıkları kabarttım. Çıktığında, "Sen benim yatağımda yat, artık," dedim, "Bakarsın gün boyu bana gelen giden olur, oysa bu odada kimse rahatsız edemez seni, güzelce istirahat edersin."

"Ama bu sizin yatağınız!"

"Bir saat sonra zaten kalkacaktım. Erkenciyimdir, ben. Uzanırım azıcık kanepede."

"Olmaz, içim rahat etmez." Dikiliyordu ayakta.

"Üşüyeceksin, haydi gir yatağa... bak ateşin düşmüşken şimdi, yeniden üşütme."

"Siz de yanıma uzanın, yatak geniş."

"Tamam," dedim. Dina yorganın altına girdi, ben yanına, uzandım.

"Regan Abimin dediği kadar varsınız. Çok candan birisiniz," dedi.

Şaşırdım. "Regan konuşur mu benim hakkımda?"

"Size de anneannesine de çok düşkündür. Sizinle çok iftihar eder. Her ikiniz hakkında da o kadar çok şey duydum ki, ondan..."

"Hiç bilmiyordum bana düşkün olduğunu," dedim, bir kere daha söylesin diye.

"Öyledir," dedi. Bir süre sessizce yattık yan yana. Gece sık kalktığım için yorgundum, uykum vardı. Hatta dalmak üzereydim.

"Biliyor musunuz, abimin sizlerle olan ilişkisine çok gıpta etmişimdir ben," dediğinde, ona doğru döndüm,

"Sen annene yakın değil misin, Dina?"

"Annem oğullarını sever... her anne gibi."

"Ya baban?"

"Babam duygularını pek belli etmez. Ona benzeyen... yani fizik olarak da, huy olarak da, Hilami'dir ama ben eminim, en favori çocuğu o değil."

İçimden Regan mı diye sormak geçti ama tuttum kendimi.

"İnan bana Dina, annelerle babalar çocuklarını hiç ayırmazlar."

Bunu söylediğim anda, nerden biliyorsun ki, Regan'dan başka çocuğun yok demesini bekledim ama, hiçbir şey söylemedi kız. Ben olsam sorardım. Benden kesinlikle daha terbiyeliymiş.

"Haydi, biraz daha uyu da iyileş, canım," dedim.

"Sizi de uyutmuyorum, değil mi?" dedi. Sonra kapattı gözlerini. Yüzüne düşen saç tutamını usulca çektim yüzünden. Elim, başının üzerinde kaldı. Bir de kızım olsaymış ne iyi olurdu diye düşündüm, oğlumun yatak odasının kapısından içeri kafamı dahi uzatmazken, kızıma yatağında sımsıkı sarılıp uyuyabilirmişim.

Evin içindeki tıkırtılarla uyandığımda, saat sekize geliyordu. Yataktan fırlamak üzereyken Regan odamın kapısını açtı.

"Ooo, annem yeni bir evlat edinmiş," dedi, "kıskandım doğrusu!"

"Kıskandın madem, gel sen de yanımıza uzan." Gülüp geçmesini bekliyordum ama, ayakkabılarını fırlatıp, aramıza girmesi bir oldu.

"Hey yavaş... kardeşini uyandıracaksın."

"Abi... sen mi geldin?" diye sordu Dina, uyku mahmuru sesiyle. Sonra kolunu Regan'ın üzerine attı ve dünyanın en normal şeyini yaparcasına, uyumaya devam etti.

"Seninle kaldığı zamanlar, hep böyle mi uyursunuz siz?" diye fısıldadım.

"Ne münasebet! Böyle şeyler hep senin saçtığın enerjinin sonuçlardır, anne," dedi Regan, "sen kendini hiç benzetmezsin ama nereden baksan, Samira'nın kızısın sen!"

Acaba bu bir kompliman mıydı bana, eleştiri mi, anlayamadım! Herhalde dün geceki tepkisini bağışlatmak istiyordu.

Ben de burnumu oğlumun özeline sokmuş olduğum için mahcuptum. Yarım saate yakın, böyle sarmaş dolaş yattık üçümüz.

"Birazdan Abor gelir," dedi Regan az sonra, "kalkmamız lazım," diyerek toparlandı.

"O da kim?"

"Doktor."

Fırladım yataktan, aceleyle giyindim. Dün gece Dina'nın yattığı divanı toparladım. Mutfağa geçerken, "Kahvaltı hazırlayayım mı sana?" diye sordum oğluma.

"Buraya gelmedim atıştırdım ben. Sadece bir çay içerim," dedi, "ama illa anaçlık yapmak istiyorsan, Dina'nın kokusuna bir çare bul, Abor gelmeden."

"Ne kokusu?"

"Nane mi desem, kekik mi desem... tuhaf bir şey kokuyor, dağ otu gibi... azıcık da keçi gibi."

"Sen nerden biliyorsun dağ otuyla, keçi nasıl kokar?"

"Askerliğimi Dağ Kantonu'nda yapmadım mı anne? Dağlara tırmanmak, sıradan gündelik işimizdi."

"Ona bir merhem sürdüm de..."

"Merhem mi! Nedir o?"

"Boş ver. Uyanınca, duş alır, kokusu filan kalmaz, kardeşinin" dedim oğluma.

Dina hâlâ uyuyordu. Gece dinen yağmur, yeniden başlamıştı. Annemi aramak için erkendi, sabah uykusunu severdi o. Dilimin ucuna kadar geldi ama anneannenle dün akşam görüştün mü diye sormak istemedim. Kardeşi için zaten yeteri kadar endişeliydi.

Dina'ya duş yaptıramadan geldi Doktor Abor. Zili çaldığında Regan'la karşılıklı çay içiyorduk, mutfakta. Doktora da bir fincan çay ikram ettikten sonra, Dina'yı uyandırmaya gittim.

Gençken insan ne çabuk toparlıyormuş kendini! Muayene sonucunda belli oldu ki, bir gün önce perişan halde olan kıza ikinci bir şoklama yapmaya gerek kalmamıştı. Sadece dinlenmesi gerekiyordu. Doktor bile bu kadar çabuk toparlanmasına şaşmıştı. Bir an, saçma olduğunu bildiğim halde, bunda Taygur merheminin bir etkisi var mı acaba diye düşünmeden de edemedim.

Evden ayrılırken, "Bütün gün istirahat etsin, ben akşama uğrar, bana götürürüm Dina'yı" dedi Regan.

"Annemden haber var mı?" diye sordum, nihayet.

Bir an duraladı, "Yok, dedi.

"En son yatmadan önce aradım, dün. Kapalıydı telefonu. Merak etmeye başladım, Regan."

"Merak etme, iyidir o."

Ne tuhaf, annem her ikimizde de, sanki ona hiçbir kötülük değemezmiş gibi, uçuk fakat güçlü bir kadın algısı bırakmıştı. Polisi molisi, Rama Zabıtası'nı, her türlü tehlikeyi, hatta hastalığı ve ölümü dahi ciddiye almaz, hepsiyle dalga geçerek durumu kurtarır, diye düşünmüşüz hep! Nasıl düşünmeyelim ki! Yaşlılık dahi korkutamamıştı annemi, ona hiç bulaşmadan, uzağından geçip gitmişti. Annem, alnına dökülen perçemleri, içi gülen gözleri, rengârenk etnik kıyafetleriyle, hep çok gençmiş duygusu uyandırmıştı bizde.

"Haklısın, o iyidir," dedim.

Regan'la Doktor birlikte çıkıp gittiler.

Biz Dina'yla baş başa kaldık. O yatağında ıhlamurunu içerken, oturma odasına geçip, haberlere baktım. Bir değişiklik yoktu haberlerde; dış dünya mutsuz, başarısız ve kötüydü, dış mihraklar da, havası hariç her şeyiyle mükemmel olan Ramanis Cumhuriyet'ini yıpratmak istiyorlardı. Kuyusunu kazmaya çalışanlara karşı, aslanlar gibi direniyordu hükümetimiz. Düşmanlarımız tarafından kurgulanan senaryo gereği, huzuru bozmaya kışkırtılmış birkaç çapulcu dün gözaltına alınmış, gereken yapılmıştı. Hayat normale dönmüştü.

Başka kanalları taradım... haberler her kanalda aynıydı ve şu bildiriyle son buluyordu:

Hava koşulları günün ilerleyen saatlerinde bozulacak, aşırı soğuklar yaşanacaktır. Üniversiteler dahil tüm okullar sabahtan itibaren tatil edilmiştir. Görevlerine gidenlerin dışında vatandaşların sokağa çıkmamaları, kadınlar, yaşlılar ve çocukların ikinci bir bildiriye kadar evlerinde kalmaları...

Kapattım televizyonu. İnsanları evlerinde tutmak üzere hazırlanmış bir oyun muydu bu? Gerçeği anlamak için ya sokağa çıkacak ya da tencereme bakacaktım. Ama nasıl? Dina yatağıma kurulmuş yatarken, nasıl çalışacaktım evde? Tencereyi mutfakta açsam, ya geliverirse bir bardak su almak için filan? Yattığı odaya gittim.

"Dina, mutfaktan bir şeye ihtiyacın olursa, sakın yatağından kalkıp gelme, bana seslen," dedim ona.

"Olur mu hiç! Ben iyiyim."

"Abine söz verdim, sen dinleneceksin bugün. Çok üzülürüm sonra. Sakın Dina bak!" Kız bana hayretle bakıyordu.

"O şoklama vardı ya, ateşin için... baş dönmesi yapıyormuş. Çıkma yatağından, en az öğlene kadar!"

"Peki," dedi gönülsüzce.

"Haydi, sen biraz daha uyu şimdi. Ben seni yemek hazır olunca uyandırırım. Söz!

Kapısını kapattım, bir de iskemle dayadım kapının önüne ki, çıkmaya kalkışırsa, duyup, tedbir alayım. Bu iskemle de neyin nesi diye soracak olursa, o anda gelecek ilhama göre bir şeyler uyduruverirdim artık. Yalanlarımı giderek daha rahat söyler olmuştum. Bu yaptıklarım hiç bana göre işler değildi, ne olduğunu tam da kavrayamadığım bir batağın içine, boğazıma kadar batmış durumdaydım. Annemin, âşık olduğum adamın, saygı duyduğum kimi meslektaşlarımın ve yeni keşfettiğim, yüreğimi ısıtan gencecik bir kızın da bu batağın içinde olmaları, tek tesellimdi. Şanslıysak, bataktan hep birlikte çıkıp güzel günlere erişecektik, ya da... Düşünmek bile istemedim!

Tenceremi indirdim dolaptan, tezgâhın üzerinde açtım, musluk suyunu akıttım... Ama böyle olmayacağını anladım tabii! Suyun en az üç bir yandan akması gerekiyordu etkili olması için. Toparladım tencereyi, onu sarabileceğim bir şey aradım. Kurulama bezleri, havlular kullanılmıyordu artık mutfaklarda. Havalandırmayla kurutuyorduk her şeyi. Portmantodaki şalımı kapıp geldim, kucakladım şala sardığım tencereyi, yatak odamın kapısının önündeki iskemleyi ayağımla ittim, içeri girdim ve şimşek hızıyla banyoya geçtim. Dina beni gördü mü, bilmiyorum. Tencereyi duş küvetinin içine saklayıp, odaya döndüm. Göz göze geldik.

"Dina, tuvaleti kullanmak istiyor musun?" diye sordum.

"Hayır, teşekkür ederim."

"Benim içerde işim biraz uzunca da... hani istersen..."

"Yok, istemiyorum."

"Emin misin?"

"Eminim," dedi. Günah benden gitti ama o herhalde hayatının her saniyesini kontrol etmek isteyen bir manyağın eline düştüğünü sanıyordu.

Kitlendim banyoma. Suları akıttım. Tenceremi aktif hale getirdim. Sokakları taramaya Selvili Park'tan başladım. Park, yine yerlerde oturan insanlarla doluydu. Bunlar evlerine dönmemişler mi gece boyunca? Ne zaman doldurmuşlar parkı? Büyüttüm resmi, çevredeki ambulansları gördüm. Bazıları sedyelerde ambulanslara taşınıyorken, diğerleri oturdukları yerde kol kola girmiş, iç içe halkalar halinde zincirler oluşturmuşlardı.

Şehrin diğer meydanlarını, sokaklarını taramaya başladım. Aynen bir gün önceki gibi, caddeler, sokaklar, meydanlar ve parklar insan kaynıyordu. Bu sefer elleri boştu. Pankart filan taşımıyorlardı. Bir şey anlatıyorlardı sanki, bir ağızdan. Slogan atıyor olmalılar diye düşündüm, kulaklığı taktım, sesi açtım. Kulağıma çarpan önce bir uğultuydu, sesi daha yükselttiğimde sözleri anlaşılır bir şarkı halini aldı:

Adalet, Özgürlük, Haklara Saygı isteriz
Buna erişmek için ölümü göze aldık biz!

Bu iki cümle, binlerce ağızdan aynı anda tekrar ve tekrar ve tekrar söylendikçe bir şarkıdan çok, bir mabetten yükselen sihirli bir dua gibi geliyordu kulağa...hani kırk kere tekrar edildiğinde gerçekleşmesi beklenen büyülü sözler gibiydi! Bir an tüylerim diken diken oldu, kendimi gerçeğin değil de bir masalın içindeymişim gibi hissedip, ürperdim.

Sesi sonuna kadar açmış, ne yapıyordum ben, yahu! Dina duyacak diye ödüm patladı, sesi iyice kısmama rağmen, yüzünü göremediğim komutanımın buyurgan sesini duydum:

"3717...3717...Görev başına çağrılıyorsun!"

"Ben 3717, görev başındayım."

"Ulu Park'a odaklan. Resmi büyüt."

Yaptım denileni.

"3717, iyi dinle! Halkın arsına karışmış bir bombacı arıyoruz. Dikkatli ve uyanık ol. Aykırı bir durum, bir kişi gördüğünde üzerini işaretle. Yeni emir gelene kadar başka alanlara gitme, Ulu Park'ta kal."

Görüntüyü son kerteye büyüterek çok yavaş geçişlerle parkı taramaya başladım. Koltuk değnekleriyle yürüyen bir adam, elinde büyükçe bir çanta taşıyan bir genç, biraz ilerisinde başlığı gereğinden fazla kabarık bir kadın, belki de çok gür saçları vardı zavallının, birer X koydum üzerlerine. Benim X'lediğim kişilerin etrafında, kısa bir süre sonra, birileri bitiyor, ablukaya alıveriyorlardı o kişiyi. Onlara ne olduğuna bakmak için geri dönecek vaktim yoktu. Sağdan sola, yukardan aşağı taradım bütün parkı. İnsanlar hareket etmedikleri, yer değiştirmedikleri için şanslı sayılırdım. Aynı noktadan başlayıp ikinci turumu atarken, koltuk değnekli adam artık yoktu ama kabarık başlıklı kadın ve çantalı genç, aşağı yukarı eski yerlerinde, şarkı söylemeye devam ediyorlardı. Yaklaşık kırk dakikadır gözümü ayırmadan bakmaktaydım ekrana ve binlerce insanın arasında ancak elli iki kişiyi işaretlemiştim.

Kapı vuruldu. Sesi iyice kısıp, "Ne var?" dedim.

"Tuvalete girmek istiyorum."

"Biraz bekleyeceksin. Söylemiştim sana Dina, benim işim uzun, gir işini bitir, demiştim."

"Ama o zaman ihtiyacım yoktu."

"Tut kendini."

Dina'nın uzaklaşan ayak seslerini duydum ama biliyordum ki on-on beş dakika içinde geri gelecekti. Ben ne yapacaktım o zaman? Donuna ettirecek değildim kızı. Bıraktığım yerden taramaya devam etmeye çalıştım ama dikkatim dağılmıştı. Kalması için ısrar eden ben değilmişim gibi, sinir oldum! Keşke kızı dün gece alıp kendi evine götüreydi, Regan. Direnişin bugüne de sarkabileceği aklımın ucundan geçmemişti. Yoksa başka türlü davranırdım, kızın evimde kalmasına itiraz ederdim. Hatta... utanarak itiraf ediyordum... bu tencere işine baştan girmezdim. Tek günlük bir çalışma sanmıştım, ben.

"3717...3717!"

"Dinlemedeyim," dedim.

"Ulu Park'ın güney kapısına odaklan ve havuza kadar olan alanı dikkatle tara. Şüpheli görüntüleri işaretle. Hemen!"

Donuna etmeye mahkûmsun, Dina, dedim içimden ve bana söyleneni yaptım. Bizim gibi mucit olabilen tiplerin özelliklerinden biri de fotografik hafızalarının güçlü olmasıdır. Sırf buna güvenerek, daha önce de iki kez taramış olduğum bölgeyi dikkatle incelemeye aldım.

İnsanlar, kimi yere çömelmiş, kimi duvarlara oturmuş fakat büyük bir çoğunluğu ayakta durarak şarkılarını söylemeye devam ediyorlardı... ki... dikkatimi çeken bir şey oldu. Gri giysili bir adam, belki de bir kadındı, saçlarını kasketi de andıran tuhaf bir başlığın içine saklamıştı, daha önce gördüğüm yerden bambaşka bir yerdeydi şimdi. Diğerleri yer değiştirmezken o... izlemeye devam ettim... evet, adeta bir yılan gibi kayarak, kimseye değmeden, kimseyi tedirgin etmeden, yolunu buluyor, denize akan yeraltı suları gibi, havuza doğru yol alıyordu, şarkı da söylemiyordu diğerleri gibi. Yüzüne odaklanıp, zumladım. Üzerine bir X koydum. Bir an sonra bir X daha... Yine, yine, yine...

Önünde arkasında bir takım insanlar belirdi. Yolunu kestiler. O yoluna devam etti. Birkaç kişi daha çıktı önüne... O yoluna, ben onu X'lemeye devam ettik.

"3717, İyi iş başardın! Aradığımız buydu!"

"A ah," dedim ben şaşkınlıkla ve birden bir anons patladı kulağımda.

"Ulu Park'ın güney kanadında havuza giden yolu, can emniyetiniz için boşaltın!"

Yerde oturanlar ayağa fırladılar... bazıları kaçıştı, diğerleri yerlerinde kalmaya devam etti. Grili kişi hızlandı ve havuzun önünde büyük bir patlama oldu.

Aynı anda, benim bağlantım koptu, ekran karardı.

Birkaç kez, umutsuzca bağlanmayı denedim. Heyhat!

Tenceremi kapattım, şalıma sarıp kucakladım ve tuvaletten dışarı çıktım. Dina yatak odasında değildi. Tencereyi elbise dolabıma kaldırdım, oturma odasına geçtim. Orada da değildi. Mutfaktan tıkırtılar geliyordu. Mutfağa koştum. Benim diğer tencereyi sakladığım dolabı açmış, tencerenin önündeki ıvır zıvırı indiriyordu tezgâhın üzerine. Bir an yüreğime inecek sandım.

"Ne yapıyorsun orada! Niye karıştırıyorsun dolaplarımı?" diye bağırdım, kontrolümü kaybederek.

Döndü, ağlamak üzereydi.

"Çok çişim geldi, siz de tuvaletten çıkmayınca... burada bir kap..."

"Çıktım işte! Koş tuvalete," dedim, "Bırak onları... koş haydi!"

Kız mutfaktan çıkar çıkmaz, rafta duran tencereyi alıp, bu kez hiç kullanmadığım fırının içine soktum, tezgâhta duran kap kacağı yerlerine yerleştirdim.

Dina, az sonra geldi, "Sizi rahatsız ettiğimin farkındayım... bir taksi çağırsanız da..."

"Git yatağına yat, Dina," dedim, "şu anda alınganlıklarla uğraşacak halim yok! Annemi bulmam lazım. Anneme mutlaka ulaşmalıyım! Ben annemi ararken, sen de abini ara ve bulabildinse, bana hemen haber ver."

"Ne oldu ki?"

"Ulu Park'ta bir patlama oldu. Annem, eminim oradaydı. Ona bir şey olmadığını öğrenmem lazım."

"Nerden biliyorsunuz?"

Bilekliğime işaret ettim.

"Televizyonu açalım, hemen!"

Açtık ama haberlerin başlamasına çok zaman vardı ve kanalların çoğunda, kelebeklerin, timsahların ya da su aygırlarının doğadaki yaşamlarına dair dokümanter filimler gösterilmekteydi.

"Bakın, patlama olsa altyazı geçerlerdi," dedi Dina. Yanıtlamadım çünkü annemin telefonunu çaldırıyordum o anda ve erişemiyordum. Mordamları da aradım sırasıyla... Çamlık'taki

Mordam'ı tekrar aradım ve annemin en yakın arkadaşı olduğunu bildiğim Kora'yı bağlattım telefona.

"Burada değil annen Yuna," dedi, "birkaç gün gelmeyeceğini söyledi. O bazen böyle kısa gezilere çıkar, biliyorsun."

"Biliyorum ama her zaman telefonunu açardı, arandığında. Dün geceden beri ulaşamıyorum ona. Regan da ulaşamadı."

"Belki telefonunu bir yerde unuttu... odasına bakayım ister misin?"

"Çok zahmet olacak size ama... lütfen."

Bekledim, odanın içinde bir aşağı bir yukarı yürüyerek. Az sonra geldi.

"Başucundaki komodinin üzerinde duruyordu. Şalının altında kalmış. O yüzden görmemiş olacak. Merak etme artık, bak açmamasının bir izahı varmış işte."

Kora'ya parktaki patlamadan söz etmek istemedim. Kimsenin bilmediği olayı, benim biliyor olmamı izah edemezdim. Teşekkür edip kapattım. Bu arada Dina, Regan'a ulaşmış, telefonu bana uzatıyordu.

"Regan, annem nerede?" diye sordum.

"Ne bileyim ben?" dedi Regan.

"Başına bir şey gelmiş olmasın?"

"Ne gelecek ki?"

"Bugün yine protesto gösterileri vardı... yani... varmış orada burada. Bizimki rahat durmaz, gider katılır böyle şeylere, biliyorsun. Ya başına bir şey geldiyse..."

"Anne, korkma. Bir şey gelse, önce benim haberim olurdu."

Biraz sakinledim ama sonra yine panik içinde, "Olamazdı, çünkü telefonunu Mordam'daki odasında unutmuş. Nereden bilecekler onun senin annen olduğunu."

"Başı sıkıştı mıydı, o da beni kullanmasını biliyor."

"Bana laf mı çakıyorsun?"

"Hayır anne!"

"Regan, annem ya yaralıysa, ya baygınsa, ya konuşamayacak durumdaysa?"

"Nerden çıkartıyorsun bunları?"

"Patlama oldu... olmuş."

"Ne patlaması? Yok öyle bir şey! Kim uydurdu bunu sana?"

"Ben duydum... birileri konuşurken duydum."

"Her duyduğuna inanma sen. Haydi, işim var şimdi. Eve dönerken uğrayacağım, annene de ulaşırsın zaten ben gelene kadar."

"Ben sana kızı..."

Lafı ağzıma tıkıp, kapattı telefonu, Regan. Gayrı ihtiyari annemin numarasını tuşladım yine, telefonun odada bırakılmış olduğunu tamamen unutarak. Onu arayıp durmanın saçma olduğunu biliyordum ama annem neden bırakmıştı bilekliğini odasında, onu bilemiyordum. Hayatında ilk kez unutuyordu bilekliğini. Zaten çıkarmazdı ki kolundan. Bendim o geceleri yatarken ya da duşa girerken filan bilekliğimi çıkaran... Yok, bu işin içinde bir iş vardı! Kaçırılmış olmasın, sakın!

Tekrar aradım Regan'ı.

Son derece bıkkın bir sesle, "Yine ne var anne?" dedi, "Toplantıya giriyorum beş dakikaya kadar. Ne söyleyeceksen söyle, haydi."

"Regan, ben eminim ki o bugün parka gitti... Lütfen bir ilgilen de..."

"Anne, söz konusu ettiğimiz kişi, seksen yaşının üzerinde, iyice bunamış bir kadın. Parka da gider, sokağa da çıkar, sonra kaybolur... Kaç kere kayboldu, bilmiyor musun? Üzerinde adı, adresi var. Bir toplum polisi onu bulur, akşam olmadan bana ulaştırır. Ben de seni hemen ararım. Merak etme artık ve beni bir daha arama, işim var çünkü..."

"Regan! Sen bana baksana," dedim ve kapanan telefonun zırrrr sesini dinledim bir süre. Bunak dedi Regan, benim anneme! Hiçbir zaman kaybolmadı... hiçbir zaman onu ne bir toplum polisi ne de bir başkası... Ah, bana bir şey anlatmaya çalışıyordu...jeton şimdi düştü, her zamanki gibi bir sekans geç!

Dinleniyordu! Konuşmayı aklımda geri sarıp, bir kez daha dinledim. Evet, beni susturmaya çalıştı, ben anlamayınca da kapattı telefonu.

Dina'nın odasına geçtim.

"Abim ne zaman gelir, beni almaya?" diye sordu kız.

"Akşam, iş çıkışı gelecek," dedim, "bir şeyler hazırlıyayım da yiyelim karşılıklı, ne dersin?"

"Zahmet olmasın," dedi.

"Ne zahmeti, şekerim."

Kız bir öyle, bir böyle davrandığım için, çoktan kaçık olduğuma karar vermişti, eminim. Yatağının ucuna oturdum.

"Dina, tuhaflıklar yaptığımın farkındayım, bunun senin şahsınla hiçbir ilgisi yok," dedim, "Çok zor bir dönemden geçiyorum. Hiç alışık olmadığım işler yapıyorum. Bu yüzden asabiyim biraz. Ne olur kusuruma bakma..."

"Hepimiz zor bir dönem yaşıyoruz. Hepimiz korkuyoruz, biz çok şeyin farkında olanlar. Sizi çok iyi anlıyorum," dedi.

Biz çok şeyin farkında olanlar derken, ne kastediyordu tam olarak bilmiyordum ama hiç kurcalamadım. Bıraktım aramızda bir dayanışma duygusu oluşsun.

"Ben ayrıca, annemi gerçekten çok merak ediyorum," dedim. Dudaklarım titriyordu. Uzandı elimi tuttu, sonra sarıldı bana. Öyle sarmaş dolaş kaldık bir süre... gözümün önünden ben on beş-on altı yaşlarımdayken, babamın kollarında böyle huzur buluşum geçti. Annem de sarılırdı bana ama beni şımartan, annemden çok babamdı, küçükken. Aynaya takıldı gözüm. Yeni yeni tanışan iki yabancıdan çok, bir ana-kızı andırıyorduk. Benim iç sesimi duymuş gibi dedi ki:

"Size nasıl hitap etmem gerektiğine karar veremiyorum, Profesör Otis çok resmi geliyor, Yuna hiç diyemem... Yuna Anne dememe izin verir misiniz, ne de olsa abimin annesisiniz."

Başımı saçlarına gömdüm. Saçlarını kokladım. Regan'ın da böyle saçlarını koklardım ta on üç-on dört yaşlarına kadar. Ama sonra o beni itiştirmeye başlamıştı, ben çocuk değilim, büyüdüm, diyerek. Dina ise büsbütün sokuldu bana. Sırtına sürdüğüm merhemin kekik kokusunu duydum... Demek bir kız evlat böyle kokardı, dumanlı dağlar gibi...

Az sonra, mutfakta her ikimiz için hevesle bir şeyler hazırlıyordum. Karşılıklı yemeğe oturduğumuzda, Dina dedi ki:

"Bu sabah tuvalette ne yaptığınızı sorabilir miyim?"

"Sorma lütfen, Dina," dedim, "hatta Regan dâhil kimseye bundan bahsetme, emi."

"Peki. Söz."

Başka konulara geçtik. Ben ona okuluyla ilgili sorular sordum. Sonra Hilami'nin niye bu kadar geçimsiz ve sert olduğu konusunu konuştuk. Dina'yla sohbet ederken, annemi unutmuşum. Sonra televizyonu açıp haberleri izledik. Sabah saatlerinde Ulu Park'ta toplanan insanların, öğleden sonra evlerine dağıldıklarını öğrendik. Dina yatak odasına geçip bir iki saat kadar uyudu. Akşamüstüne doğru çaylarımızı içerken, "Annenizi aramaktan vaz mı geçtiniz?" diye sordu kız.

"Telefonunu Mordam'daki odasında unutmuş. Aramanın bir faydası yok. Onun beni aramasını bekliyorum," dedim.

"Akşam mutlaka arar," dedi Dina.

"Başına bir şey gelmediyse..."

"Bir şey olsa, abimin haberi olurdu," dedi. Ben bu cümleyi duymuştum. Beni tatmin etmiyordu ama, biraz olsun teselli ediyordu.

"Dina, sana bütün samimiyetimle bir şey söylesem..." sustum.

"Söylesenize Yuna anne."

"Şey... banyoma git de bir duş al. Dün gece sana bir merhem sürdüm ben..."

"Nedir o?"

"Evde hazırlanmış bir bulamaç. Ağrılarına, morluklarına filan iyi gelsin diye... biraz ot kokuyor da..."

"Benim burnum almıyor."

"Benimki de almıyor, alıştı çünkü. Ama Regan farketmiş... dışardan geldiği için..."

Kıpkırmızı oldu Dina, "O halde Doktor Abor da almıştır kokuyu!"

"Kötü bir koku değil," diye bağırdım arkasından banyoya koşan kızın.

Regan akşam saat yedi buçuğa doğru geldi. Kapının önünde ayak seslerini duyar duymaz, yerimden fırlayıp antreye koştum.

"Annemi buldun mu?"

"Bulamadım anne. Ama eminim her şey yolundadır. Bir şey olsa, bilirdim."

Ben ağlamaya başladım. Şaşırdı Regan...

"Senin bilmediğin şeyler oluyor... belki de anneciğim şu anda bir morgda tanınmaz halde..."

"Neler söylüyorsun! Saçmalama, lütfen."

"Regan, yalvarırım araştır."

"Araştırdım. Yok öyle bir şey."

Regan oturma odasına yürüdü, "Dinaaa," diye seslendi, "seni götürmeye geldim. Hazırlandın mı?"

"Doktor gelecekti hani," dedim ben.

"Doktor bana uğrayacak. Evi bana daha yakın," dedi Regan.

Dina çoktan hazırlanmıştı. Kuruttuğum giysilerini, temizlediğim çizmelerini giymişti. Yanımıza geldi.

"Biraz otursaydın Regan... hatta yemek yeseydik birlikte," dedim.

"İyi olurdu ama Abor gelecek, dedim ya..."

"Haber ver buraya gelsin."

"Ayserin de uğrayacak anne. İstersen sen bana gel."

"Yok, kalayım ben, bakarsın annem gelir." Regan hiçbir şey söylemeyince, "Regan, yalvarıyorum sana, karakolları ve hastaneleri arat. Morglara da baktır. Sonra çok üzülürsün bak... Belki yaralıdır, konuşamıyordur..."

Dina bana dehşetle bakıyordu.

"Söz veriyorum anne, yeniden aratacağım ve bir haber alırsam, seni arayacağım. Ama kafandan at bu kötü düşünceleri. Eminim anneannemin keyfi yerinde," dedi.

"Nerden biliyorsun?"

"Altıncı hissim."

Onlara asansöre kadar eşlik ettim. Asansör kapısı, benim yaş içindeki gözlerime bakan oğlumun üzgün yüzüne kapandı. Eve yürüdüm, içeri girip kapımı iyice kilitledim, tenceremi banyoda kurup irtibat sağlamaya çalıştım.

Hiçbir sunucuya bağlanamadım.

Bütün hatlar kopmuştu sanki. Tencereyi saklamaya dahi gerek görmeden, kendimi yatağıma attım ve dua ettim; Yüce Ram, sakın bana bir kız evlat armağan ediyorsun diye, karşılığında annemi almaya kalkma! Bir kızım olsun isterdim ama bedeli annem olacaksa vazgeçtim, asla istemiyorum. Daha senelerce yaşasın, annem hep var olsun, hayatımda. Yetinemedim. Kalktım yataktan, perdeyi açtım, ufukta çok çok ötelerde bir yerde kendini belli belirsiz gösteren aya baktım, sanki yaratıcımla iletişimi o kuracakmış gibi. Ellerim göğsümün üzerinde birleşmiş, başım dizlerime kadar eğik, tekrar yalvardım... Yüce Ram, annemi koru... annemi bana bağışla!

DAYANIŞMANIN DÖRDÜNCÜ GÜNÜ

Hafta başı! Herkesin iş başı yapması gereken; öğrencilerin sınıflarına, okul müdürlerinin okullarına, devlet memurlarının görevlerinin başına, doktorların hastanelerine, eczacıların eczanelerine, ticaret erbabının iş yerlerine, tamircilerin tamirhanelerine ve benim de laboratuvarda beni bekleyen öğrencilerime döneceğim gün, nihayet!

Cumadan beri devam eden dayanışma gösterilerinin bugün son bulması gerek diye düşündüm, yatağımda gerinirken, yoksa çark dönmezdi.

Yataktan çıkmak istemiyordum ama bir gayret, dik oturdum ve uzaktan kumandayla perdeyi açtım. Şükürler olsun, yağmur dinmiş!

Regan bu saatte nasılsa uyanmıştır diye, önce onu aradım. Annemi sordum. Haber almamış.

"Bir şey oldu, anneme! Başına bir şey geldi. Sana rica etmiştim, karakolları, hastaneleri arat diye... yaptın mı?"

"Elbette yaptım. Hiçbirinden kötü haber gelmedi. İçin rahat etsin."

"Benim içim rahat etmiyor Regan. Kaçırmış olmasınlar annemi?"

Regan'ın gülmesini tutmaya çalıştığını gördüm, "Kim, niye kaçırsın anneannemi?" Derken saldı kahkahalarını, "Kaçırmış olsalardı, çoktan geri getirmişlerdi."

"Terbiyesiz," derken ben de gülüyordum ama çabuk toparlandım,

"Bir şey yapmamız lazım Regan. Bugün akşama kadar ortaya çıkmazsa, polise gideceğim."

"Sakın öyle bir şey yapma, anne!"

"Henüz değil ama akşam beş, altı sularında ondan haber alamadımsa... oynatma kaşını gözünü öyle, bu kadın hayatı boyunca üç gün değil, bir gün ortadan kaybolmadı da yetmiş yaşından sonra mı çocuklarına haber vermeden maceraya atılmaya karar verdi, ha?"

"Amma yaptın! Ne zaman nerede olduğu, belli mi olurdu?"

"Fakat arandığında bulunurdu hep. Neyse, Dina daha mı iyi bugün?"

"Dina iyi. Bugün bende istirahat etmeye devam edecek. Ayserin uğrayacak bir ara, yemeğini filan vermek için."

"Ne zaman götüreceksin evine?" diye sordum.

"Önce tek başıma gidip babamla ve Hilami'yle konuşacağım. Bir fiske dahi vurmayacaklarının teminatını almam lazım. Anne, kapatmam lazım, konuşuruz sonra..."

"Annemden haber çıkarsa..."

"Merak etme."

"Merak ediyorum," dedim, "Hem de çok!"

"Anne sen bir merak makinesisin! Her şeyi, herkesi merak ediyorsun. Bazen hayaller kuruyor, o hayalleri de merak ediyorsun. Seni, bu merak öldürecek!"

Neyi ima ettiğini anladım. Haddimi aştığımı bildiğimden, bana çok daha evvel patlamasını beklemiştim oğlumun... ve ucuz kurtulmuştum!

Telefon faslından sonra, tencerelerden birini buzdolabına diğerini kap kacak dolabına kaldırdım. Yine önlerine bir takıp ıvır zıvır şişeler, kutular koydum. Hazırlandım. Evimin kapısında çıkmış, arabama doğru yürüyordum ki, kargo motorcusunu gördüm. Birkaç gün önce bana tencereleri getirdiği motosikleti, az ilerdeki duvara dayamış, kafasında kocaman kaskı, bana doğru geliyordu.

"Selam Kutkar," dedim.

"Bir iletiniz var."

Aaa, Kutkar'ın sesi değildi bu. Bir çubuk-mesaj uzatıyordu bana. Aldım, açtım mesajı, çubukta "Yürüyerek 17. Sokak'taki İmparator Çayhanesi'ne git ve içeri gir," yazıyordu.

17. Sokak uzakta değildi ve İmparator Çayhanesi'ni de biliyordum. Kaç kere çay içmiş, pasta yemiştim orada, işten arkadaşlarla. Ama ne alakaydı, şimdi?

Ah! Annemden bir haber olmasın bu! Çünkü onunla da sık gittiğimiz bir yerdi, İmparator Çayhanesi. Başımı kaldırdığımda, Kutkar zannettiğim adam motoruna çoktan binmişti. Önümden uçtu gitti. Hızlı adımlarla yürümeye başladım. Karşıma ilk çıkan elektronik çöp kutusuna attım çubuğu. Yüreğime bir ferahlık gelmişti, sezgilerim güçlüdür benim, içimden bir ses, çayhanede annemi bulacağımı söylüyordu.

Yaklaşık on dakika sonra çayhaneden içeri girdim. Garson kız beni görünce, yanıma yaklaştı, "Tuvalet ilerdeki koridorun sonunda," dedi.

"Pardon?"

"Tuvalet ilerdeki koridorun sonundaki kapı, efendim." Efendim'e öyle bir vurgu yaptı ki, sanki anlasana aptal, diyordu bana. Koridorun sonun yürüdüm. Karşıma gelen kapıyı açınca kendimi arka sokakta bulum. Bütün çayhanelerin arkasında ikinci bir kapı daha mı vardı, bu kentte acaba? Kapının önünde duran motosiklette, bana mesajı getiren her kimse, o vardı ama motosikleti değişikti, bu sefer. Bana da bir kask uzattı. Başıma geçirip arkasına bindim.

Rüzgâr hızıyla gidiyorduk. Şehrin dar sokaklarının birine girip, diğerinden çıkıyorduk. Birden, ani bir dönüşle ters istikamete doğru yol almaya başladık, sağa, sola, yine sola... Bir garaja girdik ve kepenk arkamızdan hızla kapanırken, zınk diye durduk. Midem ağzıma geldi. Sürücü atladı motordan.

"Haydi," dedi bana. Ben de indim dizlerim titriyordu. Kafamdaki kaskı çekip aldı. Beni dar bir merdivene iteledi. Düşe kalka tırmandım iki kat. Bir kapı açtı, kapıya yanaşmış siyah arabaya binmemi işaret etti. Bindim. Hareket ettik. Şoförün bulunduğu ön koltuklar, koyu renk bir camla ayrılmıştı. Kullanan her kimse, belli belirsiz ensesini görüyordum, sadece.

"Nereye gidiyoruz?" diye sordum. Yanıt gelmedi, belki de duymamıştı beni. Korkmuyordum, çünkü polis birini sorguya alacağı zaman, evinden alıp doğruca sorgulayacağı yere götürürdü. Böyle döne dolaşa, iz kaybettirerek ancak Tamur'a gidiyor olabilirdim. Heyecanlıydım, bu yüzden.

Yarım saatlik bir yolculuktan sonra, şehrin varoşlarındaydık. Bakımsız evlerin, dükkânların önünden akıp, tamirhanelerin, depoların bulunduğu, sanayi mahallesi görünüşlü bir yere geldik. Araba yeşil boyalı bir demir kapının önünde durdu. Kapım açılınca indim. Yeşil boyalı demir kapı, yana kaydı ve içeri girmemle birlikte, hemen kapandı. Kocaman boş bir alandaydım. Tavana yakın açılmış bir pencereden dökülen cılız gün ışığında etrafıma baktım. Çıt yoktu. Ürperdim ve yolculuğun başından beri, ilk defa korktum.

"Bu taraftan gelin, lütfen." Sesin geldiği yöne döndüm. Genç bir çocuk bana el ediyordu. Gittim yanına, "Beni takip edin," dedi. O önde ben peşinde, karanlık bir koridorda az yürüdük. Kulağıma bir keman sesi geliyordu. Bir demir kapı daha açtı çocuk, oldukça dar bir galerideydik şimdi. Aşağı baktım. Aşağıda, iyi aydınlatılmış, bembeyaza boyanmış bir başka geniş mekânda, kocaman bir şövalenin önündeki taburede oturan kadın, resim yapıyordu. Saçlarını bir renkli eşarpla türban tarzında bağlamıştı, üzerinde ressamların giydiği bol önlüklerden vardı. Başını kaldırıp bize baktı.

"Anne!" diye bağırdım. "Anne, anne, anne! Sen ne yapıyorsun burada?"

Üzerlerine resim yapılmak için hazırlanmış duralitlerin, tuvallerin, camların, kumaşların, belki yüz adet boya tüpü ve boya püskürtme aygıtının, irili ufaklı fırçanın kapladığı alanın tam ortasında oturan annem, gülümsedi,

"Resim," dedi. "Görmüyor musun, resim yapıyorum."

"Sen burada müzik dinleyerek resim yaparken, ben ne yapıyordum biliyor musun? Seni merak etmekten ölüyordum! Bugün de ortaya çıkmasaydın, polise gidecektim."

"Ben de bunu bildiğim... tahmin ettiğim için yani... seni yanıma getirttim."

"Allah senin müstahakkını versin anne! Ne bencil bir annesin sen!"

"Yanıma gel Yuna," dedi.

Paldır küldür indim merdivenlerden. Ayaklarım yerlerdeki malzemelere takılarak, yanına gittim. Onu böyle pür neşe, ne çektiğimi umursamaz halde resim yaparken bulunca, o kadar gücenmiştim ki, sarılmak ya da öpmek içimden gelmedi. Uzaktan kumandayla müziğin sesini azalttı biraz.

"Sen anneye muhtaç olma yaşını çoktan geçtin, kızım. Bir iki gün benden ses çıkmadı diye, memede bebek gibi, niye üzüldün öyle?"

"Beni, torununu hiç mi düşünmezsin sen! İnsan bir haber verir!"

"Vazife aşktan da üstündür, derler ya... Ne bakıyorsun öyle kötü kötü, hiç mi duymadın bu sözü?" Gülüyordu, resmen dalga geçiyordu, benimle. Genç çocuk, beni annemle baş başa bırakıp, gitmişti. İkimiz yalnızdık şimdi. Bağırdım anneme:

"Aklınca dünyayı mı kurtarıyorsun, anne?"

"Dünyayı değil de, kendi ülkemi kurtarmaya çalışıyorum. Dünyayı da sizler kurtaracaksınız artık, bizden sonra."

"Nasıl yapacağız bunu?"

"Doğanın kıymetini bilerek!"

"Bırak şimdi doğayı filan! Telefonunu da yanına almamışsın. Deli ettin beni kaç gündür! Ne yapıyorsun, gerçekten?"

"Ben, burada üç hafta sonraki Kantonlar Arası Resim Yarışmasına hazırlanıyorum. Bir atölye kiraladım, gördüğün gibi. Aynı zamanda, aşağıdaki odada çok önemli bir iş kotarmaya çalışan çocuklara da gözcülük ediyorum. Telefonumu yerim asla belli olmasın diye, mahsus unuttum odamda! Eh, yaşlıyım, unutkanım ben, benim yaşımda, normal."

"Ah anne, keşke dediğin gibi, bilsen kendini. Gözcülük sana mı kaldı? Kimlere gözcülük yapıyorsun, bu yaşta?"

"Şu oturup resim yaptığım yerin altında bir laboratuvar var. Kutkar'ın liderliğinde bir ekip, göstericilerin üzerine salınacak robotların beyin çiplerini nasıl etkileyeceklerini bulmaya çalışıyor."

"A ah?! Kutkar mı, dedin? O burada mı?"

"Evet. Burada kalıyor. Çalışıyor aşağıda... Nöbetler halinde, onar kişilik gruplar, tüm rakamları, formülleri deniyorlar. Hiç durmadan, gece gündüz... Bir başka grup da değişik etkileşim yolları aramakla meşgul. Robotları etkisiz hale getirecek çözüme çok yaklaştılar."

"Robot kullanılmıyor ki!"

"Yakında kullanacaklar."

"Kimden alıyorsun bu bilgileri?"

"İstihbaratımız var bizim. Bir faciayı önlemek için elimizden geleni yapıyoruz."

" 'Yapıyoruz, ediyoruz...' Kimlersiniz siz, acaba? Kutkar'ın banyosunda bulduğum şifrenin bununla bir ilgisi var mı?"

"Olmaz olur mu! Oradan yola çıkıldı zaten. Dün bir deney yaptılar, ele geçirdikleri bir robotu, ters emirle denediler, netice fiyasko oldu. Neyse ki nerde yanlış yaptıklarını çözdüler. Azmin sonu selamet, kızım, sonunda başaracaklar, göreceksin."

"Tevekkeli değil, cehennemin dibinde bir yer seçmişsin, güya çalışmak için."

"Benim yaptığıma, bir taşla iki kuş vurmak denir. Burada yarışmaya hazırlanırken, işe de yarıyorum ayrıca. Şeytan kulağına kurşun, eğer bir baskın olursa aşağıdakilere, önce beni bulacaklar, burada. Yaşlı ve uçuk bir ressam, yarışmaya hazırlanırken etrafı işte böyle dağıtır, bunda bir gariplik yok. Diyelim ki yutmadılar, beni taburemden, şu etrafıma saçılı onca eşyayı da yerlerinden kaldırmaları zaman alır. Yağlı boyalara basanlar, ayakları kayıp düşebilirler, maazallah! Şövaleyi de yerinden oynatmaları lazım, ben abandıkça kaymasın diye, yere çakıverdim ayaklarını. Zor yani onu oynatmak. Aşağı iniş de aksi gibi şövalenin tam altında (kıkırdadı annem). Bütün bunlar olana kadar, aşağıyı boşaltır bizimkiler."

"Koca laboratuvarı, birkaç dakikada boşaltacaklar, öyle mi?"

"Laboratuvar dediğim lafın gelişi. Bir odada, birkaç kompüterle çalışıyorlar çocuklar. Yukardan aşağı inilene kadar, onlar aletlerini toparlayıp çoktan gizli kapıdan sıvışmış olurlar."

"Sen gerçekten gözcülük yapıyorsun!"

"Yo, aynı zamanda resim de yapıyorum."

Baktım, karşı duvara gerdiği bezi açık maviye boyamış, üzerine kuş kanatlarını andıran tuhaf bir figür resmetmiş. Aynını, şövaledeki daha koyu bir mavi zemine çizmekle meşguldü, bir taraftan da benimle konuşurken.

"Ne çiziyorsun?" diye sordum.

"Sufi kanatları."

"O da ne?"

"Senin hiç bilmediğin bir dinin, değişik bir yorumu."

"Sen nereden biliyorsun bu dini?"

"Yarışmanın teması, 'Hayal'. Benim hayalim de özgürlük. Özgürlüğü nasıl ifade edeyim diye düşünürken, ta ortaokulda okuduğum bir roman geldi aklıma. Çok yıllar önceleri yazılmış olmasına rağmen, romanın kendime benzettiğim başkahramanı kadının mezar taşında, bir çift kanat vardı. Sufi sembolüymüş. İlgimi çekmişti, araştırmıştım. Benim özgür ve sevecen ruhuma çok uygun düşen bir felsefesi varmış meğer, bu mezhebin. Kanatları biraz stilize ettim, kendi yorumumu da kattım. Değişik maviler üzerinde deniyorum şimdi. Mavinin tonuna karar verince, işte bu resimle katılacağım yarışmaya."

"Başına bir bela açmazsın umarım, özgürlük Ramanis Cumhuriyeti'ne pek uygun bir kavram değil çünkü."

"Korkma, bana bir şeycik olmaz, olsa da zaten can kafesimi yırtıp kozmosa kanatlanmama ne kaldı ki!"

"Anne, sen ne niye böyle sık konuşur oldun ölümden, ya? Sen yine, her zamanki iyimserliğinle, 'Ben görünmez bir zırhla kaplıyım, bana hiçbir şey olmaz,' demeye devam et. Beni ve Regan'ı geride bırakıp nereye kanatlanıyormuşsun." Birden, içime bir kuşku düştü, "Regan senin burada olduğunu biliyor mu?" diye sordum.

Gözlerini beyaza boyadığı kanatlardan ayırmadan,

"Hayır," dedi.

"Ama sen dedin ki, bugün polise gideceğimden korktuğun için, getirtmişsin beni buraya. Nereden bildin polise gideceğimi?"

"Senin beni merak edeceğini bilirim ben, çabuk paniğe kapılırsın. Ayrıca özledim de seni... O yüzden, yani."

"Bana doğru söyle anne, Reagan da bu işin içinde mi?"

Gözleri fırça darbelerindeydi yine, "Hayır," dedi, "Regan, bu işin içinde değil!"

Sonra bana döndü, "Gitmen lazım Yuna. Bak gördün işte, ben iyiyim."

347

"Geceleri nerede yatıyorsun?"

"Burada."

"Şu taburenin üzerinde mi uyuyorsun iki gecedir?"

"Taburenin yerine şu karşıdaki şezlongu getiriyorlar. Üzerime battaniyemi çekiyorum..."

"Yorgunluktan ölürsün anne!"

"Çocuklar hiç ara vermeden çalışıyorlar aşağıda. Onlar ölüyor mu?"

"Onlar genç! Sen yaşlısın."

"İyi ya işte, nasılsa ölmeyecek miyim yarın öbür gün. Bari bir işe yarayarak..."

Arkasından eğilip, elimle ağzını kapatmak istedim, yağlıboyaya basmış olmalıyım, vıjjjt diye kaydım ve kendimi yerde buldum. Üstüm başım boya içinde kalmıştı. Söylenerek ayağa kalktım.

"İşte tıpkı senin gibi boyaya belenecekler, gelecek olurlarsa," dedi annem. Gülüyordu.

"İnanacaklar sanki sana... şezlonga uzanmış, sabaha karşı resim yapan bir...bir..."

"Haydi utanma söyle, bir kocakarı, de! İşin iyi tarafı da zaten, benim sahiciliğim. Çatlak bir kocakarıyım. Sabaha kadar, bir şezlongun üzerinde uyuya uyana resim yapabilirim. Benden daha inandırıcı bir bekçi bulamazlardı!"

"Bekçiliğini, torununa söyleyeyim mi? O da çok merak ediyor seni."

"Mecbur kalmadıkça söyleme, Yuna. Regan'ı azap içinde bırakmayalım. Çalıştığı kuruma ihanet etmek istemez o. Beni de gözden çıkaramaz. Bilmemesi en doğrusu... Çok zorlanırsan, seni aradığımı, kantonlar arası yarışma için hummalı bir çalışma içinde olduğumu söylersin ona, emi! Bir atölyeye kapanmış, resim yapıyor dersin."

"Peki, anne," dedim.

"Haydi kızım, artık seni evine götürsünler."

"Ben işe gidiyordum."

"Böyle maskara gibi boyaya batmış, işe gidemezsin ki!"

"Senin yüzünden", dedim. "Hem bu hale geldim, hem işime geç kaldım."

"Şu indiğin merdivenleri çık, seni yukarda bekliyor olacaklar," dedi annem. Tuvaline döndü. Bu kez çok dikkatle yürüyüp, ensesine bir öpücük kondurdum.

"Sen protestolara filan zaten karışmazsın ama yine de çok dikkatli ol, Yuna'm," dedi annem.

Merdivenleri çıkarken düşündüm; annemi görmüştüm, iyiydi, keyifliydi, bir taşla iki kuş vuruyordu, rahatlamıştım azıcık, ama bin kere daha endişeliydim artık, onun için.

Siyah araba beni evimin önünde bıraktı. Evime girer girmez, işe daha çabuk gidebilmek için, önce bir taksi çağırdım kapıya, sonra iki dakikada aceleyle üzerimi değiştirdim, çıktım. Taksi, normal yolumuz olan Ulu Park'ın önündeki caddeden geçemedi. Gösteri devam ettiği için bazı caddelere girişler kesilmişti. Yollarda insanlar vardı yine, ellerinde DOĞAYI TAHRİP ETMEYİN pankartları, öylece duruyorlardı, bu sefer şarkı dahi söylemeden. Bir gün öncesinde, sesleri kısılmıştı herhalde.

"Selvili Park'ta durum nasıl?" diye sordum, şoföre.

"Aynı," dedi. "Her yer, aynı dünkü gibi. Kalabalıklar dağılmıyorlar."

"Sokakta mı yatıyor bu insanlar?"

"Sokakta yatanlar da var aralarında. Nöbet değiştirerek duruyorlar."

"Ne olacak bu işin sonu, sizce?"

"Sonunda bıkacaklar ve evlerine dönecekler. Bitecek!"

"Ama talepleri var... talepleri yerine getirilene kadar gitmeyebilirler."

"Kim ki onlar, talepleri olsun! Uluhanımız'dan daha mı iyi bilecekler?"

Alay mı ediyordu, inanarak mı söylüyordu emin değildim.

"Uluhan öldü," dedim, "şimdi Oğulhan var."

Cevap vermedi. Ben de sustum. Bir daha hiç konuşmadık, Araştırma Kurumu'na gelene kadar.

İş çıkışı vatandaş usulü döndüm eve. Raylı araçların gideceği yollar boş bırakılmıştı ama caddeler, sokaklar, parklar yine ellerinde pankartlarla dikilen insanlarla doluydu. Pankartlarda bu sefer, tek bir şey yazıyordu: YETER!

DAYANIŞMANIN BEŞİNCİ GÜNÜ

Annemin nerede olduğunu bilerek, Dina'nın sorumluluğu üzerimden kalkmış olarak ve tencereleri saklama gereğini duymadan, son günlerin en huzurlu uykusuna yatmıştım dün gece. O yüzden, keyifle uyandım, bu sabah!

Oh, yağmur da dinmiş!

Merkez'de güneşli bir gün nasıl olabilirse artık, nispeten aydınlık sayılabilecek gökyüzüne baktım ve halimize şükrettim. Annem, oğlum ve ben iyiydik. Dışarda olup bitenler henüz bizi etkilememişti. Ve annem, iyi ki çağırtmıştı beni yanına, artık en azından nerede olduğunu biliyordum. Aşağı katta olup bitenleri birileri polise gammazlasa bile, neticede yaşlı kadıncağızın teki, bir atölye kiralamıştı, çalışmak için; aşağıda olup biteni nerden bilebilirdi, öyle değil mi! Regan araya girer, ne yapar eder, kurtarırdı onu!

Kutkar, emin ellerdeydi.

Tamur ise başka bir kantondaydı, burada olup bitenin tamamen dışındaydı...

Bana gelince, her ne kadar gerçeklere uyansam da, elimden bir şey gelemeyeceğine göre, artık bu işlerden uzak dursam iyi olacaktı. Bayağı tehlikeye atmıştım kendimi, şu son bir hafta içinde. Ne evimde casusluk ettiğim kalmıştı, ne kaçak kızı sakladığım, ne protestocu Odelya'yı kurtardığım!

Hepsinden yüzümün akıyla çıktıktan sonra, artık hem oğlumun hem de kendimin güvenliği için, uslu durmalıydım.

Giyindim. Giysimin rengini laciverte ayarladım, ruhumun ciddiyetini kıyafetime yansıtmak için. Mantomu sırtıma aldım, atkımı boynuma doladım, çıktım evden. Benim sokağım sakindi ama hava trenine binmek üzere caddeye çıktığım zaman neyle karşılaşacağımı bilmiyordum.

Neyle karşılaşacağımı çabuk öğrendim.

İğne atılsa yere düşmeyecek haldeydi sokaklar. Bugün daha önceki günlerden de kalabalıktı ve hemen hemen herkesin elinde bir pankart vardı. Pankartlarda ise değişik cümleler yazılıydı: ÖZGÜRLÜĞE SUSADIK/SANSÜRÜ KALDIRIN/DÜNYAYI TANIYALIM/YALANA, TALANA, YIKIMA SON/DOĞAYI RANTA KURBAN ETMEYİN/HÜKÜMET HESAP VER/YANDAŞLIĞA, TORPİLE SON...

Bunlar tren hızla giderken görebildiklerimdi. Her bir pankartın diğer tarafında ise, YETER! Yazıyordu. YETER/YETER/YETER/YETER...

Eyvah, dedim içimden, galiba bu güzel gün kötü şeylere gebe!

Araştırma Kurumu'nda, sınıfımdaki on yedi öğrenciden yalnızca üçü katılmıştı derse.

"Çocuklar, arkadaşlarınız nerede?" diye sordum. Yanıtlayacaklarına, suratlarında alaycı bir ifadeyle gülümsediler, sadece. İçlerinden bir tanesi, "Derse gelmedikleri için haklarında şikâyette bulunacak mısınız, hocam?" diye sordu.

"Hayır," dedim.

"Neden ama?"

"Çünkü sokakların hali malûm. Herhalde gelemediler."

"Ama biz geldik. Siz de buradasınız. Demek ki istenirse geliniyormuş."

"Ben hava treniyle geldim. Herkes o pahalı bileti alamayabilir. Üstelik hava treni biletlerinde öğrenciye indirim de yok... Size gelince, sanırım babalarınızın özel hava araçlarıyla ulaştınız buraya, öyle değil mi?"

"Hocam, gelmeyenler gösterilere katıldıkları için burada değiller."

"Eh, ne yapalım yani? Gösteriye katılıp, onları enselerinden yakalayalım ve derse getirelim mi diyorsun Umar?"

Kızlar güldüler. Umar gülmedi.

"Biz kendi işimize bakalım; öğrenci sayısı az diye ders yapmak istemiyorsanız, buyurun gidin. Sizi durdurmam elbette. Derse gelmeyen öğrenciler gibi, zararlı siz çıkarsınız. Ama sakın bana ne yapmam gerektiğini öğretmeye kalkmayın! Bu damın altında hoca, benim!"

"Bu dersi baştan alacak mısın, başka bir gün?" diye sordu, kızlardan biri.

"Hayır. Gelmeyenler kendileri öğrenecekler, tabletlerine bakarak. Boş bir zamanda, laboratuvara girip, deney yapabilirsiniz."

"O zaman biz kalalım," dediler kızlar.

"Ben gideyim en iyisi," dedi oğlan.

"Keyfin bilir," dedim ben.

Umar çıktı. Kızlar yerlerine geçerken aralarında konuşuyorlardı.

"Umar'ın babası Saray'da çalışıyormuş, o yüzden böyle davranıyor," dedi kızlardan biri.

"Tam gaz, babasına sınıfı gammazlamaya gidiyordur," dedi diğeri.

"Dedikodu yapmayalım kızlar... Dedikodu partikülleri odanın havasını kirletiyor, deneylerden iyi sonuç alamıyoruz."

Kıkırdadılar. Fakat az sonra büyük bir ciddiyetle, verdiğim dersi takibe başladılar. Bir kere daha kızların erkek öğrencilere göre çok daha dikkatle ders dinlediklerini tespit ettim. Keşke kadınları evlerine tıkıştırmak gibi bir uygulama olmasaydı Merkez'de diye düşündüm, bu kızlar örneğin, kısmetleri çıktığında, üniversiteyi bitirmeden evleneceklerine, önemli işlere imza atan bireyler olabilirlerdi, benim yapmış olduğum gibi... Sonra yine düşündüm: ben çok mu mutlu olmuştum ki?

"Hocam, bu tüp biraz fazla ısındı, baksanıza..."

Koştum sarı kızın yanına.

"Bizi havaya mı uçurmak istiyorsun?" dedim. "Hangi oranda kullandın malzemeni? Sana gösterirken aklın neredeydi?"

"Aklım bugün sokaklarda kaldı hocam. Abim ve kuzenlerim... şeydeler... Doğayı Koruyalım Dayanışması'na katılacaklardı... kusura bakmayın."

"Madem onlara katılmamayı seçmişsin, aklını önündeki işe ver!"

"Ben de katılmak isterdim ama yapamam. Babam devlette çalışıyor. Gösteride olduğum tespit edilirse, onu işten atarlar."

"En doğru olanı yapmışsın. Böyle her gün sokaklara dökülmek, nereye kadar? Öğrencilerin bir talep varsa, bir temsilci seçilir, gider Ramanis Eğitim Bakanlığı'na, derdini anlatır."

"Yapıldı bu dediğiniz. Bir değil, birkaç kişi seçildi hatta, sözcü olarak görüşmeye gittiler, azarlanıp geri geldiler."

"Madem yapacak bir şey yok, biz işimize bakalım... Deneye yeniden başla, bu sefer doğru miktarları karıştırarak... Haydi!"

Kıza söyleniyordum ama benim de aklım önümdeki işte değildi. Annemi merak ediyordum, annemin bir kat aşağısında çalışanlar için endişe ediyordum. Aklım Dina'ya da takılıyordu. Regan kızı evine götürmüş müydü? Hilami ile konuşmuş muydu? Ya çılgın abisinden bir dayak daha yerse!..

"Hocam, solüsyonu taşırdınız..."

"Ah, pardon...ben de dalgınım bugün," dedim. "Sokakların hali hepimizi etkiliyor."

Kafamı toplamalı, işime odaklanmalıydım. Diğer kızın işini kontrol etmek üzere, onun yanına yürüdüm. Dışardan patlama ve siren sesleri geliyordu.

Kızla işimi henüz bitirmemiştim ki, laboratuvara kat görevlisi girdi.

"Siz uyarıyı duyamadınız diye haber vermeye geldim, Hocam," dedi, "şehirdeki bütün iş yerleri on dakika önce tatil edildi... yani, sizler de bir an önce evlerinize gidin."

"Neden? Ne olmuş?"

"Dışarda işler çığırından çıkmış. Herkes evlerine yönlendiriliyor. Akşam saatlerinde de sokağa çıkma yasağı gelecek diyorlar."

Görevli bana manidar bir bakış fırlatıp, gitti.

"Toparlanın kızlar," dedim, "haydi hemen doğru evlerinize."

Kızlar yarım bıraktıkları işin döküntülerini toplamaya yeltendiler.

"Bırakın her şeyi... öylece bırakın. Haydi, marş marş!"

"Hocam siz mi toplayacaksınız tüpleri?"

"Hayır, ben de hemen çıkıyorum. Binayı kapatırlar birazdan. Haydi, çabuk olalım."

Apar topar çıktık laboratuvardan. Merdivenler paldır küldür aşağı inen telaşlı insanlarla doluydu. Kapının önünde bir yığılma vardı. Dışarı zar zor çıkabildim. En iyi seçim yine hava trenine binmek olacaktı. Durağa yürüdüm. Bütün duraklar mahşer yeri gibi insan kaynıyordu. İnsanlar kendini her hangi bir toplu taşıma aracına atmak için birbirini yiyordu. İlk gelen hava trenine binemedim. Bir sonraki yirmi dakika sonraydı, oysa ben sokaklarda neler olduğunu görmek için bir an önce evime varmak, tenceremin başına oturmak istiyordum. Belki bir taksi bulurum umuduyla hızlı adımlarla yürümeye başladım. Benim bulunduğum sokakta gösteri yoktu ama az ilerdeki caddenin gürültüsü bana kadar geliyordu. Birden birkaç kişi koşarak yanımdan geçip gittiler. Birkaç kişi daha gözüktü köşe başında... Biri omuzuma çarptı, özür filan dilemeden hızla geçti gitti... Birkaç saniye sonra aynı istikametten iki polis geldi yine koşarak. Biri kaçanları kovalamaya devam ederken, diğeri bana sordu:

"Ne arıyorsun sokakta? Evinde olman lazımdı çoktan!"

"Kendimi ışınlayamadığıma göre, evimde olamadım. Trenler, otobüsler tıklım tıkış dolu."

"Tutuklanmak istemiyorsan, cevap verme! Yürü! Haydi!"

"Sen önce benim atkımın rengine dikkat et ki, ben seni pişman etmeyeyim, beni tutukladığına!"

Atkıma gözlerini dikti, "Özür dilerim efendim, suçlu kovalıyorken oluyor böyle hatalar."

"Kovaladıklarınız hangi suçu işlediler?"

"Göstericiler işte..."

Koşarak uzaklaştı benden. Ben hızlı adımlarla yürümeye devam ettim. Tek bir taksi geçmiyordu. Otobüsler tepeleme dolu olduklarından, inecek yoksa, duraklarda duraklamadan geçiyorlardı. Ne yapacağımı şaşırmıştım. Az ilerdeki okulun önünde peş peşe duran iki otobüse, okul çocukları bindiriliyordu. Buralarda bir yerde, Ayserin'in öğretmenlik yaptığı okul olmalıydı, acaba bu okul, onun çalıştığı okul muydu? İçeri girip adını versem, orada mı diye sorsam, orada değilse bile, ben onun şeyiyim desem —kayınvalidesi demeye dilim varmıyordu, hem o kadar yaşlanmış olmayı kabullenemediğimden hem de kızı henüz benimseyememiş olduğum için—, okul otobüslerinden birine binebilir miydim acaba? Bir öğlen molasında buluşma teklifini daha geçenlerde geri çevirdiğim, sonra da arayıp sormadığım müstakbel gelinimi, şimdi başım sıkışınca hatırlamak pek hoş olmayacaktı. Vazgeçtim. Daha da hızlandım. İki de bir arkama dönüp bakıyordum, acaba bir taksi var mı diye. Yoktu. Şehrin bütün taksileri birden yerle yeksan olmuşlardı sanki, caddeden de korkunç gürültüler, silah sesleri ve insan çığlıkları gelmeye başlamıştı. Caddeye hiç çıkmadan arka sokakları kullanarak meydana kadar gidebilirsem, ilk bulduğum hava treni durağında, gerekirse saatlerce beklerim diye düşünmüştüm ki, yanımdan geçerken yavaşlayan mavi otobüs, az ötemde durdu. İndirilen camdan biri başını uzattı. Önce, "Profesör Otis", sonra da "Yuna Hanım," diye seslendi biri. Tanıdık bir sesti... "Ayserin ben... Tanımadınız mı?"

"Ayserin! Ben de az önce seni düşünüyordum, okulun buralarda bir yerde olmalı diyordum..." Otobüsün kapısı açıldı, Ayserin, içerden bana gelmem için el ediyordu.

"Buyurun içeri... Sizin mahallede oturan çocuklar var, evinizin yakınına bırakırız sizi de," dedi. Hiç nazlanmadan attım kendimi araçtan içeri. Ayserin, yanında oturan çocuğu dizlerine oturttu, ben çocuğun boşalttığı yere oturdum.

"Teşekkür ederim, Ayserin, tam zamanında yetiştin. Ne yapacağımı şaşırmış haldeydim..."

"İyi ki pencereden dışarı bakıyormuşum o esnada. Gördüm sizi."

"Şans işte! Neye niyet, neye kısmet, kızım! Güya çay içecektik birlikte ama son günlerde öyle yoğundum ki..."

"Hayat uzun, buluşuruz elbet, çayımızı da içeriz," dedi Ayserin.

Sesinde ince bir sitem mi vardı, bana mı öyle geldi yoksa, kızı ihmal etmiş olduğumu bildiğimden.

"Baban nasıl?" diye sordum, "bir gelişme oldu mu durumunda." Sorduğum anda da pişman oldum, belki babasının ev hapsinde olduğunu benim bilmemi istemezdi. Fakat hiç oralı olmadı Ayserin. Regan'ın bana ve anneme bu konuyu açmış olduğundan emin gibiydi.

"İnadında ısrarcı," dedi.

"Hangi inadında?"

"Sağlık sorunu bahanesiyle kurtulabilir bu saçma sapan ev hapsi cezasından ama kabul etmiyor. Biliyorsunuzdur, babam sahte evrak hazırlamayı kabul etmediği için, soruşturmaya tabi oldu ve yukardan gelen emre karşı çıktığı için, suçlu bulundu. Aynı sahte evrak düzenlemesini, öleceğini bilse kendine yakıştıramazmış."

"İşte prensip sahibi bir adam!" dedim, "baban inadında çok haklı. Benim babam da olsa, aynını yapardı."

"Fakat böyle giderse, sahiden bozulacak sağlığı. Hekimliğini yapamamak onu mahvediyor, ben ona üzülüyorum."

"Yaşlılar biraz inatçı oluyor," dedim ben, "bilmez miyim, benim de annem böyle işte."

Ayserin, elini elimin üstüne koydu, gözlerime nerdeyse şefkatle bakarak, sordu: "Sahi, anneniz nasıl? İyi mi?"

"Çok iyi," dedim, "kendini bir atölyeye kapattı, kantonlar arası resim yarışmasına hazırlanıyor."

"Oh, oh çok iyi... hayata bağlanması ne güzel."

Ah kızım, o hayattan hiç kopmadı ki diye düşündüm ve bunu tam Ayserin'e söyleyecekken, korkunç bir patlama oldu. Otobüsteki çocuklar çığlık çığlığa bağırıştılar. Sert bir frenle durdu otobüs. Ayserin'le ben, arkalarda oturduğumuz ve çocuklar da çok gürültü yaptıkları için, araç radyosundan Trafik Müdürlüğü'nün sürücülere verdiği talimatları duyamıyorduk. Bu yüzden sürücümüz, arkaya seslenmek zorunda kaldı:

"İstasyon Meydanı'nda çatışma varmış. Oraya çıkan tüm yollar kesilmiş. Ara sokaklardan gitmeye çalışacağım."

İstasyon Meydanı!

Burada da bir gösteri olacaktı... Neydi, neydi? Hatırladım!

Annem, bir iki gün önce, protesto gösterileri sırasında, hükümetin insanlara karşı robot kullanımını protesto amacıyla, İstasyon Meydanı'nda bir dayanışma toplantısı mı ne, bir şey yapacaklarından söz etmişti. İyi de, protestoların başladığı günden beri, ne meydanda, ne parkta veya caddede, yanlış yönlendirilen bir deney robotu dışında, hiç robot görmemiştim ben. İnsanlar toplanıp aralarında sloganlar atıyorlar, kimi geç saatlere kadar kalıyor, kimi evine gidiyordu ve ertesi gün, haydi sil baştan! Ne olmuştu da Hükümet karşılık vermişti bu sefer?

"Ne varmış İstasyon Meydanı'nda?" diye sordum.

"Orası çok karışıkmış... yaralananlar, ölenler varmış..."

"İcap ederse okula geri dönelim, çocukları işler yatışına kadar okulda tutmaya razıyım ben," dedi Ayserin, "sakın çatışmanın olduğu alanlara yaklaşmayın, Şoför Bey."

"Bu kadar çocukla nasıl baş edersin, kızım?" dedim ben, çünkü aklım fikrim evime gidip tenceremi kurmaktaydı. Neyse ki şoför, navigasyon aletine bakarak, çatışmaların olmadığı sokakları saptayabileceğini, çok zaman da alsa, çocukları sağ salim evlerine ulaştıracağını söyledi.

Yola devam ederken, "Ayserin," dedim samimiyetle, "Şu kötü günleri bir atlatalım da, mutlaka buluşalım seninle."

"Biz haftada birkaç kere birlikte yemek yiyoruz Regan'la. Siz de katılsanıza bize," dedi Ayserin.

"Ben seninle baş başa kalmak istiyorum. Birbirimizi tanıyalım diye..."

"Hem Regan hem de anneniz o kadar çok söz ettiler ki sizden, ben sizi tanıyor gibiyim, Yuna Hanım."

"Ama ben seni pek az tanıyorum Ayserin. Nelerden hoşlanırsın, hobilerin var mı, evlendikten sonra hemen çocuk yapmak istiyor musun? Hakkında bilmediğim o kadar çok şey var ki."

"Haklısınız. Önümüzdeki cumartesi öğlen yemeğine bize gelin, ailemle, babamla tanışın. Sonra da biz baş başa çıkarız, bir yere çay içmeye gideriz, ne dersiniz?"

"Harika olur. Adresini versene."

"Anneanne biliyor. Onu da getirin, sonra çay faslını biz baş başa yaparız."

"Anneanne dediğin... annem mi?"

"Evet. Ben de ona Regan gibi, anneanne diyorum. Kendi öyle istedi."

Haydaa! Buyurun bakalım, annemin benden gizli bir marifeti daha... Niye benden sakladı acaba, Ayserin'in babasıyla tanıştığını?

"Annem size mi geldi?" diye sordum, doğru duyduğuma emin olmak için.

"Şey... evet, ama davet filan değildi... şey... Regan beni almaya gelmişti de, o da arabadaymış... yukarı çıktı işte, babamla öyle tanıştı yani. Beş, on dakikalığına, yani."

Neler yapmış benim annem, Ayserin'in babasıyla tanışmaktan tut, Dina dahil tüm genç kuşağın kalbini kazanmaya kadar! Hilami de ona anneanne mi diyordu acaba? Sessizleştim. Benim gibi Ayserin de sessizleşmişti. Otobüs değişik sokaklara girip çıkarken, başka konuşmadık ikimiz de. Şoför, çocukların dışardan gelen ürkütücü sesleri duymaması için, sesini son kerteye açtığı bir müzik çalıyordu, zaten konuşacak da olsak, birbirimizi duymakta zorluk çekecektik. Aramızda gelişmeye başlayan dostluk tomurcuğu, görünmeyen bir hoyrat el tarafından yere çalınmış ve parçalanıvermişti sanki. Bu hoyrat el, benim alınganlığım ya da kıskançlığım olmasın! Annem bu dünyada sanki sadece bana aitmiş, kendine dair bir yaşantısı olamazmış gibi davranıyordum, galiba.

Bana bin saat gibi gelen bir ara sokaklar gezintisinden sonra, nihayet beni evime yakın bir noktada bıraktılar. Ayserin'e çok teşekkür edip, indim otobüsten. Koşar adım evime gittim. Üzerimi dahi çıkartmadan tencerelerden birini banyoya taşıdım, kurdum, suları akıttım, başına çöktüm ve mantomla başlığımı ancak o zaman çıkartmayı akıl ettim.

İlk görmek istediğim yer, İstasyon Meydanı'ydı.

Haritada önce kara bir leke gibi duran meydanı büyüttükçe, siyah rengin niye baskın olduğunu anladım. Kadınlı erkekli kalabalığın karşısında, simsiyah robotların yan yana dizildiği, iki sıralı bir hat vardı. Robotlara karşı koymaya çalışan insanlar, cama çarpıp yere düşen serçeler gibi patır patır dökülüyorlardı. Düşenler, davranıp ayağa kalkamadan, düştükleri yerlerde, arkadan gelen insanların ayakları altında kalıyorlar, sürekli birbirlerini eziyorlardı. Robotların, insanların üzerinden geçebildiklerine göre, ayaklarının altında tank dişlilerini andıran tekerlekleri olmalıydı. Üzerinden geçtikleri insanlardan bir an sonra kan fışkırmaya başlıyordu çünkü. Resmi kaydırarak, meydanın henüz ekrana yansımayan diğer ucuna doğru gittim. Tanrım! Tanrım! Yüce Ram! Böyle bir hainlik görülmemiştir! Bir sıra robot da arkadan geliyordu. Araya sıkışanların birbirini ezmesine, bu geri hattaki robotlar neden oluyormuş meğer! Saray'ın olası ayaklanmalara karşı dünyanın parasına ısmarladığı Katil Robotlar!

Yüce Ram! O da ne! Gözlerime inanamadığım için, resmi büyüttüm. Robotların suratlarına beyaz metalik boyayla nerdeyse kulaklarına kadar gülen ağızlar ve sevecen bakışlı gözler çizmişlerdi. Ölüm makinalarının sevimli kafaları vardı, aldıkları canlarla alay eder gibi.

Bir kere daha ekranı öne arkaya kaydırarak bütün meydanı baştan taradım. Evet, inanması zordu ama, Ramanis Cumhuriyeti'nin yöneticileri, insanları sevimli robotlara kırdırıyorlardı! Halk, kan revan içinde yerlerdeydi. Düştükleri yerde çırpınıyorlardı, eziliyorlardı. Sesi açtım, çığlıkları duyunca, dayanamayıp, kestim hemen. Ben de artık dizlerimin üzerinde avaz avaz ağlayarak, yere düşenlerin arasında tanıdığım birileri var mı diye, büyütüp duruyordum görüntüyü. Dina'yı, hatta galiba en çok da her şeye rağmen Odelya'yı merak ediyordum. Bir yandan da kendime teselliler buluyordum, Odelya, doğayı tahrip edenleri protestoya gitmezdi, o şiddet gören kadınlara takılı kalmıştı. Dina, gösteriye katılmanın dayağından daha yeni kurtulmuşken, ikinci bir cezayı göze alamazdı. Annem, şükürler olsun, şehrin varoşlarında, beyin takımına gözcülük yapıyordu. Ya Kutkar? Yok, o da beyin takımının arasında, şifre çözmeye çalışıyordu, mutlaka. Orta yerde sıkışıp kalmış, ezilmeyi bekleyen ve hiçbir yere kaçamayanların arasında birkaç arkadaşım olabilir miydi, iş yerinden?

Sanki elimden bir şey gelebilirmiş gibi, onları ararken, gözlerim fuşya rengi bir mantoya takıldı!

YOK OLAMAZ! HAYIR OLAMAZ! BU KADIN, ANNEM OLAMAZ!

Annem, şu anda o bakımsız, dağınık atölyede kuş kanatları çiziyor olmalıydı. Kırmızı mantoyu giyen kadının yüzünü göremiyordum ama o manto... o manto... nasıl unuturum, dün gibi gözlerimin önündeydi, tartışmamız. Bir ay kadar önce, mantoyu üzerinde gördüğümde, "Bu renk biraz şey olmamış mı?" diye sormuştum.

"Ne olmamış mı?" demişti.

"Şey... genç işi, işte."

"Olsun varsın. Ömrüm boyunca fuşya rengi bir giysim olsun istemiştim. Kısmet bu yılaymış!"

"Kısmet, bayağı gecikmiş, anne! Ne zaman aldın, sen bunu?"

"Dün."

"Mordam'daki arkadaşların gülmesinler sana!"

"Varsın gülsünler. Gülmek iyidir."

"Laf aramızda, cart kırmızı, yüzünün rengini soldurmuş."

"Anladım, yakışmamış demek istiyorsun, ama yüzümün rengi niye soluk biliyor musun?"

"Niye?"

"Allık sürmeden çıkmışım bugün. Unutkanlık, işte. Ha, bir de tekrar hatırlatırım, bu rengin adı cart kırmızı değil, fuşya!"

Annem kırmızı rengin yüksek enerjisine inat, o kadar kırılgan ve solgun görünüyordu ki, belki de sırf kendini genç hissetmek için giydiği mantosuna rağmen, artık iyice yaşlı bir kadın olduğunu, ben ilk kez fark ediyordum.

Acıma duygusunun neden olduğu ani bir karar değişikliğiyle, "Fuşya mantonu güle güle giy anneciğim," demiştim, "ama bir dahaki sefere allığını unutma, işte o zaman, pek yakışacak sana."

O fuşya manto, şimdi ekrandaydı. Kalabalığın arasında, kıvıl kıvıl bir tırtıl gibi, ön saflara doğru ilerliyordu. Mantoyu giyen kadın, arkasına hiç bakmıyordu ki, yüzünü göreyim.

Meydanın arka taraflarına kaydım. Boyları iki metreye yakın robotlar güleç suratlarıyla, adeta su üstünde kayar gibi ilerliyorlardı, önlerindeki insanları yerlere düşürüp, üzerlerinden geçerek. Nispeten çevik olanlar, kocaman bacaklarının arasından sıyrılıp kaçmayı başarıyordu. Bazıları boşuna bir gayretle üzerlerine tırmanıyor, kafalarını yumrukluyor, gözlerini oymaya çalışıyorlardı. Hiçbir şey olmuyordu robotlara. Onlar hep ileriye... daha ileriye... insanların kafalarını, göğüslerini, gövdelerini, tekerlekleriyle ezerek, parçalananlara hiç acımadan –nasıl acısınlar ki, robottu onlar– meydanın diğer ucunda duran robotların oraya gidiyorlardı. Evet, onlar robottu ama onları yönetenler, insandı. Kendi menfaatlerinin ve iktidarlarının devamının dışında, hiçbir insani duygu taşımayan, hoyrat, bencil, acımasız, sevgisiz insanlardı.

İlk defa şüpheye yer vermeyecek şekilde gözlerimle görüyordum, ne mal olduklarını.

Öğürdüm. Kafamı tuvalete uzattım ama kusamadım. Tekrar baktım ekrana... Yüce Ram, bu korkunç eylem, sadece Oğulhan'ın emirleriyle mi gerçekleşiyordu? Nasıl izin veriyordu, o genç adam, bu vahşete? Robotlar karşılıklı birbirlerine doğru gelip buluştuklarında, aralarında ezilecek olan binlerce yaralı ve ölü; öte yanda ise sağ ve sağlam kalmış bir avuç Ramanis yöneticisi ve kendilerini Saray'a adamış, Saray sayesinde var olmuş bir grup insan kalacaktı!

Bir enkazı mı yönetecekti? Hiç şey olmamış gibi devam edebilecek miydi hayatına, Oğulhan?

Görüntüyü yine fuşya mantoyu gördüğüm alana getirdim. Eski yerinde değildi. Ama o kadar belirgindi ki mantonun parlak rengi, yeni yerini çabuk saptadım. Her kimse o, kalabalığın içinde, yavaşça öne doğru kayıyordu. Ölümüne koşuyordu adeta, çılgın kadın! Kırmızı bir atom karınca gibi, insanların sağından, solundan dalıyor, itip kakıyor, önlere doğru gidiyordu. Niçin? Bir an önce ölmek için mi? Çünkü en öndekilerin karşılarına çıkan robotlara çarparak, yere düşüp ezilmekten başka şansları yoktu. Eğer o kişi annemse, en fazla on, on beş dakika içinde... Yok, hayır... işte bunu asla izleyemezdim! Annemin de diğer insanlarla birlikte sinek gibi ezilmesini seyredemezdim. Yine öğürdüm. Bu kez, tuvalete yetişemeden fışkırdı midemdekiler, tencerenin ekranına döküldü. Ekrandaki vahşetin üstünde, benim kusmuklarım vardı, şimdi.

Birden, o ses...

"3717! Yanıt ver 3717. Yanıt ver 3717..."

"Yüce Ram topunuzun belasını versin," diye bağırdım. Titreyen ellerimle, tencereye bağlanan ilkel kabloyu çekip, görüntüyü kararttım. Ayağa kalkınca, yerlere sıçramış kusmuğuma bastım, az daha düşüyorum. Çıktım banyodan, yatak odamda yatağıma oturup Regan'ı aramaya çalıştım. Bulamadım. Aynaya gözüm takıldı, gözyaşları yanaklarımda yol yol iz bırakmış, üstüm başım, saçlarımın uçları kusmuk içinde... oysa burnum hiç koku almıyordu, nedense. Sanki kalbim de çarpmıyordu. Öylece oturup kaldım bir süre, yatağın üzerinde. Kafam yeniden çalışmaya başlamış olmalı, Dina'yı aramaya karar verdim. Belki Regan'ı bulmama yardımcı olurdu. Bilekliğimi tuşlarken, bir telefon geldi... Regan! Oh, nihayet Regan! En büyük ekranın olduğu oturma odasına koştum ama sadece sesini duydum, oğlumun.

"Anne, neredesin?"

"Evdeyim," dedim.

"Şimdi lütfen sakin ol, anne! Anneannem yaralanmış. Sana hava aracı yolluyorum, beş dakika sonra hazır ol ve kapıya çık," dedi ve sesi kesildi.

"Regan... Regan," diye bağırdım... Ne ses, ne görüntü! Evet, demek ki oymuş! Annemmiş, kırmızılı kadın! Banyoya koştum, yere attığım mantomu, atkımı ve başlığımı aldım. Mantoma da kusmuk sıçramış. Hiç aldırmadım. Alelacele giydim mantoyu, başlığı kusmuklu saçlarıma geçirdim, kapının önüne çıktım. Fazla beklemedim, Regan'ın siyah makam arabası, kapımın önüne yanaşıp durdu. Şoförün inip bana kapı açmasını beklemeden, ben açtım kapıyı, arka koltuğa yığıldım.

"Sizi, özel hava araçlarının kalkış platformuna götürmeye geldim," dedi şoför. "Ayrıcalıklı yoldan, çabucak gideriz."

Regan, anneannesi veya ben yanındayken, asla kullanmazdı, özel şerit hakkını. Ama bugün, hastaneye yetiştirmek için beni... demek ki anneciğim ağır yaralıydı... Yok, yok, iyi şeyler düşüneyim, iyi şeyler olsun.

Şehrin üstünde uçuşan hava kuşları müthiş bir gürültü çıkarıyordu.

"Neler oluyor?" diye sordum, şoföre, sesim titreyerek.

"Efendim, robotlar bir arıza yapmış, diye duyduk."

"Nasıl yani?" dedim.

"Geri saflardaki robotlar ilerleyemez olmuşlar, ön saflardakiler de yerlere devrilmiş. Bir sabotajdan bahsediliyor ama hiç sanmam. Kim cesaret edebilir ki? Robotlar da birer alet sonuçta. Bozulabilirler haliyle. Bozulmasalardı, göstericilerin hepsini, analarından doğduklarına pişman edeceklerdi. Robotlar arızalanınca, şimdi, havadan müdahale etmeye çalışıyorlar."

"Siz nasıl ulaştınız bu bilgiye?"

"Bilgi bize verilmez ama bilirsiniz... fısıltı gazetesi..."

Başka hiçbir şey sormadım, adama. Kalbim yerinden fırlayacakmış gibi çarpıyordu. Kafamda da sanki yüzlerce yürek aynı anda çarpıyordu. Şoför, ön camı, soğuk havaya rağmen azıcık indirdi... kusmuk kokmuş olmalı, arabanın içi. Hınzır bir gülüş yapıştı dudaklarıma. Oh olsun, göstericilerin canına okunmasını bekleyen şoföre!

On dakika içinde, Regan'ın beni aldırtacağı özel hava aracının yanındaydık. Şoför, bu kez atik davranıp, arabadan inmeme ve hava aracına binmeme yardımcı oldu. Yerime geçip, kemerimi bağladım. Aşağımdaki şehrin perişan görüntüsünü görmemek için gözlerimi yumdum.

"Sizi Hakanyum Hastanesi'ne götürüyorum, efendim," dedi Pilot.

Benden bir yanıt beklemiş olabilir. Oysa ben sadece, "Anne, bekle beni. Sakın ölme! Sakın! Fuşya rengi giyen birine ölüm hiç yakışmaz, dayan anne," deyip duruyordum, dudağımın üstündeki ıslaklık gözyaşı mıydı, sümük müydü, hiç aldırmadan.

HAKANYUM HASTANESİ'NDE

Uzun, beyaz koridorda, resepsiyonda bana söylenen oda numarasını bulmak için, kapılara bakarak, telaşla yürürken gördüm onları. Regan, Ayserin ve bana arkası dönük bir adam daha, kapısı açık duran odanın önünde, aralarında bir şeyler konuşarak duruluyorlardı. Regan beni görür görmez, koştu bana doğru.

"Anne! Nihayet gelebildin... seni sorup durdu..."

"Annem yaşıyor mu?" diye kestim sözünü.

Oğlum bana sarılırken, sorumu o adam yanıtladı:

"Hiç merak etme Yuna, ben gereken her şeyi yaptım. Onu ülkenin en iyi hastanesine naklettirdim. Annen emin ellerde."

Kulaklarıma inanamadığım için, Regan'nın kollarından kurtularak konuşan adama doğru döndüm. Yanılmamışım, oydu! Malek Tulup'tu!

Sonra duyduğum sadece kendi sesimdi.

"NE İŞİ VAR BU AHLAKSIZIN BURADA! Hangi yüzle karşıma çıkıyor, benim? Anneme hangi yüzle yardım ediyor?"

"Anne! Neler söylüyorsun sen! Bak, Malek Amca olmasa, anneannem..."

"Nereden amcan oluyormuş! O, benim babamın katili! O, bir ırz düşmanı! O ahlaksız, düzenbaz bir sapık, o!"

"Anne, sus, sakin ol."

"Babamı öldürdüğü yetmedi, bir de annemi mi halledecek, şimdi. KAAATİL!"

Donup kalmış adamın üzerine yürüdüm. Regan, önüme geçip durdurmaya çalıştı beni. "KATİL! YALANCI, ÇIKAR-CI, IRZ DÜŞMANI KATİL!"

"Dur anne, bağırma, anne... herkes bize bakıyor... Tekmeleme, bak bana da vuruyorsun ama... anne, öldüreceksin adamı, bırak boğazını... yalvarıyorum bırak..."

Regan belime sarılmıştı, Ayserin ellerimi Malek'in boğazından çözmeye çalışıyordu. Hemşireler koşuştular. İyi, onlar da duysunlar, herkes duysun ne mal olduğunu, herkes bilsin nasıl bir pisliktir, o. Bağırıyordum avaz avaz:

"IRZ DÜŞMANI, BABAMIN KATİLİ, KUMPASCI CANAVAR!"

Hırıltılar geliyordu Malek'ten... kıpkırmızıydı yüzü... galiba biri gözlerime lazer tutuyordu... ellerim çözüldü... dizlerim de çözüldü, ben yere yığılırken oğlum tuttu beni... bir sedye koşturuyorlardı... tıkır tıkır sesini duyuyordum tekerleklerin... galiba öldürdüm ben Malek'i. Ellerimle boğdum. Gebersin! Katil oydu, şimdi de ben oldum ama umurumda değil, babamın intikamını aldım, anneme saldırmasının cezasını verdim, o gün yapamadığımı bunca yıl sonra, yaptım... uykum vardı... çok uykum vardı.

Mırıltılar halinde duyuyordum konuşulanları..."Annem aslında çok sakin bir insandır," mı diyordu Regan? "Annesini öldü zannettiği için şoka girdi, herhalde... Hiç yapmaz böyle şeyler... Sizi başka biriyle mi karıştırdı acaba? İnanın ben de şaşırdım... hepimiz şaşkınız... şaşkın...şaş...şa..."

Kendime geldiğimde, daracık bir odada, daracık bir sedirde yatıyordum. Doğrulmaya çalıştım.

"Hızlı hareket etmeyin... yavaş yavaş... verin elinizi bana," dedi bana doğru eğilen kız... Ayserin!

"Ne oldu? Baygınlık mı geçirdim?" diye sordum.

"Onun gibi bir şey. Sakinleşmeniz için hafif bir lazer şoklaması yaptılar, uyudunuz biraz."

"Neden, ne oldu ki?" Etrafıma baktım, bir hastaneydi burası. Ah, evet... elbette...

"Annem," diye bağırdım, "Annem nerde Ayserin? Ne oldu ona?"

"Gösteri esnasında robotların hışmına uğramış, epeyi hırpalanmış."

"Yaşıyor mu? Doğruyu söyle, bak!"

"Tabii yaşıyor. Nerden çıkardınız öldüğünü? Yaralanmış ama aklı başında, konuşuyor hatta sizi sorup duruyordu."

"Beni anneme götür."

"Hemşireyi çağırayım da..."

"Yok, hemşire filan istemem. Giderim ben, elini ver bana."

Ayserin beni duymamış gibi, zile bastı.

Ben ayağa kalkarken odaya giren hemşireye de annemi görmek istediğimi tekrarladım.

"Bir kayar sandalye alıp geliyorum, hemen," dedi.

"Katiyen olmaz! Annem beni kayar sandalyede görürse, çok telaşlanır."

"Anneniz sizi göremez," dedi hemşire, "gözlerinde sargı var." Kalktığım sedire yeniden çöktüm. Konuşurken dudaklarım titriyordu.

"Anneme neler olduğunu bana kim anlatacak?" dedim.

Ayserin, konuşmaya başlamadan önce, kolunu omuzuma atıp dedi ki:

"Anneannenin kaburgaları, köprücük kemiği ve sol dizi kırılmış. Robot'un öne uzattığı elinin parmakları gözlerine batmış. Ah, anneanne, haydi bir çılgınlık yapıp, bu yaşta dayanışmaya katılmaya karar verdin, en ön safta ne işin vardı, değil mi! Ölebilirdi de."

"Annenizi ameliyat edebilmek için, kan değerlerinin normale dönmesini ve tansiyonunun düşmesini bekliyorlar," dedi hemşire. Getirttiği kayar sandalyeyi önüme sürdü.

"Oturun sandalyeye lütfen!"

"Annenizi görünce... yani, başınız filan dönerse, düşmeyesiniz diye," dedi Ayserin.

"Bir de benimle uğraşmayın, değil mi?"

"Estağfurullah. Ben sizin iyiliğiniz için söyledim."

Sandalyeye oturdum. Ayserin, sandalyeyi yönlendirmeye davranan hemşireye mani oldu, "Biz gideriz," dedi.

Beyaz, uzun koridorda Ayserin'in denetimindeki kayar sandalyede giderken, her şeyi gayet net hatırladım. Kendimi kaybedip, nasıl bir taşkınlık yapmıştım ben! Malek'i rezil edeceğim diye kendimi de rezil etmiştim. Duyduğum pişmanlık ve utançla, Ayserin'e fısıldar gibi sordum:

"Regan nerede?"

"Anneannenin yanında," dedi.

Az sonra, annemin odasının önündeydik. Kız kapıyı açınca, yatakta yatan enkazı gördüm. Başucunda oğlumun beklediği annemin bir bacağı askıdaydı, kafası, gözlerini de kapayacak şekilde alüminyum rengi şeritlerle sarılmıştı. Yüzünün sargılardan artan kısmı bir bebeğin yüzü kadar küçük gözüküyordu. El parmaklarını da teker teker alüminyumla kaplamışlardı. Dün o mahşeri kalabalığın arasında, fuşya mantosuyla bir tırtıl gibi öne ilerleyen kadın mıydı, bu gümüş rengi mumya?

Hıçkırığımı zor tuttum, elimi kaldırarak, Ayserin'e durmasını işaret ettim. Kız sandalyemin burnunu koridora çevirdi, az ileri itti, koşup odanın kapısını kapattı ve işte ben o zaman, boşandım. Gözyaşlarım yanaklarımdan kayıp atkıma damlıyordu, hıçkırıklarım omuzlarımı sarsıyordu. Yanıma diz çöken Ayserin, hiçbir şey söylemeden sırtımı okşuyordu, sadece. Ağlamaktan tükeninince, sustum. Gözlerim yanıyordu, sesim kısılmıştı. İyi ki söz dinleyip kayan sandalyeye oturmuşum, değil adım atacak, ayakta duracak halim yoktu.

"Odaya dönelim," dedim Ayserin'e.

"Emin misiniz?"

"Evet."

Biz odaya doğru giderken, Regan geldi yanımıza. Mahcubiyetimden başımı kaldırıp oğlumun yüzüne bakamıyordum.

"Anneannem bana her şeyi anlattı, anne," dedi Regan.

"Annem konuşacak durumda demek ki, ah ne iyi!" dedim ben.

"Keşke bana daha önce söyleseydiniz, yanıma yaklaştırmazdım o adamı."

"Kendimi tutamadığım için çok üzgünüm, oğlum. Bana ne oldu bilmiyorum. Rezil ettim... kendimi de, sizi de."

"Az bile yaptın, anne. Rezil olması gereken sen değil, o."

"Annem kör mü olacak, Regan?"

"Şu anda önemli olan, anneannemin aklının başında olması. Kulakları duyabiliyor ama gözleri... maalesef." Eğildi, sımsıkı sarıldı bana oğlum. "Çok yorma onu emi, anne."

Konuşursam tekrar ağlayabilirim diye başımı sallamakla yetindim.

Regan kayan sandalyemi, yatağın yanına götürdü, beni annemle yalnız bıraktı.

"Anne," dedim. Sesim, sesten çok bir hırıltıyı andırıyordu.

"Yuna... Sen misin kızım?"

Onun sesi de fısıltıyla çıkıyordu, ancak. Tam karşısından, rahat nefes alabilmesi için göğsüne bir ışık huzmesi vuruyordu. Sol koluna bir alet takılıydı. Sağ eliyle eğilmemi işaret etti. Eğildim yüzüne doğru.

"Yuna, baş... ardık... Kut..kar'ın eki..bi şif..re..yi değ..işti.. rip yen..iden kur..du, robotları işe yaramaz hale getirdi. ben ön..cü rob..otu sapt..adım, ku..man..dayı iki gözü...nün tam or..tasın..daki nok..taya..." Nefes nefese kaldı, ama kısa süre sonra devam etti, "hedefle..meyi...becere..bildim, kız..ım. He.. psi eşgü..düm..lüymüş, çünkü..."

"Anne, bu işi senin yapman şart mıydı, canım? Bak sen de ne hale geldin!.."

Bir süre dinlendi, yeniden konuşmadan önce.

"Dinle şimdi beni," dedi yeniden nefeslenerek, "Tamur ve... biri kişi daha... çok önemli bir iş peşindeler... Gökcis... cisimle... ilgili... belgelere... ula..şırlarsa... sen benden çok

374

daha... özgür ve... güzel bir ülkede... ya..şayacak..sın, ca... nım kız..ım."

"Sen de bizimle birlikte yaşayacaksın, anne."

"İnan bana...başar..mala..rına... az kaldı... Kutkar ba.. şardı...onlar..da başa..racak... Az kaldı, Yuna, bu cehen..nem at..mosfe..rinin... sonlan..ması..na..az kaldı..."

"Anne, sus artık, yorma kendini. Bir an önce toparlan ki, ameliyatını yapıp seni..." Tek eliyle yakamı bulup, kendine çekmek istedi beni. Eğildim yine.

"Arike... var ya... dayısı para..ya..." Sesi giderek hafiflemişti, "daya...na..maz... bel..ki onu... ik..na eder..seniz, hız..lanır... iş.. ler. Dik..kat..li ol, kız..ım, be..nim..."

"Haydi, sus, konuşma, anne. Bak nefes nefese kaldın. Ben bütün gece başındayım, toparlan, sonra yine konuşuruz"

"Ar..ike..nin day..ı..."

Annemin yakamdaki eli çözüldü, yanına düştü. Kulağımı nerdeyse ağzına dayadım, nefesi belli belirsizdi. Başucundaki zili çaldım. İki kişi birden koşarak geldiler.

"Nefes almıyor," dedim.

"Alıyor," dedi doktor olduğunu sandığım genç adam. "Ben annenizi yoğun bakıma aldıracağım. Orada tam bir gözetim altında olur. Kalp atışlarında, nefesinde, terlemesinde bir değişme olursa, iç kanama başlarsa, anında farkına varırız."

"Ben de dikkat ederim. Nasılsa başında olacağım sabaha kadar."

"Yoğun bakımda kalamazsınız efendim."

"Ama o benim annem."

"Yoğun bakımda kalmanız hijyen açısından kesinlikle yasaktır, annenizin hayatını da tehlikeye atarsınız."

Doktor, hemşireye yoğun bakım odasının hazırlanması emrini verdi, hemşire de kolumdan tutup beni dışarıya yönlendirmek istedi.

"Tamam, gideceğim ama siz onu götürene kadar, bırakın yanında kalayım," dedim. Her ikisi de çıktılar odadan, değişik yönlere koşuştular.

Regan ve Ayserin yanımıza ne zaman geldiler bilmiyorum ama, geldiklerinde ben annemin kollarını, sargılı başını okşuyor, ondan yaşarken esirgediğim tüm sevgi sözcüklerini art arda sıralıyordum. Sesli mi konuşuyordum, içimden mi, inanın bilemiyorum. Bildiğim, tüm söylediklerimi onun duyduğuydu. Hemşire bir robot ve sedyeyle geri gelene kadar konuştum onunla. Robot'un annemi kucaklamaya davrandığını görünce... Neyse ki Regan araya girdi, bir şeyler söyledi hemşireye. Beni bekleme odasına aldılar. Ayserin yanıma geldi sonra. "Anneannenin yanına robot yaklaştırmamaya söz verdiler, içiniz rahat etsin," dedi bana.

ANNEMİN ÖLÜMLE DANSI

Hastaneden çıkınca, hep birlikte Regan'ın arabasına bindik. Ayserin,

"Bu akşam yemeği babamın evinde yiyecektik. Lütfen siz de bize katılın, babamla da tanışırsınız," diye ısrar etti.

"Babanla bu halde tanışmak istemem Ayserin," dedim üstümü başımı işaret ederek. "Üstelik çok da yorgunum."

"Anne, Ayserin'i kırma, şimdi bizimle gel, gece de bende kal. Konuşmamız gereken çok şey var."

"Ayserin, sana bir şey soracağım. Bak doğru söyle ama," dedim. "Kusmuk kokuyor muyum?"

"Yani... isterseniz size uğrayalım, bir duş alın," dedi Ayserin, yüzüme bakmaya cesaret edemeyerek.

"Tamam, seni şimdi evine bırakalım, yarım saat sonra ben gelir alırım seni anne," dedi Regan.

İçimden gelen, hemen evime dönmek, dinlenmek ve sadece annemi düşünmekti, ama Ayserin'e çok ayıp olacaktı. Peki, dedim oğluma. Beni evimin önünde bırakıp gittiler. İçeri girer girmez, ilk iş bilekliğimden Arike'yi aradım. Telefonu bir türlü açılmadı. Ona mesaj bırakmak zorunda kaldım:

Arike, selam! Kutkar, dayına ulaşmaya çalışıyor. Ismarladığı siparişleri hazır etmiş, bir an önce onu dayınla buluşturabilirsen, iyi olur. Yakında görüşmek dileğiyle. Y.

Sonra soyundum, üstümdekileri çöpe attım, banyoyu, sonra da üzerine kustuğum tencereyi temizledim, duşumu alıp, giyindim. Televizyona hiç bakmadım. Ne olduğunu bittiğini artık merak etmiyordum. Tek merak ettiğim annemdi. Çekeceği vardı Kutkar'la arkadaşlarının, elimden. Benim yaşlı annemden başka, kendini kurban edecek kimse bulamamışlar mıydı? Robotlara meydan okuyacak kişi, genç biri olaydı, bu hale gelmezdi. Kaçar kurtulurdu. Haydi, nöbetçilik etmesi neyse de, robotun gözlerinin arasındaki çipi hedeflemek için, hayatını hiçe sayıp, önlere doğru sızması, gözlerimin önünden gitmiyordu. Ah benim çılgın annem! Gözlerime yine yaşlar doldu.

Regan beni almaya tek başına geldi. Arabasını bu kez şoför değil, kendi kullanıyordu.

"Ayserin nerede?" dedim.

"Evine bıraktım onu. Sana hazırlık yapmak istedi. Babasıyla tanışacaksın diye çok heyecanlı."

"İyi kız nişanlın," dedim. "Biliyor musun, beni sokaklarda perişan olmaktan o kurtardı bugün. Regan, dışarda durum nasıl?"

"İstasyon Meydanı kan revan içinde, anne. Yaralılar hastanelere sığmıyor. Morglar da öyle. Binlerce ölü var. Robotların halkın üzerine salınması çok yanlış oldu. Neyse ki robotların kumanda çiplerinde bir arıza olmuş, emir alamaz hale gelmişler. Yoksa iki misli kayıp verilirdi."

Regan'ın haberi yok! İnanmamıştım anneme, ama doğru söylemiş bana.

"Bari Hiroshi'nin Geminoidlerinin son modelini kullansalardı. Paraya kıyamamış EMIEW 2'nin gelişmişlerini almışlar," diye ağzını aradım oğlumun.

"EMIEW'in son model robotlarının da mükemmel olduğunu söyleniyor ama insan yapımı sonuçta, anne. İnsan bile arızalanıyor, makine arızalanmaz mı!.."

"Çok doğru söyledin! Robotları insanların üstüne salanların da kafaları arızalandı zahir! Neden böyle korkunç bir şeye karar verdiler, kimin emriydi bu, sen biliyor musun?"

"Bu emri Oğulhan'dan başkası vermeye cesaret edemez ama onu kim yönlendirdi acaba? İnsanlar, pankartlarıyla meydanlarda toplanıyor, bağırıp çağırıp, evlerine dönüyorlardı. Gösteriler, sinirleri gerilen toplumların, bir nevi gaz çıkarma yoludur, diye öğretmişlerdi bize üniversitede. Orantısız güç kullandılar, iyi yönetemediler krizi."

Bilekliğim titreşiyordu. Baktım, Arike arıyor. Regan'ın yanında konuşamazdım Arike'yle. Sessize aldım telefonu.

"Yarın, annem illa öğrenmek isteyecektir neler olduğunu. Ona beyaz yalanlar mı söylesek?" diye sordum, oğluma.

Telefonum yine titreşti. "Biri seni ısrarla arıyor, baksana telefonuna," dedi Regan.

"Annemin Mordam arkadaşlarının her birini cevaplarsam, bu akşam Ayserin'lerde konuşacak halim kalmayabilir."

"Haklısın. Bu akşam, beni göreve çağırabilirler, konuşmak için gücünü..."

Lafını kestim Regan'ın: "Hiç tanımadığım insanlarla beni yalnız mı bırakacaksın?"

"Hükümet acil olarak toplanıyormuş. Görev bu, anne!"

Tam o sırada bir mesaj düştü bileklığime. Okudum.

Dayım'a haber verdim, Kutkar'ı arayacak. Anneni duydum, çok geçmiş olsun, beni sağlığı ile ilgili bilgilendir ltf. A.

Regan mesajın kimden geldiğini sormadan, araya girdim: "Sen hükümette değilsin ki!"

"Kıtalararası Milletler'e bilgi gönderilmesi gerekiyorsa, biz, sekreteryada bekler, gelen talimata göre hemen rapor yazarız. Sen Ayserin'i tanıyorsun zaten, anne. Suza'yla tanışacaksın, Doktorun ikinci eşi. Ayserin'i o büyütmüş. Çok şeker bir kadındır, seveceksin. İki erkek çocukları daha var, Ayserin'in babasından üvey kardeşleri."

Regan arabasını evin önünde park etti. İndim. Başka zaman olsa, Ayserin'in ailesiyle tanışacağım için, heyecanlı olabilirdim ama annemin ağır yaralandığı bugün, konuşacak halim yoktu. Tükenmiştim. Yine de oğlumu ve nişanlısını memnun etme gayreti içinde, kızın samimi davetine hayır diyememiştim. Binaya girdik. Asansöre binip Ayserinlerin katına çıktık. Kapı, biz çalmadan açıldı.

Ayserin, "Hoş geldiniz," dedi bana. Arkasında uzun boylu, mavi gözlü, yorgun yüzlü bir adam duruyordu.

"Ben Ayserin'in babası Doktor İdero Hiray," dedi adam, beni selamlayarak. "Sayın Profesör, evime şeref verdiniz."

"Ben de sizi tanımaktan şeref duydum, Doktor Hiray." Salona geçmem için, yol verdi. Hoş bir kadın kalktı oturduğu yerden.

"Eşim Suza'yı tanıştırayım. Suza, Regan'ın saygıdeğer annesi Profesör Otis."

"Çok memnun oldum."

"Bu da küçük oğlum Maron. Diğer oğlumuz Serin, Dağ Kantonu'nda staj yapıyor. Tatile geldiğinde tanışacaksınız artık, onunla."

"Çok güzel bir aileniz var," dedim, gösterilen yere otururken.

"Sizin de öyle."

"Bizimki çekirdek aile! Annem, ben ve oğlum."

"Oğlunuzu çok taktir ediyor ve seviyoruz. Annenizle de tanıştık ve onu da çok sevdik."

"Ah, evet, tanışmışsınız. Annem nedense bana söylememişti tanıştığınızı. Ayserin'den duydum," dedim.

"Şey... Bizimki başka türlü bir tanışma oldu... hasta doktor ilişkisi, yani."

Regan araya girdi, "Anneannem bugün bir kaza geçirdi, duymuşsunuzdur belki."

"Haberlerde duyduk," dedi Doktor. "Büyük geçmiş olsun."

Elim ayağım buz kesildi. "Haberlerde mi duydunuz? Nasıl yani, ne diyorlardı haberlerde?"

"İstasyon Meydanı'nda yaralananların arasında adı sayıldı; ünlü bir ressam olarak sanatından söz ettiler, kısaca. Haberleri okuyan kişi, çok müessif bir kaza neticesi yaralandığını ve

Hakanyum'a kaldırıldığını söyledi. Regan, oğlum, haberi duyduktan sonra, seni kaç kere aradım ama açılmadı telefonun. Anneannenin durumu nasıl?"

"Ağır. O yaşta bir insanın kolayca kaldıramayacağı kırıklar, incinmeler var vücudunda. Ameliyat için değerlerinin normale dönmesini bekliyorlar."

"Şeyi de göz önüne almaları lazım... Regan oğlum... şöyle içeri geçelim mi biz? Sana açıklamam gereken bazı şeyler var."

"Neyi göze almaları lazım?" dedim ben.

"Biz Regan'la bir görüşelim de..."

"Doktor Hiray, Regan söz konusu hastanın torunu, bense kızıyım. Rica ederim... yani..."

Ayserin araya girdi:

"Baba, izin ver ben açıklayayım, çünkü benim yüzümden oldu her şey," dedi.

Artık tutamadım kendimi, "Hangi şey Ayserin? Lütfen bir an evvel anlatır mısın, ne anlatacaksan!"

"Şöyle oldu: Regan'ın gece nöbetinde olduğu bir akşam, anneanne çok sancılanmış. Regan, beni aradı, sen bana kadar gidebilir misin, diye sordu. Hemen gittim. Anneanneye önce şifalı ot kaynattım. Ağrısı geçmeyince ağrı kesici verdim. Sonra, ağrı poşetini denedik. Ne yaptımsa olmadı, sancısı giderek arttı ama ne hastaneye gitmeyi kabul ediyordu ne de eve doktor çağırmayı. Sonuçta onu bize gelmeye ikna ettim, babam baksın diye. Gece saat bire doğru, bize geldik. Babam onu muayene etti." Bana döndü Ayserin. "İşte böyle tanıştı onlar."

"Bunu neden sakladınız benden? Hem, madem o gece annem o kadar hastaydı, neden beni aramadın, Ayserin?"

"Yuna Hanım, ben çok ısrar ettim sizi araması için. Siz kanton dışındaymışsınız. Bana mani oldu, semineri var, boşuna telaşa vermeyelim kızımı, zaten elinden ne gelir ki, dedi. Babama muayeneye gittiğimizi de kimseye söylememem için yemin ettirdi, ayrıca. Hem de babamın başı üstüne yemin ettirdi. Bakın, Regan'a bile söyleyemedim ben, sadece o gece babamın anneanneye ağrısı için şoklama yaptığını biliyor. Ben teşhisi tesadüfen gördüm, babamın dosyasında... dosyaya baktım diye babam çok kızdı bana zaten."

"Ne teşhisi?" diye sorduk Regan'la aynı anda.

"Bu kısmını ben anlatayım," dedi Doktor Hiray. Bana döndü: "Artık saklamanın bir anlamı yok! Hanımefendi, anneniz ileri derecede Masona hastasıdır."

"NE!" diye bağırmışım.

"Yok artık!" dedi Regan.

"Evet, Regan! Ayserin'in Samira'yı bana getirdiği gece koydum teşhisimi, ama elbette kanıtlara ihtiyacım vardı."

"Nasıl anladınız... nasıl bu kadar emin olabildiniz?"

"Yuna Hanım, ben ilk eşimi bu hastalıktan kaybettim. Annenizi muayene ederken ve şikâyetlerini dinlerken aynı tabloyu gördüm. O akşam, onu ağrısı için şoklayıp, evine geri yolladım ama ertesi gün, bir laboratuvarda istediğim tüm testleri yaptıracağına dair söz verdirdim. Bir pazarlık yaptı benimle, hastalık aramızda bir sır olarak kalacaksa, ne istersem yapacaktı. Ben hekim olarak zaten hasta bilgilerini kimseyle paylaşamam. Arzu etmezlerse, annelerine, babalarına, evlatlarına dahi söyleyemem. Söz verdim."

"Annem istediğiniz testleri yaptırdı mı? Bari bu kadarını söyleyebilir misiniz?"

"Yaptırdı. Maalesef teşhisim kanıtlandı. Bir uzman doktora ve tam teşekküllü bir hastaneye gitmesi için çok ısrar ettim. Tedaviyi kabul etmedi. Hastalığını ikimizin dışında kimsenin bilmesini de istemedi. Ayserin de bilmeyecekti, burnunu sokup dosyasını karıştırmasa."

"Ben safra kesesi krizi sanıyordum. Öyle söylemişti babam," dedi Ayserin, "dosyaya kötü niyetle bakmadım... Ama öğrenince, babam bana da kimseye bir şey söylemeyeceğime dair yemin ettirdi. Hastanın doğal hakkıymış bu."

"Bana söylemeliydin, Ayserin. Bilmek benim hakkımdı," dedi Regan.

"Hakkın değildi, Regan! Anneannenin kararını sorgulama hakkın yok," diye kızını savundu babası. "Hem, bilseniz de, sonuç değişmeyecekti zaten. Neyse, şimdi birbirimizi suçlama zamanı değil."

"Ama annemin hiçbir şikâyeti yoktu ki... nasıl böyle birden bire..."

"Masona'nın bir adı da 'Sinsi Hastalık'. Hiçbir araz göstermeden son evreye kadar ilerleyebiliyor. Tıp, kanseri yıllar önce halletti, şimdi de bu çıktı başımıza. Dünya yirmi yıldır Masona'nın sırrını çözmeye çalışıyor."

"Bir ikinci görüş almadınız mı?" diye sorum Doktor'a.

"Aldım. Merkez Kanton Hastanesi'nin başhekimine yolladım, annenizi. Testler bir kere daha tekrarlandı. Hatta bir konsültasyon bile yaptılar, ben evden çıkamadığım için, konsültasyona evden katıldım. Sonuç değişmedi ne yazık ki! Anneniz de kararını değiştirmedi. Biz, annenize ancak acılarını azaltmak yönünde yardımcı olabildik."

"Hiç mi tedavi görmedi?" sesim titriyordu.

"Gördü. Rahmetli eşime de yapmış olduğum ilaç kokteylini ve ışın tedavisini denedik. Sonra, her ne olduysa, birden vazgeçti. Kesin kararlıydı. İnanın çok ısrar ettim, sonuç değişmezdi ama ömrü uzardı... belki bir sene... İstemedi, nedense. 'Normal hayatımı yaşamak istiyorum,' diye tutturdu."

"Bu Masona illa ölümcül müdür?" diye sordu Regan.

"Onun yakalandığı tür, evet. Ayserin'in annesininkiyle aynı cinsti maalesef. Eşimi kurtarmak için de yapmadığım kalmamıştı. Ayserin küçüktü, o günleri pek hatırlamaz. Çok zor bir yıl geçirmiştik. Ne yazık ki tıp, Masona'nın bu türü karşısında, hâlâ çaresiz."

Hiçbirimizin söyleyecek sözü kalmamıştı. Sessizliği İdero bozdu:

"Hastanın durumunu doktorlarının bilmesi lâzım. Annenizin sağlık tabletini size vereceğim, ya sen Regan, ya da annen, tableti doktorlarına hemen iletin."

"Bizden saklamak istemesini anlıyorum da, tedaviyi niye ret etti acaba? Hayat dolu bir insandır," dedim ben.

"İnternette araştırmış. Tedavinin ya da ameliyatın hastalığına uzun vadede yararı olamayacağın görmüş. İşi uzatmak istemedi, bana sorarsanız."

Ben öyle düşünmüyordum. Annem, ölümü seçecek biri değildi. O, kahraman olmayı seçmişti, bence. Bir fedainin yapacağı tehlikeli görevi üstlenmiş, genç bir insana canını armağan etmişti. Bütün bunları odadakilere anlatamazdım. Oğlumla dahi paylaşamazdım...

"Annem ölüyor mu yani şimdi?" diye sordum, bir aptal gibi.

Kimse yanıt vermedi bana. Yeniden bir sessizlik çöktü odaya. Herkesin başı eğik, gözleri yaşlıydı. Suza, bizi masaya çağırana kadar, günün olaylarına dair birkaç lafın dışında, konuşmaya cesaret eden olmadı aramızda.

Sonra kalkıp masanın başına geçtik. İçimden bir lokma dahi yemek gelmiyordu ama bu insanlara yeteri kadar ayıp etmiştim. Gücümü topladım, boğazımı temizleyip, çatalımla bardağıma vurdum; hepsi bana baktılar.

"Sizinle bambaşka şartlarda tanışmayı isterim ama kader bizden daha güçlü çıktı. Annem de keşke şu anda burada bizlerle olaydı. Aslında burada sayılır, çünkü o kalbimizde. Ona en zor gününde yardımcı olmuş İdero'nun sofrasında, biz bir aileyiz şimdi. Bugün çok kötü bir gündü, hem ülkemiz, hem bizim için. Fakat şu anda hep mutluluk içinde sürmesini dilediğim bir birlikteliğe kadeh kaldırırken, yaşadığımız felaketi bu gecelik unutmak istiyorum."

Ayağa kalktım.

"İdero, anneme yaptıklarınız için size minnettarım. Suza, nefis yemeklerinize teşekkür ederim. Maron, Ayserin, hepiniz benim sevgili ailemsiniz, artık. Yanımızda olmayan anneciğime ve Serin'e de kadeh kaldıralım, haydi!"

Ayserin fırladı yerinden, yanıma koştu ve sarıldı bana.

Herkes birbirine sarılıyor, öpüşüyordu gözyaşları içinde. O andaki mutluluğumuzu gölgeleyen tek şey, Regan'a gelen telefon oldu.

Az sonra Saray'a gitmek üzere ayrılmak zorunda kaldı yanımızdan.

Biz geride kalanlar, masadaki sıcak sohbetimize devam ettik. Ben o gece öğrendiklerime rağmen, metin ve mutlu olmaya çalıştım... bütün kalbimle çalıştım...

Oldum da, ta ki evime dönüp, yatağıma pestil gibi serilene kadar!

Eve döndüğümde o kadar yorgundum ki, telaştan banyoda unuttuğum tencereyi mutfağa kaldırmaya dahi gücüm yetmedi Pişmanlıklar ise, bana yatağıma yattıktan sonra bastılar. Anılarımı geri sarıp, geçen son birkaç ayın her gününü düşünmeye çalıştım... Dikkatimden kaçanları, annemin ağzından kaçanları... ve onunla geçirmeyi tercih etmediğim, kaçan zamanları...

Özellikle son aylarda otlara, şifalı yemeklere merak sarması, illa bana da yedirmeye kalkması... Onu yoklayan sancılar... Eldivenleri... Normalde başlığını, kapalı mekânlara girdiği anda fırlatıp atan annemin, defalarca başlığını çıkarmayı unutması, saçlarına dolamaya başladığı eşarplar... Daha yeni oturmuştu önümde, kısacık kesilmiş saçlarıyla, ensesi kırışmış diye düşünmüş, ama neden yıllardır ensesinde topladığı uzun saçlarını kesti acaba diye hiç düşünmemiştim. Nasıl kaçmış gözümden, hastalığın etkilediği tırnakları ve saçları... ne dikkatsiz evlatmışım ben! Annem, ağrılar içindeyken, sırf beni ve Regan'ı üzmemek için bizden hastalığını saklamış, kimseyi kendine acındırmamış, resim yapmaya devam etmiş, yeraltında görev almıştı. Hep bizim için. Biz daha güzel bir dünyada yaşayalım diye...

Ah annem!

Bütün kalbimle ömrümün geri kalan yıllarının yarısının, ona akmasını diledim.

DAYANIŞMANIN ALTINCI GÜNÜ

Bir gün öncesinin yorgunluğu ve stresinden sonra sabah belki uyanamam diye, gece yatmadan alarmı kurmuştum. Müziğin sesiyle fırladım yataktan, aceleyle giyinip evden çıktım. Elimde, İdero'nun verdiği sağlık tableti, koşturarak annemin yattığı hastaneye gittim.

Annemin geceyi nasıl geçirdiğini öğrenmek için doktoruyla görüşmek istediğimi söylediğimde, karşımdaki kişinin tavrından, bundan böyle, bu hastanede işimin zor olacağını anladım. Dünkü affedilmez davranışımdan sonra, çok şey değişmişti.

"Anneniz yoğun bakımda. Yanına girmek yasak," dedi suratsız resepsiyon görevlisi.

"Doktoruyla görüşmek istiyorum."

"Doktoru henüz gelmedi."

"Ne zaman gelir?"

"Bilemem."

"Yoğun bakım ünitesinden sorumlu kimse, onunla görüşeyim."

"O da şu anda meşgul."

"Yoğunda bir hastam var. Hakkında bana birisi bilgi verecek. Hastabakıcı mı, nöbetçi doktor mu, durumunu bilen her kimse, ona yönlendirin beni. Ya da ben yoğun bakıma gideyim."

"Yoğun bakıma gidemezsiniz! Oturun bekleyin."

Yok, bu davranış normal olamazdı. Biri, beni cezalandırmak için talimat vermişti herhalde.

"Malek Tulup bu hastanenin hissedarları arasında mı?" diye sordum.

"Nereden bileyim?"

"Hastanenin künyesine bakın ve söyleyin."

"Hissedarsa ne olacak?"

"Sizin bana kaba davranışınızın sebebini öğrenmiş olacağım."

Sesim giderek yükseliyordu, resepsiyonda sıra bekleyenlerin dikkatini çekiyorduk. Kadın, bana karşı duvarın önündeki sıraları işaret ederek, "Lütfen şurada oturup bekleyin," dedi.

"Oturmayacağım ve annemden kim sorumluysa onun adını öğrenmeden de yerimi terk etmeyeceğim. Dün, kafam kızdığında neler yapabileceğim malumunuz olmuştur. Şimdi... adı ve telefonu, annemin doktorunun! Hemen!"

Kadın homurdanarak bana bir isim ve numara söyledi. Not ettim bilekliğime.

"Malek Tulup'a benden selam söyleyin. Ben kolayca pes etmem, bunu da söyleyin."

Resepsiyon memuresinin şaşkın bakışlarını üstümde taşıyarak asansöre doğru yürürken, Sorgen'e bir kere daha başvurup, öfke kontrolü tedavisi görmeliyim diye düşünüyordum; Malek'in adının her geçtiği yerde, kendimi kaybetmenin âlemi yoktu! Ayrıca, annemle ilgilenen doktoru arayacağıma, işimi başka türlü halletmeye karar vermiştim.

Yoğun bakım ünitesinin katına bastım. İki kat aşağı indim. Kararlı adımlarla, hastaların yattıkları bölüme yöneldim. Bir cam bölmenin gerisinde yatan hastaları, camdan görebiliyordum. Hastalara baka baka ilerledim ve annemi koğuşun ortalarında buldum. Başında iki doktor, bir hemşire vardı. Camı tıkladım. Hepsi dönüp baktılar. Elimdeki tableti işaret ettim. Bir gün önce, annemi yoğuna kaldırtan doktor, dışarı çıkıp yanıma geldi.

"Annenizin durumu stabil ama bu size umut vermesin, ameliyatı bugün de yapamayacağız," dedi. "Değerleri düşüremedik."

"Ben size annemin sağlığı ile ilgili bir tablet getirdim. Görmeniz gerekiyor."

Uzattığım tableti aldı, inceledi.

"Bu durumu bana niye dün söylemediniz?"

"Ben de bilmiyordum. Onu tedavi eden doktordan dün gece öğrendim. Bizden saklamış hastalığını."

"Prof. Otis, bu bilgilerin ışığında annenizin ameliyatından vazgeçebiliriz. Bekleyin burada," dedi ve içeri geçti. Ben camın arkasında, iki doktorun ayakta tableti incelediklerini, aralarında konuştuklarını görüyor, seslerini duyamıyordum. Benimle konuşan doktor yanıma geri döndü.

"Şimdilik ameliyatta vazgeçtik. Annenizi odasına geri götürmek isterdik ama nakil esnasında sarsılıyor, kırıkları çok ıstırap veriyor. Acısını arttırmaya gerek yok. Sizin için, bir ayrıcalık yapacağım, yasak olmasına rağmen, bugün sizin yoğun bakımda, onun yanında kalmanıza izin vereceğim. Buyurun girin annenizin yanına. Sesinizi duyunca sevinecektir."

Konuşurken, elini omuzuma koymuştu, bana güç vermek istermiş gibi.

"Bu iyiliğinizi hiç unutmayacağım," dedim. "Çok ama çok teşekkür ederim."

Annemin yanındaydım. Serbest olan elini sımsıkı tuttum, üzüntümü sesime yansıtmamaya çalışarak sordum:

"Ben geldim, anne, bugün nasılsın?"

"Daha iyiyim. Ağrı kesiciler iyi iş yapıyor."

Gerçekten de dün gece ona neler yaptılarsa, sesi düne göre çok daha güçlü çıkıyordu, nefesi daha iyiydi.

"Önce sana şu haberi vereyim, Arike'ye mesaj attım. Dayısını devreye sokmuştur."

"Haydi hayırlısı."

"Şimdi söyle, annem, canın bir şey istiyor mu? Yemek yasağın yok, ne istersen getirteyim sana."

"Canım bir şey istemiyor. Zaten damardan besliyorlar beni. Sen iyi misin?"

"Pek değil. Dün akşam Ayserin'in babasıyla tanıştım ve sırrını öğrendim. Anne, Regan'la benden hastalığını neden sakladın? Bunu bize yapmamalıydın!"

"Üzülmekten başka elinizden hiçbir şey gelmezdi, Yuna. Şimdi bunları bırak da bana dışarda neler olduğunu anlat. Dayanışma maksadına ulaşabildi mi? Çok ölü ve yaralı var mı? Bunca can kaybına değdi mi? Sen bana bunları anlat, kızım."

"Sabahın çok erken saatindeyiz. Sabah haberleri yeni iniyordur, internete. Ama haberlere bakmadan da söyleyebileceğim şu: dünden sonra, artık kimse toplanmaya cesaret edemez. Robotların neler yapabileceğini gördüler."

"Ama robotlar artık etkisiz halde."

"Çoktan tamir edilmiş, yeniden kurgulanmışlardır."

"O kadar kolay değil o iş! Eşgüdümle yeniden kurgulanmaları çok zaman alır. Kutkar'ın nasıl uğraştığını bir bilsen! Sen bana son haberleri ver."

"Pekâlâ, şimdi beraber öğrenelim, bakalım neler oluyormuş! Bilekliğimden haberlere baktım. Şehrin sokaklarının, kırılıp dökülenlerden, cam sırçalarından ve elbette yaralılarla ölülerden temizlenmiş halinin resimleri art arda düşmeye başladı. Temizlik işçileri ve robotlar sabah kadar çalışmış olmalıydılar. Annemin en sinirlendiği şeylerden biriydi, medyada gerçeğin maskelenmesi. O kısmı atladım.

"Anne! Ah anne, kocaman bir başlık var: İNAT KIRILDI yazıyor. Ölü sayısı..." Yutkundum, "Neyse... ama can kaybına değmiş, anneciğim, bugün Saray, nihayet Muhalifler Heyeti'ni kabul ediyormuş. Öğlen saatlerinde müzakereleri başlatıyorlar."

"Pazarlığı yani," dedi annem.

"Müzakere veya pazarlık, ne farkı var?"

"Çok farkı var! Bizimkiler, ellerini kuvvetlendirecek belgeye ulaşabilmişlerse, pazarlık yapma güçleri olur. Dün, dayanışma devam ederken, henüz ulaşamamışlardı. Ama bugün... veya en geç yarın..."

"Nedir bu belge?"

Anemin sesi yine zayıflamaya başlamıştı... Sık sık kuruyan dudaklarını ıslatıyordu.

"Anne... anlatma, yoruldun bak... Sonra anlatırsın. Birazdan Regan gelir, o seni iyi görsün, emi. Dinlen biraz."

"O bugün gelemez," dedi, annem.

"A ah, neden gelemezmiş! Senden önemli neyimiz var ki bizim!"

Annem eliyle bana yaklaşmamı işaret ediyordu, fakat tam o sırada yanımıza gelen hemşire, resepsiyonda birilerinin beni beklediğini haber verdi.

"Mordam'dan arkada..şlar gel..miş..tir," dedi annem, biraz zorlanarak.

"Ben resepsiyona biriken kalabalığı püskürteyim, hemen döneceğim, anne." Sımsıkı tuttuğum elini öpüp, ayrıldım yanından.

Resepsiyonda beni annemin Mordam'dan arkadaşları değil Ayserin ve Dina bekliyorlardı. Beni görünce, yanıma koştular.

Ayserin, "Anneanne geceyi nasıl geçirmiş?" diye sordu.

"Dünden farklı değil ama hâlâ yoğunda olduğu için yanına benden başka kimseyi almıyorlar. Senin dersin yok mu bugün, Ayserin? Geç kalmayasın öğrencilerine?"

"Sabah haberlerinde öğrendik, bugünlük okulları tatil etmişler. Liselilere yolları temizletiyor olabilirler, çünkü sokakların hali, temizlik işçilerin tek başına altından kalkabileceği gibi değil."

Dina, "Dün anneanneyi duyar duymaz gelmek istedim ama yolardaki durum malum, babam bırakmadı. Aklım hep sizlerde kaldı, Yuna anne. Beni bu sabah Ayserin aldı evden," dedi.

"Keşke gelmeseydin. Abin kızmasın yine."

"Ona sadece hastane ziyareti yapacağıma dair söz verdim."

"Regan nerde?" diye sordum Ayserin'e.

"Dün akşam Kanton dışına çıkmış, henüz dönmedi."

Erkeklerden ne beklenir ki! Anneannesine en düşkünü bile böyle yaparsa, diye düşündüm, dün bizden ayrılırken, sabah erkenden hastaneye uğrayacağını söylemişti. Ayserin'e duygularımı belli etmeden sordum:

"Sokaklarda durum ne?"

"Sadece Büyük Saray'ın civarında toplanmışlardı, ben gelirken. Ne kadar sivil örgüt varsa, hepsi flamaları, pankartları, hologram çubuklarıyla oradaydılar. Maksatları, protesto filan değil, sadece görüşmelerde Muhaliflere destek vermek, halkın onların tarafında olduğunu hissettirmek."

Aramızda tuhaf bir sezgisel bağ olmalı ki, içimden acaba Odelya da orada mıdır diye geçirirken, taş koridorda çok iyi bildiğim ayak seslerini duydum ve döndüm.

"Geçmiş olsun Yuna, annen yaralanmış, çok üzüldüm," dedi Odelya.

"Haberlerde mi duydun?"

"Hayır, Dina'dan duydum. Bu hastaneye kaldırıldığını da o söyledi," diyerek yaklaştı, hâlâ kırgın olduğum arkadaşım. Onu, ellerimi göğsümün üzerinde bitiştirip selamlamama aldırmadan, sarılıp yanaklarımdan öptü.

"Durumu nasıl?"

"Pek parlak değil. Yoğun bakımda tutuyorlar," dedim.

"Elimden bir şey gelir mi?"

"Benim bile elimden hiçbir şey gelmiyor."

"Sevdiği bir yemek var mı pişirip getireyim?"

"Yoğuna yemek sokmazlar."

"Biraz toparlansın, o zaman ne isterse yaparım," dedi Odelya. "Ben şimdi Büyük Saray'ın oraya gidiyorum... Herkes orada olacakmış... dönüşte yollar açıksa yine uğramaya çalışacağım... Bir ihtiyacınız var mı diye sorarım gelmeden."

Sonra, kolumdan tutup çekti beni, adeta çıkışa doğru sürüklerken, kulağıma eğilip dedi ki:

"Yuna, anneni ziyarete geldim elbette, ama bir de haber getirdim sana. Benim telefonumdan birisine bir mesaj yollamıştın ya, o kişiden sana bir mesaj geldi."

"Senin numaranı bilmez ki o!"

"Numaram gözüktüğünde, demek ki silmemiş, saklamış numarayı. Sana iletmem için, mesaj çekmiş, işte."

"Ne diyor?"

"Bugün öğleden sonra, BS önünde, diyor."

"Hepsi bu mu?"

"Evet."

"Hanor gördü mü?"

"Hayır. Hemen sildim zaten."

"Geçen sefer de silmiştin ama o bulmuştu."

"Sırtımı derneğime dayadığımdan beri hizaya geldi, öyle şeyler yapmıyor artık."

"Teşekkür ederim."

"Ne teşekkürü, biz dost değil miyiz?" dedi Odelya, uzatmadı lafını, arkasını dönüp, gitti.

O kapıdan çıkarken, annemin çeşitli Mordamlardan arkadaşları, elleri kolları yapay camdan rengârenk çiçek buketleriyle dolu, içeri giriyorlardı.

Aralarında çok yaşlıları da bulunan kadınların tüm sorularına yanıtlayıp, onları sakinleştirip gönderdikten sonra, Ayserin'le Dina'nın yanına döndüm.

"Size yardıma gelmiştik ama, bizi sokmuyorlar anneannenin yanına. Herhangi bir şeye ihtiyacınız var mı?" diye sordu Ayserin.

"Öğleden sonra işiniz yoksa eğer..."

"Yok tabii. Okullar tatil edildi, dedim ya."

"Şey... benim çok önemli bir işim çıktı... öğleden sonra, hanginiz müsaitse, benden nöbeti bir, iki saatliğine devralabilir misiniz? Aslında annem her an gözetim altında ama kendini odada yalnız hissetmesini istemiyorum, belki bir özel isteği filan olur..."

"Başında bir robot-bakıcı filan yok mu?" diye sordu Dina.

"Bir robot tarafından bu hale gelen insan, başında robot görmeye dayanabilir mi hiç!" dedim ben.

"Haklısınız. Ben ne zaman isterseniz, nöbeti devralırım sizden," dedi Ayserin.

"Ben de... Hatta birlikte kalalım," diye atıldı Dina.

"Yoğun bakımda hijyen nedeniyle kimseyi uzun süreli içeri almıyorlar ama yine de doktorla bir konuşayım. İzin koparabilirsem, ikinizden biri kalır, birkaç saat için. Çok makbule geçer."

"İkimiz için de izin al, Yuna anne."

"Dinacığım, bence sen başını Hilami'yle tekrar derde sokmasan."

"Hilami bundan böyle, bana pek dokunamayacak. Regan Abim uzun uzun konuştu onunla. Ayrıca, Regan Abim dedi ki, hazırlanan yasa tasarısında, kadına yönelik şiddete sert yaptırımlar varmış. Bugün şu anda Saray'a sunuluyor olmalı."

"Kabul edileceği ne malum?" dedim ben.

"Yakında belli olur, herhalde," dedi Ayserin.

Ayserin'le Dina'yı resepsiyonun karşısındaki bankolarda bırakıp, annemin doktoruyla pazarlık yapmaya üst kata çıktım. Çok önemli bir işimin çıktığını, annemin yanında bir saat kadar gelinimin kalacağını söyledim.

"Çok uzatmayın lütfen," dedi doktor, "ancak en yakınına izin verebilirim."

"Bekleyecek kişi de kızı sayılır," dedim ben.

Sonra aşağı kata koştum, Ayserin'e öğleden sonra annemi beklemeye gelmesini söylemek için.

"İçiniz rahat etsin, başından bir dakika bile ayrılmayacağım, Yuna Hanım," dedi Ayserin.

"Hanımı kaldıralım mı, Ayserin? Bana, Yuna demek istemez misin?"

"Size ayıp olmasın?"

"Yuna Hanım çok resmi oluyor."

"O halde izin verin, anne diyeyim. Biliyorsunuz annem hayatta değil."

"Suza gücenmez mi?"

"Ona başından beri Suza dedim, ben."

"Peki kızım. Acil bir durum olursa beni hemen ara emi."

Ayserin, bana sarıldı, "Tamam, anne," dedi.

Dina'yla birlikte gittiler. Ailem genişliyordu. Beni seven, düşünen, benim için bir şeyler yapmaya çalışan iki genç kız katılmıştı hayatıma...

Kızlar gidince, annemin yanına dönüp, başucuna oturdum ve yine elini elime aldım, "Biliyor musun, Ayserin bana anne diyor," dedim. Ben aşağıdayken, annemin burnuna bir oksijen takviyesi takmışlardı. Nefesi çok rahatlamıştı.

"Sevindim Yuna, çünkü benim yokluğumda yalnızlık çekmeni istemiyorum. Sana bir kardeş vermediğim için ne kadar pişmanım..."

"Kendini konuşarak yorma, anne."

"Dinle... Bizimkisi, rejim dayatmasına karşı bir nevi tepkiydi, rahat bıraksalardı en azından bir çocuk daha yapardık ama, her ikimizin de karakteri malum... Ben sonraki yıllarda çok pişman oldum, sana bir kardeş vermediğimize. Hele de hastalığımı öğrendikten sonra, senin yapayalnız kalacağını düşündükçe..."

"Anne, hiçbir yere gitmiyorsun, ben seni bırakmam, bak ne kadar sıkı tutuyorum elini! Ama unutma ki, benim de bir oğlum var, bu hayatta. Yalnız sayılmam."

"Regan'ın çok önemli işleri var. Devlet işi, ailenin her zaman önüne geçer... Neyse ki Ayserin'i girdi hayatımıza. Ona sen de sahip çık; iyi ve akıllı bir kız."

"Haklısın. Giderek daha çok seviyorum Ayserin'i."

"Dina'yı da sev ve kolla. Kedi yavrusu gibi sevgiye muhtaç, yalnız bir çocuk o, ailesinden sevgi görmemiş. Senin kızın olmaya dünden hazır. Her zaman yanında olur, yalnız kalmazsın..."

"Anne, lütfen böyle konuşma."

"Sana söylemek istediklerimi şimdi söylemezsem, geç kalırım. Demin bana bir doping yaptılar. Etkisi bir iki saat içinde geçer. O yüzden, dinle beni Yuna. Sana bir sır vereceğim, devlet sırrı," dedi elimi sıkarak, alçak sesle. "Çok yakına gel."

"Anne, ya dinleniyorsak?"

"Gürültülü bir müzik aç ve kulağını yaklaştır bana."

Bilekliğimde çok hareketli bir elektronik müzik seçip, sesini yükselttim. Anında cama tıklayan hastabakıcının yanına koşup dedim ki:

"Bu dünyada çok az zamanı kalmış birinin son arzusunu yerine getiriyorum. On dakikacık tahammül ediverin." Ve kadının yanıtını beklemeden annemin yanına geri döndüm. Kulağımı nerdeyse dudaklarına dayadım:

"Seni dinliyorum, annem."

"Uluhan, hayattayken çok gizli bir uluslararası anlaşma yapmış. Gökcisim'in, uzayda ülkemizin üzerinde konuşlanması için, çok yüklü bir para almış. Yani, Gökcisim, bizim ülkenin semasına resmen park etmiş."

"Ne diyorsun anne, sen!"

"Şişt, bağırma, alçak sesle konuş!"

"Ama bu korkunç bir şey!"

"Yirmi yılın sonunda kendini imha etmek üzere tasarlanan Gökcisim'in, nereden baksan, tepemizde, altı, yedi yılı daha var..."

"Neden böyle bir şey yapmış ki?"

"Para ve güç için! İkisi bir birine bağımlıdır. Halkı hizada tutmak için paraya ihtiyacı var. Etrafını da çok iyi besliyor ki, kendini her şartta desteklesinler. Ayrıca, bir ayaklanma anında, katil robotlarını dün olduğu gibi, halkın üzerine sürerek, homurdananları anında bertaraf etsin ve hep iktidarda kalsın! Eh, bunca robotu üretmek de para ister, satıcılara arpa verecek hali yok. Bu nedenle, sıkı bir pazarlık sonucu, paraları ceplemiş, Gökcisim'i de lamba asar gibi asmış üzerimize."

"Kiminle pazarlık yapmış?"

"Delinen ozon tabakasını tamir için uzaya Gökcisim'i gönderen şirketle. Bir hesap hatası yapılmış olmalı ki, Gökcisim işini tahminlerden çok önce bitirip, dönüşe geçince, şirketin elinde kalmış."

"Hesap hatası yapmazlar da, bir arıza çıkmıştır sonradan."

"Düşünsene, kendi kendini yok edemeyen, tepede asılı kalan bir Gökcisim! Al başına belayı! Hangi ülkenin üzerinde dursa, o ülkede güneş, nanay. Tabii ki, hiçbir devlet kabul etmemiş."

"Neden başka bir yöntemle yok etmemişler Gökcisim'i?"

"Ben de sormuştum bunu. Çünkü astarı yüzünden pahalıya mal oluyormuş. Kimse Gökcisim'i kendi semasında istememiş ama imha parasını vermeyi de göze alamamış. Bir yeni mekik tasarlanacak da imha kabiliyetiyle donanacak ve uzaya gönderilecek... Ohoo! Kimde var böyle bir bütçe, iki üç devlet dışında? Oysa, bir yer bulunsa, zamanı gelince beş kuruş ödenmeden zaten yok edecekse kendini... Şirket, gözü paraya doymaz liderlerle bir pazarlığa oturmuş. İhaleyi, bizim Uluhan kazanmış!"

Annem sustu. Ben, bana söylediklerine inanayım mı bilemiyordum.

Bu kadar gizli bir bilgiye, hele de bir muhalifin ulaşabilmesi mümkün değildi. Annemin, hastalığı nedeniyle hayal dünyasına daldığını düşünmeye başlamıştım. Bana düşen, onu üzmemek için sonuna kadar dinleyip kafa sallamaktı ama dayanamayıp sordum:

"Anne, sen ne bilim insanısın ne de diplomat! Gizli servis elemanı hiç değilsin! Sen bütün bunları nereden biliyorsun, Rama aşkına?

"Biliyorum çünkü bu gizli anlaşmanın metnini bulan kişi çok yakınım."

"Yaa! Kimmiş?"

Çok uzun bir sessizlik oldu.

"Kimmiş, dedim anne?"

"Regan!"

"AAAA! Aaaaa!"

"Ağzın herhalde açık kaldı. Kapat da dinle bak; oğlun Dış İstihbarat Bölümü'nün başına getirildikten sonra öğrendi, bunu. Ben o sırada onda kalıyordum. Bir gün işten eve, perişan bir halde döndü. Suratı allak bullaktı. Bütün gece uyumadı, dört döndü evin içinde. Çok ısrar ettim ama hiçbir şey anlatmadı. Emin olmadan, söyleyemem, dedi. Regan, benim muhalif cephe üyesi olduğumu biliyor, bana çok kızıyordu. Defalarca konuşmuştuk bu konuda. Ah yavrum, bana, başını belaya soktuğunda sakın bana gelme dese de, kaç kere kolladı beni, bilsen..."

"Anne, konuyu dağıtma... Anne sus, sus! Hemşire geliyor."

"Annenizi yoruyorsunuz. Dinlenmesi lazım," dedi, kapıdan kafasını uzatan beyaz üniformalı izbandut kadın.

"İsteği üzerine ona müzik çalıyorum."

"Onun durumunda birini müzik yorar. Başında robot-görevli beklese, bunların hiçbiri olmazdı." Kadın gitti. Kulağıma yeniden yüzüne yaklaştırdım.

"Regan kanıtı buldu," dedi.

"Hangi kanıtı?"

"Gökcisim'in ülkemiz üzerinde konuşlanmasına izin veren anlaşma şartnamesini... hem de tüm imzalarıyla!"

"Ne diyorsun!"

"İşte o günden beri, Regan, Saray'dan nefret ediyor. Ne var ki, belgeyi ele geçirene kadar, renk vermemesi lazımdı. Dün gece, o belgeyi yurtdışından getireceklerdi ona. Alabildiyse, Saray'ı anlaşmaya zorlamak için, koz olarak kullanacaklar. Oğulhan'ı, ülkeyi özgür ve adil bir yapıya hızla geçirmediği takdirde, bu anlaşmayı halka açıklamakla tehdit edecekler."

"Ah anne! Neler diyorsun sen!"

"Başımda oturmayı bırak da, git öğren neler olmakta ve bana hemen bildir."

"Tamam!"

Yüzünün sargıların altında kalan kısmına bir öpücük kondurup dedim ki:

"Bir şey sorayım gitmeden. Regan benim bu işlere bulaştığımı biliyor mu?"

"Hayır. Ben her ikinizin de sırlarını kendimde saklı tuttum. Bu işlere girildi miydi, ne kadar az bilinirse o kadar iyidir. Regan'ı çok yakında öğrenecektin zaten... o ana kadar sen yine bilmemiş ol, emi!"

"Elbette. Benim de sana söyleyecek bir şeyim var. Tamur bana mesaj yollamış. Öğleden sonra onunla buluşacağım, galiba."

"En doğru bilgiler ondadır. Git, gör onu. Sonra da bana güzel haberlerle dön."

"Başka bir isteğin var mı?"

"Var. Dönüşünde bana önce müjdemi ver, sonra da babanla üçümüzün birlikte geçirdiği en güzel günlerimizi yad edelim, olur mu, Yuna! Çok özledim o günleri."

"O günleri konuşmak bana da çok iyi gelecek, annem," dedim.

Hastabakıcı, "Konuşmayın da artık, dinlensin," demek için geri geldi. Müziği kapatıp, sustum. Annem gerçekten de çok yorulmuştu. Hemen daldı. Ayserin'in gelmesini beklerken, oturduğum yerde içim geçmiş olmalı ki bir başka hasta bakıcının omuzuma dokunan eliyle sıçrayarak, uyandım.

"Bir hanım sizi çağırıyor aşağıya," diyordu.

Resepsiyon katına indim. Ayserin nöbeti devralmaya gelmiş.

"Annemin durumunda bir değişiklik olursa bana hemen haber ver," diye tembih ettim, "Şu anda uyuyor."

"Her nereye gidiyorsanız, mutlaka taksiye binin ve ara sokakları kullanın. Trafik akışı normal değil bugün," dedi Ayserin.

"Yolları mı kesmişler yine?"

"Sadece meydanlara çıkan yolları ama trafik feci."

"Metroyu kullanırım," dedim, "birkaç kere değiştirmem gerekecek ama olsun en hızlı metro gider böyle zamanlarda."

"Sakın!" dedi Ayserin. "Toplu ulaşımlarda yangın çıkma ve bomba ihtimali varmış. Düşünmeyin bile!"

"Halkı evlerinde oturtup sokaklara dökülmekten caydırmak için uydurulmuş da olabilir."

"Siz yine de tedbirli olun."

Çıktım hastaneden. Uzun süre taksi bekledim. Acilin kapısına bir hasta getiren taksinin adeta üzerine atladım.

"Büyük Saray'ın önüne gideceğim," dedim şoföre.

"Çok zor. Şehri nerdeyse dönüp dolaşmak gerekir ki..."

"Kaç para tutarsa vereceğim. Hangi yolu istersen onu kullan, dönelim dolaşalım, yolu uzatalım, yeter ki oraya ulaşalım," diye nerdeyse yalvardım.

"İnsanlar çıldırdı galiba!" dedi şoför.

BÜYÜK SARAY'IN ÖNÜNDE

Birkaç yıl öncesine kadar, resmi davetlere gidecek konukların yan kapıdan, Saray bahçelerini gezmek isteyenlerin ise arka kapıdan alındığı, fakat artık etrafından kuş uçurulmayan Saray'ın önünde, çok büyük bir kalabalık vardı. Bugün, önceki günlerde olduğu gibi, kimse elinde elektronik çubuklar, pankartlar, bayraklar, flamalar taşımıyordu. Sloganlar da atılmıyordu. Bana öyle geldi ki, insanlar nefeslerini tutmuş, sabırla hükümet sözcüsünün merdivenlerde görünüp vereceği haberi bekliyorlardı. Ve sanki bu haberin çok iyi bir haber olacağından emindiler. Çünkü erkekli kadınlı her yaştan insanın yüzünde, mutlu, umutlu bir ifade vardı. Nasıl ki her gecenin ardından gün mutlaka doğardı, yıllara yayılan uzun gecenin sonunda doğacak güzel güne tüm kalpleriyle inanarak bekliyordu, Merkez'in halkı.

Ya da hiç böyle değildi... insanlar mutsuz ve huzursuzdular ama ben kendi hayalimdeki mutlu ifadeyi yapıştırmıştım, bekleşen insanların yüzüne.

Ben de aralarına karışıp, beklemeye başladım. Haberi değil, Tamur'u bekliyordum, ben. Meydana vardığımdan beri, sık sık sağıma soluma ve arkama dönerek, gözlerimle onu arıyordum. Bulunduğum yönü bilekliğimden tespit edebilirdi, beni hemen ayırt edebilmesi için de, paltomun renk düğmesinde yeşile basmış, en cırtlak fosforlu tona ayarlamıştım. Yemyeşil bir ağaç gibi dikiliyordum kalabalığın içinde, gözden kaçırması mümkün değildi beni. Gelince ilk iş, annemin masalını doğrulatacaktım ona. Annemin anlattıklarında bir nebze de olsa doğruluk payı var mıydı, sadece o söyleyebilirdi bana. Ama Tamur, bir türkü gelmiyordu. Huzursuzlanmaya başlamıştım. Ayserin'e bir saat içinde döneceğimi söylemiştim, üstelik. Aslında birazcık gecikmemi hoş görürdü ama... nereye kadar! Off, acıkmıştım da. Bir an önce buraya gelebilmek için hiçbir şey yemeden çıkmıştım hastaneden, başım dönmeye başlamıştı. Bu gibi durumlarda, açlık giderici haplarımız vardı, ağızda erittiğimiz ama annem bu hapların kullanımına o kadar karşıydı ki, o ölüm döşeğinde yatarken, bu sabah içime sindirememiştim, cebime birkaç adet atıvermeyi.

Birisi koluma dokundu. Döndüm, genelde postacı olarak sık kullanılan ufak boy bir robot, düşük tona ayarlanmış sesiyle konuştu: "Beklediğiniz kişinin işi bitmedi. Görüşme sürüyor. Eve dönün. O sizi bulacak."

"Ben hastanede olacağım," dedim. Sözlerimi kaydettiğini belirten sarı ışık yanıp söndü gözlerinde.

"Görüşme her an bitebilir veya görüşme akşama kadar sürebilir. Eve dönün. O sizi bulacak. Eve dönün. O sizi bulacak."

"Annemin yanına dönüyorum."

Sarı ışığın yanıp söndüğünü gördüm, yine. Açık gri renkli robot, olduğu yerde ayaklarının üzerinde bir dönüş yaptı ve uzaklaştı benden.

Annemi bıraktırıp, buraya kadar boşuna getirtmişti beni Tamur, ama ona kızamıyordum. Görüşmeler sonlanamadığına göre, demek işler yolunda gitmiyordu. Yoksa, robot yollamaz, mesaj çekerdi... beni tehlikeye atmak istemediğine göre...

İçim daraldı. Aklıma kötü şeyler geliyordu, belki de masa etrafında toplanan heyeti esir almışlardı. Ellerini kelepçeleyip o sevimsiz Saray'ın mahzenlerine atmışlardı. Annem, katil robotların tamiri zaman alır diyordu ama, nereden bilecekti bu işleri annem! Ya sırıtık suratlı robotları yeniden programlayarak, Saray Meydanı'nı dolduran kalabalığın üzerine salarlarsa! Hepimiz ezilerek, kemiklerimiz kırılarak ölürdük kısa sürede. Regan şu anda Saray'da ise, onun da sonu gelirdi. Kim bilir neler yaparlardı ona, ihanetini ödetmek için. Ben elim kolum bağlı, kinle, nefretle dolardım ancak. Ne oğlumu, ne sevgilimi, ne de Kutkar'la diğer muhalif arkadaşlarımı kurtarabilirdim. Yeraltı yapılanmalarıyla hiçbir ilgim yoktu. Şu anda, benim hayrımın dokunacağı tek kişi, sadece annemdi. Bir an önce hastaneye dönüp ona kocaman bir beyaz yalan söylemeliydim. "Anneciğim, başardılar!" demeliydim. Bu kadar gönül koyduğu, canını feda ettiği ülküsünün gerçekleştiğini duyamayacaksa, hiç çekinmeden söylerdim bu yalanı, sırf huzur içinde ölmesi, gözünün arkada kalmaması için.

Yok, yok! Asla ölmeyecek annem, o atlatır bunu da! Sabah, doktoru kök hücre tedavisinden söz ediyordu bir ara... Bu tedavileri çok yaşlı insanlara henüz uygulamamışlardı, ama gerekirse gerçek yaşını itiraf ederdim annemin... yanlış yaş beyanının cezasına razı olarak elbette. Şimdi hemen hastaneye dönüp, anneme moral vermeliydim.

Kalabalığı yararak, uzaklaşmaya başladım Saray'dan. Artık ne çıkacak yangın ne patlatılacak bomba umurumdaydı, metroya binip anneme kavuşmak istiyordum, sadece. Etrafıma bakındım, sanki kalabalık daha da artmıştı. Herkes öne ilerlemek istediği için geri gitmek, ilerlemekten çok daha zordu, şimdi. İnanılmaz manevralarla akıntıya karşı gidiyordum, bulduğum boşluklara dalarak, insanları göğüsleyerek, dirsekleyip, dürtükleyerek, aralarına dalarak... Başlığım çözülmüştü, birkaç kere bağlamıştım, sonra ucu bir yere takılmış olmalı, düşmüş. Tokalarla topladığım saçlarım da dağılmıştı. Atkım çoktan kayıptı zaten... Mahşeri kalabalığın arasından sıyrılmayı başarınca, metro istasyonunun giriş levhasını gördüm. Koştum kapısına doğru. A ah! Kapı çelik telle örülüydü.

Oradan geçen birine, "Metro girişine ne oldu?" diye sordum. Hayretle yüzüme baktı, siz ayda mı yaşıyorsunuz der gibisinden.

"Bir yıldan fazladır, kapalı bu kapı," dedi, "Metro girişi iki sokak öteye alındı, tedbir olarak."

"Ne tedbiri?"

"Saray Meydanı'ndan uzağa, işte..."

Teşekkür edip uzaklaştım. Metroyu hiç kullanmadığım için, farkına varmamışım yerinin değiştiğinin. Neyse ki bulunduğum yerde, kalabalık azalmıştı. Sokaklar, meydana göre nispeten tenhaydı. Çabucak giderdim şimdi, iki sokak öteye. Caddenin karşısına geçerken, bir uğultu yükseldi, bir dalgalanma oldu meydandaki kalabalıkta... Ne oluyor demeye kalmadı, hoparlörlerden bir ses ulaştı kulağıma:

Dikkat Dikkat! Dikkat Dikkat! Saray sözcüsü konuşacak...

Demek ki bitmiş müzakereler, bir anlaşma imzalanmış!

Bulunduğum yerden Saray'ın balkonunda konuşma yapacak kişiyi ve arkasına dizilecek müzakere ekibini görebilmeme imkân yoktu. Etrafıma bakındım, yüksekçe bir bahçe duvarı vardı, az ilerde. Koştum, hiç utanmadan duvara tırmanıp, kendimi yukarı çektim. Hayat boyu yoga yapmış olmanın faydası işte... bir kedi gibi dört ayak ilerleyip, duvarın üzerinde ayağa kalktım. Uzaktan da olsa, artık Saray merdivenlerinde dizilmiş insanları görebiliyor, fakat kim olduklarını seçemiyordum. Kulak kesilip dinledim:

Oğulhanımız, ülkesinin yüksek menfaati için yeni bir dönem başlatmayı öngörmüştür. Halkını tüm dünya ülkeleri ve diğer iki gezegen Ultra ve Satta Yönetimleriyle uyum, huzur ve barış içinde yaşatmak, gerek uluslararası, gerek gezegenlerarası ilişkileri güçlendirmek için anayasasında bazı değişikler yapmayı taahhüt etmiştir. Oğulhanımız, önümüzdeki üç hafta içinde gerekli düzenleme...

Dinlemedim gerisini. Önce duvarda oturup ayaklarımı sallandırdım, sonra da yere atladım. Atlarken mantomun eteği, duvarın üzerindeki bir çiviye takılıp, cart diye yırtıldı. Annemin de tecavüze uğradığında eteği böyle yırtılmıştı... Keşke o sahne gelmeseydi gözlerimin önüne, ama ben kendim istedim her şeyi hatırlamayı, bilmeyi ve kalbimi nefretle doldurmayı; şikâyete hakkım yok!

Koştum, koştum, iki sokak ötedeki metronun girişine kadar hiç durmadım. Metronun yürüyen merdivenlerinde yer altına doğru inerken, yorgunluğa dayanamayıp, nefeslenmek için, basmağa oturdum. Üç istasyon sonra inip, hat değiştirecektim... Sonra bir hat daha değiştirecektim... Öyle sanıyordum ki, hastane bahçesine bir çıkışı vardı metronun. Benim de aklımda tek bir şey vardı şimdi: anneciğime yetişmek. Ona gerçekleşen müjdeyi vermek. Ve sonra elini avucuma alıp, çok güzel bir aile olduğumuz o eski günlerden ona anılar aktarmak. Artık tek yapabileceğim buydu, annem için.

ANNE, SİZ KAZANDINIZ!

Hastane girişindekilerin, üstüme başıma şaşkın bakışlarına hiç aldırmadan, asansöre yürüdüm, Yoğun bakım katına indim. Camın önünde, annemin yatağına eğilmiş, Ayserin'i görünce, hafifçe cama tıkladım. Döndü, bana baktı ve ufak bir çığlık fırladı dudaklarından. Yanıma koştu.

"Bu haliniz ne! Ne oldu size?"

"Merak etme, kötü bir şey yok. Kalabalığın arasında, akıntıya ters yüzerken oldu. İyi haberi duydun mu?"

"Az önce kısacık bir mesaj attı, Regan. Gülümseyen yüz yollamış, üç de nida işareti. Siz nerden duydunuz?"

"Ben oradaydım."

"İnanmıyorum! Saray Meydanı'na mı gittiniz?"

"Evet ama biraz erken gitmişim. Dönmeye çalışırken geldi müjde. Annem nasıl, hep uyudu mu?"

"Uyandı, yine uyudu... sizi sordu birkaç kere."

"Geldim işte, Ayserin, sen dön istersen."

"Kapı şifresini verin de evinize gidip bir şeyler getireyim size. Ya da ben kendi evimden getireyim, daha yakın. Başlık, bir atkı... neye ihtiyacınız varsa."

"Zahmet olmazsa, bana git. Atkılarım var, malum. Kapının yanındaki dolaptalar, bir tane çek al. Bir de başlık tabii. O yatak odamdaki dolaptadır. Kumaş yapıştırıcısı da bulabilirsen, mutfaktaki çekmenin birinde... şu eteğimi..."

"Merak etmeyin, ben hepsini alır gelirim. Size bir de yiyecek bir şeyler..."

"Yok, kantine iner, hallederim ben. Haydi, sen hemen git ki, çabuk dönesin. Bu halde başka kimse görmesin beni. Kendini sokakta oyuna kaptırmış yaramaz çocuk gibiyim."

Üstüme başıma işaret ederken, mantomun rengini fark ettim! Telaşla kolundaki düğmeyi aradım, cart yeşili, lacivert yakın koyu maviye ayarladım. Kız, hayretle bakıyordu bana.

"Bu renk meselesini sonra anlatırım, Ayserin," dedim. Şifreyi verdim ve tam odadan çıkarken, koştum sarıldım Ayserin'e.

"Teşekkür ederim kızım, iyi ki varsın!"

"Siz de," dedi. "İyi ki varsınız."

Ayserin gidince, annemin başına döndüm. Gözleri sarılı olduğu için, uyanık mı değil mi anlayamıyordum.

"Uyuyor musun, anne?" diye sordum. Çok hafif bir ses duydum, sanki. Oh, iyi! Yaklaştım iyice, beni duyması için, parmakları sarılı elini avucuma aldım.

"Torunun başardı, anne! Haydi, gözün aydın! Pazarlık bitti, bu sessiz savaşı hiç kan dökmeden, sebatınızla siz kazandınız. Kırılan, dökülen, yaralanan hep sizler oldunuz ama bitti artık!

Ben siyasetin hep dışında kalmıştım, şimdi senin ülkünün ben de sadık bir neferiyim."

Annemin parmakları, kalan gücüyle sıkıca kavradı elimi.

"Yarın her şey çok daha güzel olacak," diye devam ettim. "Sana hücre tedavisi başlatmak için, elimden geleni yapacağım. Bakarsın on dört yaş gençleşir, esas yaşına dönersin."

Bir şey söylemeye çalıştı ama nefesi yetmedi. Uzanıp ağzının yanından sızan tükürüğünü sildim, üzerine serili çarşafın ucuyla.

"Şimdi de sıra, anneciğim, sana söz verdiğim mutlu günlerimizi anmaya geldi. Ben on yaşındayken, beni yurt dışına, Natilya'ya tatile götürmüştünüz, hatırladın mı? Zaten sonra, yurt dışına çıkışlar önce kısıtlanmış sonra hepten yasaklanmıştı. O tatil, üçümüzün bir arada son yurt dışı gezisi olmuştu. Yakışıklı babası ve güzel annesiyle birlikte, hayatının en unutulmaz yolculuğunu, o küçük kızın gözünden, yeniden yaşayalım mı?"

Anneme, çok iyi hatırladığım ayrıntılarıyla, o yolculukta gezdiğimiz yerlerden, yediğimiz yemeklerden, konakladığımız köy otellerinden söz ettim.

"Bir de," dedim, "unutamadığım bir şey, bana yola çıkmadan armağan ettiğiniz kitaptı. *Küçük Prens!* Yolculuk boyunca her gece aranıza girer yatardım, sırayla okurdunuz bana. Babam kitabı okurken, Küçük Prens'i canlandırırdı, sen de diğer karakterleri. Mesela sen, kendini devamlı alkışlatmak için, şapkasını çıkarıp insanları selamlamak isteyen adamı, taklit ederdin; sonra babam, Küçük Prens olur, sorardı sana, 'Şapkanızı yukarı kaldırmayıp, aşağı indirmeniz için ne yapmam lazım?' Sen, bu soruyu duymazdan gelirdin çünkü kendini beğenmişler, övgüden, alkıştan başka hiçbir şey duymak istemezlermiş... Anne!.. Anne!.. Uyudun mu?"

Annem yanıtlamıyordu, avucumdaki eli de gevşemişti. Sadece göğsü inip kalkıyordu. Beni duyduğuna inanarak, anlatmaya devam ettim. Sadece o yolculuktan değil, tüm güzel, mutlu günlerimizden, sabah keyifle yaptığımız kahvaltılarımızdan, neşeli akşam yemeklerimizden, annemin olağanüstü sergi açılışlarından, yakışıklı babamın...

A ah! Göğsü inip kalkmıyor, hareket etmiyordu annemin!

Eğildim ağzına doğru... Sonra alarma bastım, koşup camı tıkladım, geri döndüm anneme, onu kucaklamaya çalıştım, birileri gelmiş odaya, beni annemden koparmaya çalışıyorlardı... "Sakin olun, bitti, şimdi o çok mutlu ve huzurlu," gibi bir şeyler söylüyorlardı... Ben anneme tutunmak istiyordum. Tüm hayatım boyunca yapmış olduğum gibi, ah, ne yalancıyım ben, tüm hayatım boyunca hiç yapmamış olduğum gibi tutunmak istiyordum ona... bana tuhaf otlarla pişirdiği yemekleri getirsin, arkadaşlarımı, hükümeti, yönetimi, rejimi, her şeyi herkesi eleştirsin ama gitmesin... ne olur, hem de şu anda en mutlu, en keyifli olacağı anda gitmesin. Bir yıl daha... Yüce Ram, pazarlık yapalım, vazgeçtim bir yıldan, altı ay... bir aya da razıyım, ne olur tek bir aycık... her gün dizinin dibine oturup ona memleketteki değişiklikleri, güzellikleri anlatabilmem için tek bir ay... Yalvarıyorum bak... sadece bir ay...

"Profesör Otis, lütfen ama!"

Ben başlıksız, perişan saçlarımla, gözyaşlarımın yollar çizdiği kirli yüzüm, kan çanağı gözlerimle, yırtık pırtık üstüm başımla, hâlâ Prof. Otis'tim. İçimi çekip kalktım, çöktüğüm yatağın başından.

"Yüce Ram size uzun ömür versin," dedi Doktor, "Sürpriz olmadı, başından söyledik size... Biliyordunuz, dayanışmada yaralanmamış da olsa... hastalığı..."

"Evet, haklısınız," dedim. "Sizden bir ricam var, annemi son kez görmem için lütfen sargılarını açar mısınız?"

"Vazgeçin Profesör. Pişman olursunuz. Varsın anneniz bildiğiniz yüzüyle kalsın sizde."

Sendeledim. Karşımdaki doktorlardan biri, tuttu beni.

"Peki, öyle olsun. Ama biraz daha odada bırakın ki, oğlum da ona veda edebilsin. Ellerini tutabilsin son kez. Oğlumu annem büyüttü çünkü, çok düşkündür anneannesine."

"Yarım saat süreyle soğutacağım odayı. Yarım saat içinde gelmediyse, maalesef..."

"Teşekkür ederim."

Telaşla bilekliğimden Regan'ı aradım. Telefonu cevap vermeyince, mesaj çektim, oğluma, *"Öksüz kaldık, oğlum. Veda için yetiş."*

"Size yukarda bir oda açtırayım, yüzünüzü gözünüzü yıkayın, kendinize gelin, dışarı çıkmadan önce," dedi Doktor.

"Ben şeydeydim... Saray'ın önündeydim de... annem için... ondan böyle, işte..."

Sustum ve son bir kez daha koştum, anneme sarılmaya. Ağzının kenarlarını, burnunu, parmakları folyoya sarılı ellerini öptüm... Hastabakıcı kabloları çözüyordu kolundan, göğsünden.

Çıktım yanından, annemin. Üst kata çıkmak için beyaz koridorda yürürken üşüdüm. Bir titreme geldi üstüme. Annesiz kalmanın ürkütücü soğukluğu, yapayalnızlığı dayanılmazdı.

Neredesin Regan? Ayserin, nerde kaldın?

415

MAVİ BİR NEHİR AKIYORDU

Hastanenin avlusunda toplanmış, cenaze arabasının gelmesini bekliyorduk. Annemi aldıktan sonra, arabalara binip, onun sen sık kaldığı Mordam'ların önünden akarak, yıllarca ders verdiği Güzel Sanatlar Akademisi'ne gidecek, törene katılacaktık. Rektör, annemin bir meslektaşı ve Regan, konuşma yapacaklardı. Sonra da konvoy halinde, mezarlığa gidilecek, dini tören, mezarlıktaki tapınakta yapılacaktı.

Ayserin, Dina ve ben, aile yakınlarının matemdeyken giymesi gereken duman grisi mantolar ve başlıklar giymiştik. Regan'ın tören giysisinin mavi kordonları, cenaze için gri kordonla yer değiştirmişti ve gri kravat takıyordu. Annemin ölümünün ertesi günü, acil çıkartılan bir kararnameyle tüm siyasi mahkûmlar serbest bırakıldığı için, yakasındaki gri kordonuyla Dr. İdero Hiray da Regan'la benim hemen arkamızda duruyordu. Zogar, oğullarıyla birlikte gelmişti, yakınımızda bir yerde dikiliyorlardı, üstelik aile yakınlarını belirleyen gri kordonu hepsi yakalarına takmış olarak. Pişkinler ordusu!

Cenaze arabası hastanenin arkasındaki morgdan emanetini alarak, bizim beklemekte olduğumuz ön avluya doğru ilerledi. Bizler, bineceğimiz arabalara yerleştik. Ben aracın arka koltuğuna Ayserin'le oturdum, İdego öne geçti. Cenaze arabasının tam arkasındaydık. Hareket ederken gördüm, annemin tabutunun üstündeki örtüyü.

Gözlerime inanamadım!

Tabutunun üzerinde, Ramanis Cumhuriyeti'nin standart cenaze örtüsü değil, masmavi bir örtü vardı ve örtünün orta yerinde de, bir çift bembeyaz kanat!

Şaşkınlığımı yenmeye çalışırken, Kutkar kapıyı açıp, arkaya yanıma sıkışmaya çalıştı.

"Müsaade var mı?"

"Oturdun zaten," dedim ben.

"Sana bu mavi örtüyü izah etmek için bindim arabana."

"Bu, annemin resmettiği... şey... değil miydi? Sergiye katılacaktı bu kompozisyonla."

"Aynen! Regan, anneannesinin son nefesinde yanında olamadığı için çok üzüldü. Ona bir jest, sana da sürpriz yapmak istedi. Annenin eliyle çizdiği deseni, dün kumaşa bastırttı. Beğendin mi?"

Gözlerim doldu, "Beğenmez olur muyum?.. Annemi daha iyi hiçbir şey sembolize edemezdi... Ne demişti bu kanatlar için... özgürlüğün simgesi!"

Cenaze arabası en önde, biz onun arkasında, Regan, Dina ve Suza'yla oğlunun arabası bizimkinin arkasında, diğer arabalar da peşimizde, hastane avlusundan, hareket ettik. Çok yavaş gidiyorduk ana caddeden Akademi'ye doğru. Selvili Park'ın yakınına geldiğimizde, ellerinde mavi bayraklar, pankartlar ve uçları mavi beyaz ışıklı çubuklar taşıyan bir grupla karşılaştık. Ne oluyor demeye kalmadı, sağdan soldan çıkagelen başka gruplarla birleşerek, çoğaldılar, onlar da arabaların peşine katıldılar. Ana caddeye çıktığımızda, yürüyenler bir ağızdan, *Daha İyi Bir Dünya İçin Elele Verin* şarkısını söylemeye başladılar.

Hangi caddeden geçsek, o caddeye açılan sokaklardan ellerinde boy boy, mavi zemin üzerine beyaz kanatlı hologramik çubuklarıyla şarkı söyleyen yeni gruplar katılıyordu korteje. Mordam'ların önünden geçerken, binlerce Mordam sakini, beyaz kanatlı mavi bayraklarını sallayarak selamladılar bizi. Sanki bir cenaze arabasına değil de düğün arabasına eşlik ediliyordu. Kıvıl kıvıl dalgalanıyordu beyaz kanatlı mavi hologramlar, bezler, flamalar, bayraklar.

Penceremden dikkatle izledim insanları, söyledikleri şarkının neşesine, coşkusuna rağmen, herkes ciddi ve vakurdu, yüzlerinde keder vardı, gözleri yaş içindeydi ama daha güzel bir dünya için ölen kadına, onun hayalinin şarkısını söylüyorlardı, bir ağızdan!

Yarım saatte varmamız gereken Akademi'ye, inanılmaz bir kalabalıkla çok gecikmiş olarak vardığımızda, Merkez halkının dörtte üçü, mavi bayraklarıyla kortejin peşinden yürüyordu. Masmavi bir nehir akıyordu, Akademi'ye doğru.

Annemin tabutunu, Akademi binasındaki sahneye yerleştirdiler. Mavi renge boyanmış yapraklar ve bembeyaz çiçeklerle süslenmiş sahnede, beyaz kanatlı mavi örtüsüyle, yerini aldı, annem.

İlk konuşmayı Rektör yaptı.

İki gün önce, Saray'da pazarlığa oturulmamış olsa, annem için böyle övücü bir konuşma yapabilir miydi,hiç emin değildim ama Rektör'ün seçtiği sözlerden anlıyordum ki, korku imparatorluğunun sonu gelmişti.

"Samira Elan Otis, sadece bir ressam değildi. O bir öncüydü, ilericiydi, yol açıcıydı, yenilikçiydi. Dünyada hiçbir toplum, yenilikçileri olmaksızın ilerleyemez. Tıptan, sanata, siyasetten bilime, her alanda ilerleyebilmek için Samira'lara ihtiyacı vardır toplumların. Resim dünyasına açtığı pencereyle sanata yeni bir soluk getirdiği gibi, siyaset alanında da özgürlüğün sembolü olan bu müthiş kadını..."

Konuş Rektör, konuş! Bu konuşmayı dün yapamazdın, dedim içimden.

Samira Elan Otis'i candan seven bir öğrencisi çıkar, özgürlük temasına hiç girmeden, onun ne kadar iyi bir hoca olduğuna dair birkaç söz söyler, sonra da kürsüyü Regan'a bırakırdı. En samimi meslektaşı, yakın dostu dahi cesaret edemeyebilirdi, annemi övmeye.

Regan'ın kolunu hafifçe dürttüm. Göz göze geldik.

"Annem bu konuşmayı sana borçlu," diye fısıldadım.

Rektör on dakikayı aşan bir Samira güzellemesi yaptıktan sonra indi sahneden, önümden geçerken ayağa kalkıp, elini sıktım, teşekkür ettim. Sonra, Regan çıktı kürsüye. Annemin sanatına ya da siyasetine hiç değinmeden, ne sevecen ve eğlenceli bir anneanne olduğuna dair birkaç anı nakletti. Annemi tanıyanların gözlerinde yine yaşlar vardı şimdi. Ben, sesimin titreyeceğini, gözyaşlarımı tutamayacağımı bildiğimden, konuşmak istememiştim ama pişmandım. Regan konuşmasını bitirip yerine dönerken, aniden koltuğumdan kalktım, sahneye yürüdüm. Bir sonraki konuşmacı, annemin bir öğrencisiydi. Şaşırdı çocuk. Onu elinden tutup kürsünün önüne geldim:

"Konuşma sırası Fermon Monat'ın ama onun zamanını çalmayacağıma söz veriyorum. Birkaç cümle söyleyeceğim annem hakkında," dedim. *"Çoğu evlat gibi ben de annemin değerinin pek farkında değildim. O benim sık sık tartıştığım, her işime karışan, beni korumaya çalışırken beni sinir eden annemdi, hayattayken. Oysa, şimdi artık biliyorum ki, annem, bir kahramanmış. Davasının, rütbesiz çarpışan kahraman eriymiş. O olmasa, bu konuşmaları yapamazdık bugün. Bu törendeki özgürlük havasını anneme borçluyuz. Hepiniz adına, onun önünde saygıyla eğiliyorum."* Selam verdim salona başımı eğerek. *"Gelin Fermon, kürsü sizin."*

Bir alkış koptu salonda. Regan ayağa kalktı. Onu diğerleri takip etti. Ben yerime geçtiğimde alkışlar devam ediyordu; beni değil, annemi alkışlıyorlardı. Nitekim Fermon, şu sözlerle açtı konuşmasını:

"Prof. Otis haklı. Ben bu sabah erkenden kalkıp yeni bir konuşma hazırladım, hocam için. Yoksa, kısa ve ruhsuz bir veda konuşması olacaktı. Çünkü, Saray'ın onaylamadığı kişilere sevgimizi, saygımızı göstermeye korkuyorduk, düne kadar. Samira Hocamız

hepimiz ilham kaynağıydı, bize özgür olmanın keyfini anlatmaya cesaret eden kişiydi..."

Fermon Monat'ın uzunca konuşması bitince, diğer yanımda oturan sanat tarihi profesörü, annemin sanatı üzerine bir konuşma yapmak üzere kalktı. Bir kişi daha eklenmiş, konuşmacılara! Profesör sahneye yürürken, onun boşalttığı yere birinin oturduğunu hissettim. Döndüm, Tamur! Sessizce gelip, yerleşmiş yanıma. Elimi tuttu, "Başın sağ olsun," diye fısıldadı, "randevuma iki günlük gecikmeyle gelebildim ama, bundan sonra ayrılmak yok. Seni ne zaman görebilirim?"

"Cenaze töreninden sonra Çamlık Mordam'da akşam yemeği yiyeceğim, annemin arkadaşlarıyla. Geç vakit eve gel istersen."

Regan, benim üzerimden uzanarak, Tamur'u sıcak bir şekilde selamladı.

"Siz tanışıyor musunuz?" diye sordum, hayretler içinde.

"Regan'ın yardımları olmasa, bu işin altından kalkmak çok zor olurdu," dedi Tamur.

"Ben de aynı şeyi Tamur için söylüyorum, anne. Gökcisim'le ilgili durumu fark eden kişidir, Tamur. Bu işin peşini bırakmadı ve..." Lafını kestim oğlumun:

"Bana niye söylemediniz dost olduğunuzu? Sen hani o akşam, parkta?.."

"Sonra sana uzun uzun anlatırız, Yuna," dedi Tamur.

Profesör konuşmaya başlayınca sustuk.

Annemin resimleri, ekranda değişik dönem başlıkları altında gösterilirken, sanat tarihçisi Profesör de, açıklama yapıyordu yapıtlarıyla ilgili. Annemin sanatı hakkında çok güzel şeyler söylüyordu ama benim aklım, oğlumla Tamur'un işbirliğine takılmıştı. Regan beni Tamur'la görüşmemem hakkında uyarırken, sevgili olduğumuzu biliyor muydu acaba? Oğlumla sevgilimin birbirlerine sevgi, saygı beslemelerine, aynı davanın peşine düşmüş olmalarına sevinmem gerekirken, kekremsi bir tat vardı ağzımda, yine aptal yerine konup, arkamdan iş çevrilmiş olduğu için. Onlara bu konuda hesap sorsam, yanıtı da ezbere biliyordum artık: "Seni korumak için!"

Annemin Akademi'de gencecik bir resim öğrencisi olduğu yıllardan başlayarak, yıllar sonra, emekli olduğu güne kadar yapmış olduğu eserlerinden seçmeler sergilenirken, gururum elbette okşanıyordu ama içimden şöyle bağırmak geliyordu: "Beni bundan böyle kimse korumasın! Ben de herkes gibi gerektiğinde üzülme veya tehlikede kalma hakkımı kullanmak istiyorum! Küçük bir kız gibi değil, bir yetişkin gibi davranın bana, be!"

Profesör konuşmasını bitirmiş, yerine dönüyordu. Tamur, oturduğu koltuktan kalktı, kulağıma eğildi, "Akşam gelmedimse, anla ki, ikimiz için bazı işleri halletmeye çalışıyor olacağım. O durumda ertesi sabah buluşuruz."

"Nerede?"

"Uçakta."

"Ne!"

"Havaalanında buluşamasak da, sen mutlaka uçağa bin. Bilgileri bilekliğinde bulacaksın."

Tamur, ayağa kalktı, konuşmasını bitirip dönen profesöre yerini verdi. Birileri daha konuştu mu, müzik mi çaldılar... bilemiyorum. Ben allak bullaktım, tören sonlandığında.

Annemin tabutunu sahneden öğrencileri indirdi. Yan kapıya yöneldiler, biz ön sırada oturanlar, tabutu takip ettik. Sonra kocaman salonu dolduranlar, sırayla koltuklarını boşaltarak peşimize takıldılar. Konferans salonundan çıktık, mermer holden geçtik, ana kapıya yönlendik. Kapının önünden, mezarlığa kadar tekrar cenaze arabasında taşınacaktı tabut. Plan öyleydi. Ama kapıdan çıktığımızda, cenaze arabası yerine, mavi bayraklarını sallayan binlerce insanın bekleştiğini gördük. Bunlar, konferans salonuna sığamadıkları için, dışarda kalanlar olmalıydı. Binlerce kişinin annemin öğrencisi olmasına imkân yoktu. Hastaneden buraya kadar bizimle yürüyenler sanki üç, dört misli çoğalmışlardı. Yanımda duran oğluma sordum. Kimdi bu tümen tümen, beyaz kanatlı mavi bayrakları taşıyan insanlar?

"Onlar özgürlüğe susamış olanlar, anne," dedi Regan, "Anneannemin, bir özgürlük fedaisi olduğunu artık biliyorlar. Robotları durdurabilmek için ölümü göze aldığını da. Yıllardan beri muhaliflerin arasında yeraltı faaliyeti sürdürdüğünü de..."

Sözünü kestim Reagan'ın, "Tek saf benmişim, demek. Son zamanlara kadar hiçbir fikrim yoktu."

"Aynı evde yaşamamıza rağmen, inan ki benim de yoktu. Ben Dış İlişkiler'e tayin olduktan sonra öğrendim... bir yıl kadar önce."

Oğluma sormak istediğim çok şey vardı ama yeri değildi. Annemin tabutunu öğrencileri, kapıda birikmiş kalabalığa doğru götürüyorlardı. Regan ayrıldı benden, tabutu omuzlamaya koştu. Kardeşleri peşinden gittiler. Tabutu taşıyanların arasında Kutkar'ı ve Tamur'u da gördüm. Annem eller üzerinde uçar gibi gidiyordu. İnsanlar, kalabalıktan yürümedikleri için, elden ele geçiriyorlardı onu. Dalgalı bir denizde seyreden mavi-beyaz bir tekne gibi, kâh alçalıp, kâh yükselerek ilerliyordu. Uzaklaşıyordu benden. Bir ara Ayserin'in koluma girdiğini fark ettim. "Biz de ilerleyelim, anne," dedi bana.

Anne, dedi ve ben hiç yadırgamadım. Diğer yanımda Dina, sımsıkı elimi tutmuştu. Peşine takıldık, annemi bambaşka nedenlerle, değişik enerjilerle seven üç kadın. El ele, kalabalığın arasına karışıp, tabuta yetiştik. Biraz öne de geçtik. Annem bizim ellerimizin üzerinden de, parmak uçlarımıza değerek geçti. Sonra, başka sokaklardan ve kavşaklardan katılanlarla çoğal çoğala, onu cenaze arabasına hiç koymadan, kilometrelerce, ta mezarlığa kadar taşıdı insanlar. Sanki bir cenazeyi değil de, uzun yıllar boyunca yüreklerinde biriktirdikleri özgürlük özlemlerini, kaybettikleri adalet sistemini, dünyanın bir parçası olma isteklerini taşıyorlardı. Ellerinden birbirlerine geçirdikleri kadın, yaşlı bir ressam değil, onların yeniden insanca yaşama hayallerinin bayrağıydı, artık. Bir özgürlük sembolü devrediyorlardı birbirlerine.

Mezarına ulaştığımızda, saygıyla açılıp, ailesinin geçmesine izin verdiler. Ben, Regan, Ayserin ve Dina, omuz omuza mezarın başına geçtik. Yıllarca örgütte onunla çalışmış ülkü arkadaşları, bekçiliğini yaptığı beyin takımı, Mordam'lardan yakın arkadaşları (meğer ne çok örgütçü varmış o yaşlıların arasında), meslektaşları, öğrencileri ve son yolculuğa katılmış olan halk, çepeçevre sardılar mezarın etrafını. Annem, hiç tahmin etmediğim kadar büyümüştü, bir bayrak olmuştu. O anda bizleri görebiliyorsa eminim dalga geçiyordu hem kendiyle hem de ona bu değeri atfedenlerle. Öyle yapıyorsa eğer, haksızlık ediyordu kendine de onlara da... çünkü her hareketin birleştirici bir sembole ihtiyacı vardı ve işte annem, eliyle çizdiği mavi üzerine beyaz kanatlarla, sonsuzluğun, özgürlüğün ve sevginin sembolüydü, şu anda.

Mezarın başında, tabutundan alınıp, mavi örtüsüne sarılarak son mekânına indirildi. Regan ve ben yapraklar ve beyaz çiçekler attık üzerine. Ayserin, Dina, İdero, Suza, Zogar ve oğulları, Odeyla... Arike'yi de gördüm bir ara, diğer dostlarımız, annemin öğrencileri ve arkadaşları çiçeklerle donattılar annemi. Sonra onlar geldiler, ta Akademi'den beri annemi başları, elleri üzerinde taşıyanlar... beyaz kanatlı mavi bayraklarını, hologram çubuklarını bıraktılar mezara. Üst üste yığıldı hepsi. Çubuklar hâlâ mavi beyaz çakıp duruyordu tümseğin üzerinde.

Bir ara Regan kulağıma eğildi. "Hani evimde sana yakalanan gizli sevgilim vardı ya, şu anda hemen sağında," diye fısıldadı. Sağıma döndüm, Kutkar eğilmiş annemin mezarına bir demet çiçek bırakıyordu. Ben yarı mahcup, gülmemek için dudaklarımı ısırırken, "Samira," diye böğürürcesine bağırdı kalabalığın içinden biri, "Samira, yaptığım her şey senin içindi. Ama sana yaranamadım. Niye sevemedin beni, niye...niye...?"

"Malek!" dedim dehşet içinde, "Regan, ne işi var onun burada? Defolsun gitsin! Hemen!"

"Sakin ol anne! Malek hasta. Anneannemin yaralandığı gece geç vakit, kriz geçirmiş, intihara kalkışmış. Akıl hastanesine kaldırdılar onu. Bugün özel izinle cenazeye gelmiş, yanında iki muhafız vardı. Neden onu istemediğimizi anlatamayacağım için, katılmasını önleyemedim. Buradan doğru hastaneye geri dönecek. O da böyle ödüyor işte, yaptıklarını."

Annemi, üzerine yığılmış rengârenk çiçeklerin, özgürlük sembolü beyaz kanatlı mavi bayrak yığınlarının altında bırakıp dağıldık. Onca çiçek, yaprak ve bayrak, mezarı doldurmuş, toprak seviyesini aşmış, nerdeyse insan boyunda bir tepe oluşturmuştu. Benim yüreğimde ise, için için sızlayan çok derin bir boşluk vardı.

Yüreğimdeki o sızıyı, Çamlık Mordam'daki cenaze yemeğinden sonra evime gelip, yapayalnız kaldığımda, tüm şiddetiyle bir kere daha hissettim.

Ne çok keşke, ne çok yanıtsız soru kalmıştı bana annemden.

Ama ne çok da renkli, mutlu anı... ayrıca benden sonra gelecek beş kuşağa yetecek ölçüde gurur, şeref, itibar.

Gurur, şeref, itibar! Aslında ne boş sözlerdi, bunlar, ne değişken kavramlardı, iktidarda olanların değer yargılarına göre sürekli değişen.

Sadece kavramlar değil, siyasi, toplumsal ve gerçek tarih dahi değişiyordu, güçlüye göre. Hatta davranış biçimleride!

Dünyamız da değişmişti. Denizlerimiz kirlenmiş, akarsularımız kurumaya yüz tutmuş, ormanlarımız tükenmişti. İnsanların para ve iktidar hırsı dünyamızı dahi mahvetmeye yetmişti. Benim tek tesellim, bunca tahribata karşın, sevginin hâlâ var olmasıydı. Ailemin içinde örneğin, elle tutulacak kadar yoğundu, sevgi. Annem, ben ve oğlum, sık tartışsak da, birbirimizi çok sevmiştik. Regan, sevgi dolu bir ailede büyümüş bir kızla evlenmek üzereydi.

Ama ya diğerleri? Ya dayak atmaktan kendini alamayan Hanor, Hilami, Malek gibiler, kaba, hoyrat insanlar, Arike'nin kendini iktidara satan paragöz dayısı gibi olanlar... Çevremde dolanan onca sevgisiz, saygısız kişi!

Acaba başka bir gezegene mi taşınsaydı benim soyum!

Eve girer girmez, botlarımı attım ayağımdan, matemin simgesi gri paltomu ve gri başlığımı çıkartıp askıya astım. Çantamı portmantonun önündeki masaya bırakırken titreşti bilekliğim.
Ah, nasıl da unutmuşum günün kederli hengamesinde!
Yatak odasına geçip, yatağa oturdum, mesajımı okumak için.
Yarın öğleden sonra uçağına, Nejvok'a bir bilet bilgisi vardı, bilekliğimde.
Nejvok! Dünyanın öbür ucu!
Delirdi mi Tamur? Ne yapacağım ben oralarda?
Bir kere daha okudum bilet bilgisini. Sonra, zorlanarak kalktım oturduğum yerden, elimi yüzümü yıkamak için banyoma yürüdüm, yorgun yüzüme baktım, aynada... A ah! Aynada yeşil kalemle yazılmış bir not:

Keyifli bir tatili hak eden Sevgilim, birlikte geçireceğimiz güzel günlere iyi yolculuklar.

İyi de nasıl girdi evime? Herhalde suç ortağı Regan'dan yardım istemiştir diye düşündüm. Bu akşam uğradığında sorardım ona, kafamdaki onlarca soruyu. Kaç gün sürecek bir yolculuktu bu? Neden dünyanın onca daha hoş, daha sakin köşesi varken, o kadar uzak bir şehri seçmişti, tatil için. Bir mesaj daha düştü bilekliğime... Okudum:

"Toplantı uzuyor. Gelemeyebilirim. En kötü ihtimalle uçakta buluşmak üzere. T."

428

Tamur'un gelemeyeceğine üzüldüğümü söyleyemem çünkü yorgunluktan ölmek üzereydim. Yine de hazırlığımı ertesi güne bırakmak istemedim. Dolaptan valizimi indirdim, giysilerimi doldurmadan önce, bilekliğimden Kameriya Kıtası'na giriş şartlarına baktım. Öğretim görevlilerine üç aylık konuk vizesi, ülkeye girişte otomatik olarak veriliyordu. Sonra Nejvok'un havasını kontrol ettim. Bizim havadan pek farklı değildi bu mevsimde. İyi, valizi hazırlamam kolay olacaktı. Dolaptan sadece üç parça giysi çıkartıp yatağımın üzerine dizdim; düğmeleri sayesinde değişik renk imkanlarıyla, yedi-sekiz kombinasyon demekti, bu.

Sonra oturdum, Regan'a ve Araştırma Kurumu'nun personel müdürüne internetimde birer mektup hazırladım. En son, saçlarıma bakım yapmak için banyoya geçtim.

Saçlarıma itina göstermeliydim, Uluhan'ın matemini ta orada tutacak değildim herhalde, başlığımı uçakta çıkarır dönüşe kadar gözümün görmeyeceği bir yere tıkıştırırdım. Duşa girerken, hâlâ banyonun yanında, yerde duran tencereye de bir küçük tekme savurdum, tıngır mıngır yuvarlandı, tuvaletin kapısın doğru.

Bu, bana bir işaret miydi acaba, benim de tıngır mıngır bir başka hayata yuvarlanma zamanımın geldiğine dair?

HER GİDİŞ BİR DÖNÜŞTÜR

Hava alanına Tamur'un benden önce gelmiş olacağını sanıyordum. Hatta, yerlerimizi ayırtmıştır diye düşünmüştüm. Terminal binasına girince, dış hatların bekleme salonlarına ve değişik çaylar sunan çayhanelere, selfservis restoran alanlarına baktım. Yoktu. Tüm bilet onaylatma noktalarında aradım Tamur'u. Bekleme salonuna geri dönüp, koltuklarda oturan adamları süzdüm teker teker.

Gecikmiş olmalıydı, kim bilir hangi nedenle!

Çayhanelerden en yakındakine gidip, otomattan bir bitki çayı aldım, masalardan birine çöktüm. Vakit geçsin diye, çayımı yudumlarken, bilekliğimden o günün haberlerine baktım. Dünün haberlerinden çok değişik değillerdi. Reformlar için adımlar atılıyor, komisyonlar kuruluyor, görüşmeler yapılıyordu. Demeçler, Oğulhan'ın ağzından yayınlanıyordu ama kendisi ortalıkta görünmüyordu. Oysa, mikrofon görünce dayanamaz, söyleyecek bir şeyler bulurdu, tıpkı rahmetli babası gibi. Ne olmuştu acaba bugün Oğulhanımız'a, sesi soluğu çıkmıyordu?

Haberleri izledikten sonra, Regan'la Ayserin'e ikinci bir veda mektubu yazmaya başladım. İlkini uykuyla mücadele ederken, dün gece yatmadan önce yazmış, neden bu yolculuğa çıkmak istediğimi anlatmış, onlardan bir-iki haftalık izin istemiştim.

İzin! Sanki çocuklarımın bir çalışanıymışım, ya da illa tatilim için bir açıklama yapmak zorundaymışım gibi... Ne kadar adanmış bir yaşam sürmüşüm diye düşündüm, işime, çocuğuma, anneme, tek tük arkadaşıma ve evet... devletime!

Görmezlikten gelmişim devletteki tüm aksaklıkları, eksikleri... burnumu tıkamışım kötü kokulara. İçime atayım, farkına vardıklarımı değil kimseyle paylaşmak, kendime dahi itiraf etmeyeyim ki, anneme zarar gelmesin, oğlum işini kaybetmesin, sahip olduklarım elimden gidivermesin diye!

Ben ne yapmışım kendime, bunca yıl!

Şimdi, annemin yokluğunda, Kimseye Hesap Vermez Samira'ya mı dönüşüyordum, yoksa?

Dönüşemedim.

Regan ve Ayserin'e, upuzun bir mesaj atarak, annemin baş sağlığı ziyaretlerini kaldırabilecek gücümün kalmadığını, yasımı sessizce tutmak, son haftaların yaralarını sarmak için biraz zamana ihtiyacım olduğunu, beni anlayacaklarını umduğumu yazdım.

Anında cevap belirdi ekranımda:

"Güle güle git! Bizi Sakın düşünme! Döndüğünde görüşürüz!
Seni seviyoruz!
Regan & Ayserin"

Araştırma Kurumu'na yazdığım mektupta ise, uzun zamandır hiç kullanmadığım izinlerimin bir araya toplanıp, önümüzdeki birkaç haftanın bana yas izni olarak bahşedilmesini rica ettim. Gerçi yas izni diye bir izin yoktu ama biz hâlâ, Uluhan'ın uzayan yası yüzünden başlıklarla dolaştığımıza göre, demek ki istenince her şey mümkündü... Berrak bir kafayla, dinlenmiş olarak döndüğümde, üstünde çalıştığım son projemi çok daha çabuk bitirebilirdim.

Bir meydan okuma gibi görülebilirdi bu izin isteme usulü. Döndüğümde kendimi kurumdan kovulmuş da bulabilirdim.

Ne gam! Oğlum evleniyordu, ben de emekli olur, torun bakardım ya da Tamur'la keyif çatardım.

Bir şeyler değişiyordu ülkemde. Benim hayatımda da değişmesin mi?

Bitki çayım bitti.

Tamur ortalıkta gözükmedi.

Telefonunu çaldırdım, kapalıydı. Son dakika toplantılarından birindeydi eminim.

Vakit geçsin diye, yolculuğa son anda karar veren biletsizlerin arkasında sıraya girdim. Sıram geldi. Adımı verip, "Kendime ve arkadaşıma uçağın önlerinde yer ayırtmak istemiştim," dedim.

"Yerleriniz zaten önceden ayrılmış, efendim," dedi Hostes. "İkinci sırada A ve B koltuklarındasınız, siz ve Tamur Resom."

"Tamur Resom henüz gelmedi de... ben şey ettim... endişelendim biraz."

"Endişelenmeyin. Daha yarım saatiniz var."

Kendimi bir budala gibi hissederek uzaklaştım kontuardan. Yerimin ayrılmış olduğunu biliyordum. Otursana oturduğun yerde! Bir bitki çay daha içmeye karar verdim ama bu kez en sakinleştirici ot hangisiyse, onu.

Sinameki çayımı içerken Arike'den, Odelya'dan, Araştırma Kurumu'nda aynı bölümde çalışan arkadaşlarımdan telefonlar geldi. Hiçbirini açmadım. Dina bir mesaj atmıştı, onu okudum sadece:

"Sevgili Yuna Anne, size güzel bir tatil diliyorum. Sizi çok özleyeceğiz. *Bir ay sonra görüşme dileğiyle, yeni kızınız Dina."*

Regan'dan öğrenmiş olmalıydı, gideceğimi.

"Ben de seni özleyeceğim, sevgili yeni kızım," diye karşı mesaj attım Dina'ya.

Bir mesaj da Kutkar'dan düştü, bilekliğime:

"Katkın küçük gibi durabilir ama zamanlaması muhteşemdi, etkisi büyük oldu. Sağol."

Onu da yanıtladım: *"Abartma, ben ne yaptım ki?"*

Bana, *"Anlayana sivrisinek saz!"* diye dönüş yaptı.

Yarım saatim doluyordu. Kalbim çarpıyor, ellerim terliyordu. Tamur gelmeyecek olursa, ben de gitmeyecektim. Yanarsa yansın, o pahalı bilet!

Bu kararıma rağmen, biraz da burada bekleyelim bakalım diyerek, uçağımın çıkış kapısına yürüyüp, boş bulduğum bir yere oturdum. Gelirse ne âlâ, gelmediyse dönerdim evime! Tamur Resom'la sonra paylaşırdım kozumu.

Bir on dakika daha geçti.

İçtiğim onca çaydan sonra, tuvalete gitmek üzere ayaklandım.

Adımı, tuvaletteyken duydum hoparlörden: "Prof. Otis, lütfen danışmaya gelin!"

Eh, Tamur'la birlikteliğimiz, iki bacak bir paçada, böyle başlayacaksa, işimiz zordu. Apar topar çıktım tuvaletten, danışmaya koştum.

Danışmadaki Hostes bana önündeki cam kontuara, telefondaki adamın aceleyle not ettiği mesajını okurken, ben de tersten okudum:

Yuna, uçağa bin, beni uçakta bekle. Ben biraz gecikecek ama mutlaka yetişeceğim.

Çıkış kapıma geri döndüm.

Yolcular, bilet numaralarına göre, uçağa çağrıldılar.

Arka sıralarda oturanlar bir kuyruk oluşturdu. Ben önlerdeydim. İstifimi bozmadan oturmaya devam ettim.

Bizi de çağırdılar sonra.

Önlerde oturanlar da sıraya girdiler. Ben, her arkamdan gelene yerimi ikram ederek, hep en arkaya kaldım. Bu dakikadan sonra vazgeçmek çok zordu, hatta imkânsızdı, çünkü bagajım uçağın hangarına konmuştu bile.

Haydi, sözünü dinleyip bineyim de... Ya gelmezse!

•

Hayatımda daha önce hiç gitmediğim bir ülkede ne yapardım ben?

Bir otele yerleşir keyfime bakardım.

Parasız kalmazdım. Çaresiz kalmazdım. Canımın istediği kadar gezer, ülkeme geri dönerdim.

Belki de iyi gelirdi bana, yeni bir ülkeyi keşfetmek!

Hatta bakarsınız, kendime bir iş bulurdum. Yerleşirdim oraya. Çocuğumu çoluğumu yanıma aldırırdım.

Tamur ister gelsin, ister gelmesin! Ne hali varsa görsün!

En son ben bindim uçağa. İkinci sıranın cam kenarına geçip oturdum. Hostes elinde bir tepsiyle gelip çeşitli şerbetler ikram etti. Almadım. İçim çay doluydu zaten. Gözlerim de yaş doluydu ama akmasınlar diye sıkıyordum kendimi. Pencereden dışarıya hiç bakmadım. Kapadım gözlerimi sımsıkı. Rüzgârla dolan bir yelkenli gibi maceraya açılmak da varmış kaderde... ve onun dahi bir buruk keyfi varmış meğer!

Eh Tamur, elbette ben yakında bir gün geri döneceğim şehrime ve işte o zaman göstereceğim sana dünyanın kaç bucak olduğunu!

Açtım gözlerimi. Bir ince vınlama geliyordu kulağıma ama uçak bir milim dahi ilerlememiş, aynı yerde duruyordu. Olan oldu, uyuyayım bari, dedim, yumdum yine gözlerimi.

Yanımdaki yere birinin oturduğunu mu hissetim ben?

Oh olsun! Oturmayanın yerine otururlar! Herhalde arka sıradakilerden biri, kalkmak üzere olan uçakta, önde boş bir koltuk olduğunu görünce, arkalardan gelmişti... tıpkı iç uçuşlarda çoğu kez benim yaptığım gibi.

Gözlerimi açıp, yanıma döndüm.

Tamur!

"Ben seni uyuyor sandığım için uyandırmak istemedim," dedi, "Çok yorgun olmalısın, Yuna."

O ana kadar kendimi sıkmış, ağlamamıştım ama birden, Tamur'u yanımda görünce, bir damla gözyaşının süzülmesine mani olamadım. Elimi avucunun içine aldı.

"Niye geç kaldın?" diye sordum, kırgınlığımı gizlemeye çalışarak.

"Çok hayati bir toplantıydı. Halledilmesi gereken işler vardı, inanmayacaksın ama ta sabah kadar sürdü. Hazırladığımız protokolun tüm maddelerini, ertesi güne sarkıtmadan, bir seferde bitirmek istedik."

"Halledebildiniz mi bari?"

"Oğulhan son anda bir hinlik yapmaz ise, evet. Her konuda mutabık kalındı, tüm imzalar atıldı. Komisyonlar saptandı. Çalışmalar yarın itibariyle başlıyor. En fazla altı ay içinde biz de normal bir dünya ülkesi olacağız."

"Ne iyi! Bütün bu gelişmeleri görmek isterdim... çok uzun kalmayacağız değil mi?"

"Yuna, seni kızlarıma tanıştırmak istiyorum. Sonra, sen ne zaman istersen döneriz."

Uzanıp bir öpücük kondurdum, Tamur'un yanağına. Kolunu omuzumdan aşırdı, ben gözlerimi kapatıp, başımı onun boynunun çukuruna yasladım. Yol boyu, hep böyle kalsak, diye düşündüm... ben Tamur'un omuzunda uyusam... o, elimi hiç bırakmasa... içim geçmiş biraz.

Vınlama sesi kesildi!

Tamur'un oturduğu yerde diklendiğini hissettim. Ben de gözlerimi açıp toparlandım. Öylece bekledik. Dakikalar geçiyor, kimse bir açıklama yapmıyordu. Yolcuların arasında bir homurdanma başlamıştı. Tamur, o sırada yanımızdan geçmekte olan hostesi durdurdu, "Ne oluyor, öğrenebilir miyiz?" diye sordu "Neden kalkmıyoruz? Uçakta bir arıza mı var?""

"Ben de bilgi almaya gidiyorum" dedi hostes, "öğrenir söylerim size."

Hostes, kokpite doğru uzaklaştı ama hiç geri gelmedi. Yolcuların homurtusu giderek yükseliyordu. Ayağa kalkanlar... hostesleri çağıranlar... kokpite yürümek isteyenler...

"Bu işte bir gariplik var," dedi Tamur. Emniyet kemerini çözmeye davranırken, Pilotun sesi kulaklarımızda patladı:

"Sayın yolcular... Sayın yolcular... Lütfen sakin olunuz, yerlerinize oturup dinleyiniz!.."

İnsanlar bir ağızdan konuşmaya başladığı için, iyi duyamıyordum, Pilotun söylediklerini.

"... itibariyle, Ramanis Cumhuriyeti, Oğulhanımız'ın sevk ve idaresinde, komşu devlet Faraday Krallığı'na savaş ilan etmiştir..."

Pilot konuşmasını sürdürüyordu ama uçağın içi, itiraz edenlerin, alkışlayanların, üzülenler veya sevinenlerin, hemen inmek veya hemen basıp gitmek isteyenlerin bağırış çağırışlarıyla inliyordu.

"Sakin olunuz! Sessiz olunuz! Birazdan aprona yanaşmak üzere hareket edeceğiz. Aprona yanaşınca, ön kapıyı açaca-

ğız. Aranızdan inmek isteyenleri indirip, yolumuza devam edeceğiz."

Alkışlar başladı.

İnmek isteyenler, lütfen ön sıralardan başlayarak sırayla uçağı boşaltsınlar. Gelen Yolcular terminaline geçerek, bagajlarını beklesinler. Şimdi lütfen, yerlerinize oturun. Yolculuğuna devam edecek yolculardan gecikme dolayısı ile özür diliyoruz. Yurda dönüşlerde kullanılacak olan hava..."

Hâlâ bir şeyler anlatıyordu, pilot. Tamur'a döndüm:
"Savaş, dedi, sen de duydun mu?"
"Ben de işte bundan korkuyordum, Yuna. Bu, elindeki son kozdu... oynamış! Savaş şartlarında, haliyle özgürlükleri yeniden kısıtlayacak, eski yasaları devreye sokacak. Şu ana kadar biz kazandık zannediyordum... yanılmışım."
"Ne yapacağız şimdi?"
"Sen ne istiyorsan onu yapacağız. Ya, pes etmek yok diyecek, elini görüp, oyuna devam edeceğiz, ya da kendimize yepyeni bir hayat çizeceğiz. Kararı sen vereceksin."
"Senin hiçbir katkın olmayacak mı, bu kararda? Yüreğinden geçen nedir?"
"Yüreğimden geçen, her ne yapacaksam, bundan böyle seninle olmak. Sen hiç bilmedin ama ben seni çok uzun yıllar bekledim. İçimdeki ses, kaderin seni bana bir gün yar edeceğini söylüyordu. O gün geldi! Seni bir kere daha kaybetmeyi göze alamam, Yuna. Kararı sen vereceksin."
Omuzlarıma taşıyamayacağım ağırlıkta bir yük koymuştu, Tamur. Elimi, avucundan çektim. Kararımı verirken, tek başı-

ma olmak istiyordum. Uçaktan inmek isteyen yolcular tek sıra halinde yanımızdan geçiyorlardı... Son yolcu indikten sonra, dönüşüm yoktu artık. Özlediğim tüm kavramlara ve şartlara sahip bir ülkede, sevdiğim adamla birlikte yepyeni bir hayata atılmak mı, yoksa, bilinmezlerin içine düşmek mi?

Dönüşüm ne zaman olurdu, şu anda bilmiyordum. Belli ki savaş yüzünden bir süre uçuşlar aksayacaktı. Ülkeme döndüğümde, neyle karşılaşacaktım onu da bilmiyordum. Ama bildiğim bir şey vardı, ben bilim insanıydım, ateşle hayatın aynı sistemle çalıştığını, her ikisinin de ancak doğru şartlar oluştuğunda, var olacağını bilirdim. Küllerden doğmanın mümkün olduğunu da...

Elim emniyet kemerime giderken, sevgisinin gücüyle, beni benden iyi tanıdığına artık inandığım Tamur'un gözlerinin içine baktım.

"Bir gün mutlaka, özgür bir hukuk devletinde yaşamayı başaracağız, Yuna," dedi, "söz veriyorum sana!"

Sonra hep yaptığı gibi, elini uzatıp, yanağıma, dudağıma, saçıma dokundu sevgiyle... ve sanırım minnetle de.